读经典 跟名师
做临床 成大医

中医临证思辨录

丰广魁 著

人民卫生出版社
·北 京·

图书在版编目（CIP）数据

读经典　跟名师　做临床　成大医 ：中医临证思辨录 / 丰广魁著 . -- 北京 ：人民卫生出版社，2025. 6.
ISBN 978-7-117-38127-7

Ⅰ. R249. 7

中国国家版本馆 CIP 数据核字第 2025B6Q537 号

人卫智网	www.ipmph.com	医学教育、学术、考试、健康，购书智慧智能综合服务平台
人卫官网	www.pmph.com	人卫官方资讯发布平台

读经典　跟名师　做临床　成大医——中医临证思辨录

Dujingdian Genmingshi Zuolinchuang Chengdayi
——Zhongyi Linzheng Sibianlu

著　　者：丰广魁
出版发行：人民卫生出版社（中继线 010-59780011）
地　　址：北京市朝阳区潘家园南里 19 号
邮　　编：100021
E - mail：pmph @ pmph.com
购书热线：010-59787592　010-59787584　010-65264830
印　　刷：三河市宏达印刷有限公司
经　　销：新华书店
开　　本：710 × 1000　1/16　　印张：15　　插页：4
字　　数：231 千字
版　　次：2025 年 6 月第 1 版
印　　次：2025 年 7 月第 1 次印刷
标准书号：ISBN 978-7-117-38127-7
定　　价：58.00 元
打击盗版举报电话：010-59787491　E-mail：WQ @ pmph.com
质量问题联系电话：010-59787234　E-mail：zhiliang @ pmph.com
数字融合服务电话：4001118166　E-mail：zengzhi @ pmph.com

作者简介

丰广魁，医学博士，二级主任中医师，教授，博士研究生导师，第二批全国优秀中医临床人才，第六、七批全国老中医药专家学术经验继承工作指导老师。江苏省西医学习中医师承指导老师，江苏省名中医，中华中医药学会脑病分会第一至四届常委，江苏省中医药学会脑病专业委员会第二至七届副主任委员。

发表论文46篇，获得中华中医药学会科学技术奖二等奖1项，中国中医药研究促进会科学技术进步奖三等奖1项，江苏中医药科学技术奖二、三等奖5项，连云港市科学技术进步奖一、二、三等奖5项，执行主编《实用中医临床脑病学》，著《丰广魁中医脑病学验集萃》，参编专著5部。

张序

广魁是九二级陕西中医学院（现陕西中医药大学）硕士研究生。那年招的研究生比较多，我的印象是他年龄偏大，有近十年的临床经历，中医功底不错。毕业后，广魁在江苏既做管理，又做临床，一直坚持临床不辍，积累了许多好的临证经验，也发表了不少有价值的论文。从本书的案例中可以窥见其较好的中医临证思辨力、对中医理论的领悟力以及遣方用药的驾驭力。

本书医论发微部分的数篇短文有对中医发展层面的思考，有对数个疾病自我创新的认知；临证实录部分涉及疾病面比较广，方剂运用量比较大，经方、时方都有，也有传承老师的经验方和自己创新的方剂。选取的病案都有较好的代表性，既有常见病，也有疑难病、罕见病，有经方治验，也有时方治验，对医学生有较好的启发性。临证感悟部分最具亮点，选取的话题都有针对性和鲜明的时代特点，敢于亮出自己的观点，无论对辨证论治还是辨机论治都进行了很好的分析。在一片否定院校教育的大潮下，敢于提出自己的观点，并以自己为例证，提出院校教育背景下，培养出好中医是毋庸置疑的；反对大处方、超剂量遣方用药，指出中药量效关系的依赖程度并没那么高，增加剂量并不一定能获得更好的疗效。这几方面论述都很有个人见地。

中医的发展需要一代又一代的中医学者不断努力前行，传承中医精髓，在临证中不断提升创新。中医想要发展，就要有理论创新，经典固然要学好学透，同时也要完善中医理论，拓宽临床辨证视野。我们提出的“脑当为脏”理论，以“颅脑水瘀”辨治脑出血、脑外伤、交通性脑积水、解颅等水血同病的脑系疾病，为脑病的辨证论治提供了一个新思路。本书医案也收录了弟子广魁采用此方法成功救治 1 例脑外伤术后昏迷患者的案例。这也是对中医的传承和发扬，值得肯定。

医案自古就是中医学习先人经验的重要载体。医案承载着医家的学术理念和思辨方法，能否写好医案也是对一名医生的考验。作者要有扎实的中医功底，也要有好的语言驾驭能力，能客观真实地记录病情，出神入化地提炼、点评，才能成就一个好的医案。《中医临证思辨录》收录的医案值得一读，相信对大家会有所裨益。

最后祝这部著作早日付梓，惠及后学。

张学文

2024 年 6 月于陕西秦都

前言

吾高考填报志愿偶得高中物理老师指点，乃入岐黄之门，至今已逾四十春秋，庆幸老师帮助自己做了如此抉择。回顾往昔，深感踏入杏林受益颇多，不止于能够悬壶济世，教书育人，尤为得意的是个人受到教化、境界得到提升。

习医以来，深感医理奥妙，医道精微，医路艰辛。吾悬壶之初，研习经方，踌躇满志，每遇病患，跃跃欲试，然而医理未通，医道未精，故常喜忧参半，既有沾沾自喜之乐，亦有灰心丧气之苦，所谓“读方三年，便谓天下无病可治；及治病三年，乃知天下无方可用”是也。继而读各家之典籍，旁参温病，细究时方，扬长补短，“寒”“温”渐通，医术渐增，悬壶几十载，重回归经典，尤以全国中医优秀临床人才研修项目为契机，再读经典、跟名师，重温经方之妙，再探时方之巧，旁参百家之长，融汇古今之法，力求传承精华、守正创新，形成以“核心病机、核心主症”为抓手的辨证方法，终能有的放矢，渐入佳境。

中医临证，不外两条途径：一者，四诊合参，审因求机，辨病辨证，法随证立，方随法出；二者，精研方证，执方诊病，方证对应，以证遣方。其中争议，自古不断，吾以为二者没有对错，若能深入钻研，悟透其一，不断精进，均可成为中医大家！

中医之发展，重在传承，难在创新，每一代中医人之学术经验与研究成果理应成为后学之“垫脚石”，后人也理应站在前人的肩膀上去攀行，不应都从“锅底”出发。假如后学能从“锅边”之半腰处接棒进发，那么前行速度就会加快，成才周期亦会缩短。若真如此，该是何等幸事！但愿余之“锅底理论”对中医代代相传之方法学有所启发。

本书共分四章，第一章为医论发微，包括对中医现代化的理性思考，对“枢机”概念的探讨，对柔肝缓痉法治疗帕金森病的见解，从肝论治焦虑症，分析辨阴阳在内伤杂病中的重要性等。第二章为临证实录，先贤章太炎先生曾言“中医之功，医案最著”，常读名家医案，可以再习理法，重温方药，师其技，学其术，此乃医道之法门，成才之必由。吾所录医案近百例，皆为临床亲历，或为经典方剂的典型证治验证、异病方剂巧用，或为病种特殊、罕见，或为急危重症等，或为常见病、多发病证治但属遣用经典方剂的施治思维。如有黄连阿胶汤治疗不寐、痛泻要方治疗泄泻之典型证治验证，有桂枝加龙骨牡蛎汤治疗多汗症、银翘散治疗特发性面神经麻痹的异病方剂巧用，有罕见病普拉德-威利综合征的治验、少见病硬皮病合并多器官功能衰竭的治验，及脑挫裂伤脑出血术后昏迷的治验等。所录不求其全，但求其真，所著吾皆细思推敲，附以按语，以期解析理法，阐明方药。第三章为自拟方证治，收录吾四首自拟方。其中柴龙解郁汤对焦虑、失眠具有解郁平亢、安神镇静之作用，其临床与实验研究获市级科学技术进步奖一等奖、省厅级中医药科学技术奖二等奖，并已取得国家发明专利；镇颤舒汤具有柔肝缓痉、益气养血之功效，可改善帕金森病、特发性震颤之相关症状，其临床研究获得市级科学技术进步奖二等奖、省厅级中医药科学技术奖三等奖；葛根定眩汤具有解肌舒筋、通利经脉之功效，对颈性眩晕、紧张性头痛、颈椎病具有通利太阳经枢作用，其临床与实验研究显示，对颈椎生理曲度、椎动脉血流均有改善作用。以上三药，均已被开发为医疗机构院内制剂。第四首为菊花钩藤汤，具有滋阴平肝之功效，对阴虚阳亢之头痛、眩晕等病症多有良效。第四章为临证感悟，乃本人对一些中医话题的思考与感悟，围绕当前辨（病）“机”论治的观点，提出辨证论治乃中医治病必由之路；面对否定院校教育、院校教材之言论，提出院校教材蕴含的中医思维足以培养中医人才乃毋庸置疑之事；最后为医苑漫谈，论述了中药的药性、诊病与遣方用药、医生遣方用药不能有好恶、核心病机与核心主症、中药的量效关系等相关问题。

回首求学之路，吾有幸得多位老师垂教，才略有长进。如今幸逢盛世，中医事业正值百年难遇之良机，吾辈肩负重任，理当不负韶华，矢志钻研。青年中医，应当立大志，担大任，明辨是非，择善而从，博采众贤之长，勇攀岐黄之巅，真正践行“传承精华，守正创新”，才能早日成才，再创辉煌！

本书编写历经两年，反复推敲，数易其稿，多位弟子贡献良多，王英超亦在文字编辑中做了许多工作,在此一并致谢！虽用心良苦,力图圆满,然学识有限,精力不济,且一家之言,难免疏漏,诚望同道不吝指正!

丰广魁

2024 年 5 月于连云港

目录

第一章　医论发微

论一　中医现代化的冷思考

中医药是中国的传统医学，是中国传统文化的重要组成部分，一直被人们所珍爱，也受到政府的保护。随着科学技术的迅猛发展，中医如何生存发展备受关注和重视，尤其是中医现代化，似乎中医不"变脸"就难以被接受。然而，笔者认为，轰轰烈烈如此数十年，并未见到实质性的中医现代化。那么，问题出在哪里？是研究方法不对，还是缺乏"精英"？是中医自身固有规律使然，还是未瓜熟蒂落？这就有必要冷静思考、分析这一现象，找出根源所在，避免盲从和走入误区。

一、中医现代化的诠释

在1996年全国卫生工作会议上，国务院提出"中医现代化"。后在2003年国家颁布的《中华人民共和国中医药条例》中明确提出"中医药现代化"。事实上，早在20世纪80年代就开始有了这一提法，可见，这既是政府行为，也是社会各界的要求。

什么是中医现代化？目前来看，大致有以下3种观点：①中医现代化是用现代医学（西医）研究中医，用西医去解释中医；②中医理论的系统整理、规范化；③中医现代化是在中医药学基本理论指导下，运用现代科学知识、方法与技术（包括系统论、非线性理论等）来阐述和发展中医药学，使传统的中医药学从理论体系和诊疗水平与当代自然科学接轨。第一种观点赞同者不少，反对者也很多，认为这种方法只能使中医西化、异化。第二种观点是部分学者的观点，目前并不被大众认同。第三种观点，认为中医也应该与时俱进，像吸收"阴阳""运气"学说一样吸收所在时代的最新理论丰富自己，要吸收西医学以及其他学科诸如系统学、信息学、复杂性科学等一系列理论丰富完善中医学，使中医学与当今时代的最新科学相融合而与现代科学同步。当前，大众对第三种观点认同性较好。本文就权且以此观点代表中医现代化概念展开讨论。

二、中医现代化的困境

1. **动力源不足**　中医现代化从中医阵营发出的呼声不足，更多是外界的呼声，因此，动力不足。部分中医学者认为中医现代化与否主要是解决中医科学与不科学的问题，是因为被质疑中医不科学才提出的，即要中医科学化。而另一部分学者认为中医的整体观、人本理念及辨证论治的个性化治疗是人类医学发展最终的趋同方向，在不少疾病领域有肯定疗效，能补西医之不足和缺憾。因此认为中医就是科学，甚至是超科学，中医的奥秘需要在后科学时代才能解密、证明，所以，中医没有必要现代化。

2. **中医自身固有特质使然**　中医理论带有浓郁的文化气息和哲学内涵，概念抽象、宏观，无法找到物质基础，也难以量化。

中医理论起源于2 000多年前，虽然历代均有补充发展，但整体来说“进化”缓慢，甚至说没有“进化”，是一块自然科学里的活化石。它的古代痕迹太深，与现代科学格格不入。中医的“气”“阴阳”“证”这些概念都具有强烈的整体性，具有不可还原的特征，还原法无原可还。还原法是对具体物质的分析还原，不是针对概念理论的。想要在分子或基因水平上找到气血、营卫、阴阳、证的实质，就难免要碰壁。如阴阳，只是一种属性，是自然界相互关联事物或现象对立双方的概括和统一，不能代表机体的任何组织器官，只有与具体事物联系在一起才有意义。如联系到方位上，上为阳、下为阴；联系到脏腑上，腑为阳、脏为阴；《黄帝内经》(简称《内经》)云：“阴阳者，血气之男女也”，血与气，女与男是一对阴阳属性关系，并不是一种具体物质。还比如气。气是中医学中非常重要的概念之一，中医的“气”既是物质又是功能，这种物质“若雾露之溉”，是弥散之物，不能测知，只能感知，用现有的方法找不出来什么是卫气，什么是营气，什么是元气，什么是真气，就像不能在哲学范畴内寻找客观存在的物质一样，人们也不可能在中医学范畴内找到气的物质基础。比如证本质研究是想通过客观物质的研究来规范简化证的不确定性，而相关的肾阳虚证是24小时尿17-羟皮质类固醇降低、肺癌阴虚证是白细胞介素1、肿瘤坏死因子增高及证就是相对短暂的神经-内分泌-免疫网络失调的多系统综合等各项研究均难以使阴阳、气血概念实物化。看似证本质研究已经深入到了细胞分子水平,既有"微观"还原,还有微观基础上的综合,貌似离现代化一步之遥,可这只是对中医之"然"进行释解的"所以然",还不能说已经成为中医理论构架中的一部分;是"注释",还不是"正文"。

三、历史的经验佐证

从明末西方传教士将西洋医学传入我国后,近100多年特别是近50年来中医界、中西医结合界,以及包括哲学界在内的其他学科专家都对中医进行了大量研究。

1. **从中医界看** 中医队伍在近半个多世纪中,还未提出带有显著现代化信息的诸如明末清初温病学说这样突破性的理论,尽管也有新提出的如"发黄"的肝胆湿热论、"脑当为脏"的脑主神明论等新理论,但离中医现代化目标还很遥远。

2. **从中西医结合界看** 从陆渊雷、张锡纯到现在,特别是近30年来,采用现代医学的思维方式和触角从不同层面加以研究,取得了许多成果。然而,目前的成果多是用于解释中医,并没有成为中医理论不可分割的一部分。无论是中医的概念、理论、治法尚未见现代化。

3. **从其他学科看** 其他学科特别是哲学界从老三论到新三论,从模糊数学、混沌学到非线性理论、复杂性学等多方位、多角度研究中医,虽然学说纷纭但难助中医"现代化",尚未见到中医有现代化的苗头。

一般而言,事物在创新中发展,在发展中壮大,要跟上时代的节拍,要与时俱进,中医也应该跟上时代的节拍,要有时代的气息,因此,中医应该能现代化,也应该现代化了。

四、从中医自身规律积极发展中医现代化

中医学有上千年与疾病做斗争的历史,在当今时代依然有其存在的基础和必要性。

借助西医学及多学科的方法研究中医,都是值得提倡和鼓励的,研究中医不能替代中医自身的研究,但是研究中医无疑对繁荣中医事业,促进

中医发展是大有裨益的。不可否认现代中医的诊疗已经是在西医诊断平台上的中医治疗，两者联手为解释病情、避免误诊、防止延误治疗都有积极意义。但是，这些研究和努力离推进中医现代化还很遥远，还不能替代中医去辨证施治。运用现代医学理论指导下的中药及中成药施治疗效难遂人愿，容易产生不良反应。“关木通事件”“小柴胡事件”之祸都是在医不在药。

有学者把分子生物学看成中医现代化的法宝，认为“现代医学的基因调控与中医学阴阳平衡所阐释的生命规律不谋而合，两种截然不同的医学体系对疾病本质的认同反映出两个学科思维方法上的趋近特征，显示出研究思路方法上的相互渗透的可能性，从而为中医理论现代化研究提供了契合点”；还有学者认为复杂性科学、系统论的论述与中医理论十分相近，以此来研究中医能使中医现代化。笔者认为，这些理论对中医的研究是“喻”，而不能“替”；只能“饰”，而不能“改”。说明，中医的理论有科学性，“英雄所见略同”，而不能以基因调控去替代阴阳学说，系统论永远是系统论，不会成为中医的理论之一。可以认为，中医的整体观符合系统论的精神，是科学的，而不能认为中医就是系统论，系统论就是中医。因此，中医发展如何与时俱进，与现代科技有机融合将是中医界乃至社会各界共同面对的问题，需要共同努力去研究、提高。

中医现代化的呼声很高，中医何去何从的确是个值得深思的问题。笔者认为，不妨有两种设想：一是按照中医自身固有规律去发展，中医医疗机构、研究机构、中医高等学府等应该以中医为本，不为名，只为实，固守中医本真，“退耕还林”“退耕还草”，避免中医搭台、其他“研究”唱戏，还中医一片纯正，让中医在当今科技日新月异的条件下适者生存下来，且发展壮大，让中医在适合的土壤里焕发新生。二是积极创新，与时俱进，在创新中与现代科学有机融合，成为另一种克服中医不能量化这种局限的新的医学形式。那时的中医就升华了。

论二 “枢机”探微

枢机是指气机交接转枢之地，其功能为枢转气机，使气机出入正常，升降自如，开阖有度。其中，少阳为表里、阴阳之枢；脾胃为升降之枢。枢机旋转失乖，则变生他病，透转枢机在临床上具有重要的指导意义。

一、枢机源流

“枢机”作为名词提出约在明代，张介宾（号景岳）在注解“少阳为枢”时提出：“少阳为枢，谓阳气在表里之间，可出可入，如枢机也。”《说文解字》曰：“枢，户枢也。”机，为事物发生的枢纽。《辞海》将枢机释为“事物运动的关键”。可见，枢机是指人体气机的转枢区域，发挥气机运转、维持气机升降出入的作用。

有关枢机的论述最早可追溯到《内经》。《素问·阴阳离合论》篇云：“太阳为开，阳明为阖，少阳为枢。”“少阳为枢”之称虽出自《内经》，但少阳枢机之实质内容则是在《伤寒论》少阳病柴胡证的论述中提出的。《伤寒论》以“口苦，咽干，目眩”作为少阳病的提纲证候，是对枢机失调的高度概括。由于少阳位居表里阴阳之间，邪居少阳，枢机不利，失开则寒，失阖则热，开阖失常，故见寒热往来，胸胁苦满之症；枢机失调，阳明之气机受阻，六腑通降失宜，故见不欲饮食、心烦喜呕之症。“枢机”这一概念的运用，进一步揭示了少阳经在机体中的重要作用，因此，《伤寒论》奠定了枢机理论的基础，成为后世诸家论述的滥觞。张景岳论述道：“少阳为枢，谓阳气在表里之间，可出可入，如枢机也。”即指出少阳为枢机，位于表里之间，司阳气出入。程郊倩亦有类似之说：“少阳在人身为游部，凡表里经络之罅，皆能随其虚而见之。”伤寒大家刘渡舟更明确地指出：“少阳经脉行于身侧，居于太阳阳明两经之间，外则从太阳之开，内则从阳明之阖，从而起到枢机的作用”“少阳主枢，除主表里之枢外，亦主阴阳之枢”“半表半里枢机不利而兼表里不和，亦应用小柴胡汤和解”“少阳枢机具有疏通、调节表里内外的作用，枢机利则表里之邪得以透达”。可见，少阳为“枢机”，是为表里、阴阳之枢纽，且枢转气机。

二、枢机发微

枢机虽主指少阳，然“少阳在人身为游部，凡表里经络之罅，皆能……见之”，且“柴胡证病在三焦，然波及阴阳、表里、上下、内外”。除此之外，《素问·阴阳离合论》还有“太阴为开，厥阴为阖，少阴为枢”的论述。有学者认为少阴为阴经之枢，还有人认为厥阴为阴阳之枢。笔者认为，少阳枢机不单指半表半里，手少阳三焦经、足少阳胆经俱为枢机，而且脾胃位居中焦，是气机升降之枢机。因此，广义地说，枢机并非单指少阳，大凡表里之间（少阳之罅）、上下之间（咽喉、中焦）、前后之间（身侧、胁），俱可谓之。

（一）表里、阴阳之枢——少阳

少阳统属胆和三焦，自张仲景首创小柴胡汤和解少阳以来，后世不少医家对少阳病证病机的认识多拘泥于"半表半里"、胆系之病理变化，对小柴胡汤及其加减方的运用规律也多以少阳半表半里、寒热虚实夹杂病机来释解，缺少对少阳病证病机真谛的把握。清代柯韵伯、唐容川等在阐发仲景六经机要时，已提出了少阳证治关乎三焦、柴胡之剂贵在转运机枢等颇具匠心的论点。近有学者从三焦理论认识柴胡类证的证治规律，认为小柴胡汤能得升降宣通之义，也无不与三焦气机水火交织的发病机制密切相关。

少阳枢机其义如何？以经络而言，少阳经脉介乎表里之间，连接表里经气以称为枢。以脏腑言，胆主阳气之生发，三焦统领阳气之气化；胆主枢之启动运转，三焦继以路径畅达，形成枢路一体，枢运机转。即启枢在胆，沟通枢机与脏腑器官的联系、维持枢运之恒定在三焦。三焦主持诸气，联络脏腑，为胆平调情志、决断应变之内应；胆振启阳气，布施相火，可激发推动三焦之气化；又胆为气枢，三焦为水道，相火熏蒸，气布水行，两脏相协参与阳气的旋运机制，并统气火水，共为少阳枢机。少阳枢机作为调节机制的一面，既有启运阳气、络通脏腑、沟通表里、平调情志、决断应变之功能，更与其他脏腑经络构成一定联系。此是枢机概念之机要。

（二）升降之枢——脾胃

脾与胃同居中焦，脾气主升，升则水谷精微得以上输心肺，在心肺的作用下，使富有营养的物质布散周身，为人体所用；胃气主降，降则饮食物得以受纳腐熟，传导排泄。因此，在人体气机升降中，中焦脾胃为气机升降之枢，为水谷精微运化之枢纽。升清降浊必赖枢机之调畅，《临证指南医案》对脾胃功能及生理特点作了言简意赅的概括："纳食主胃，运化主脾。脾宜升则健，胃宜降则和。"脾胃升降相因，相辅相成，共同完成饮食物的消化、吸收和输布全过程。化生精微，"灌溉四旁"，心、肝、脾、肾均受其益。人体水谷精微之运化升降不已，生命始能生生不息。一旦脾胃枢机受损，升降失乖，则百病蜂起。正如《素问·六微旨大论》所云："升降息，则气立孤危……非升降，则无以生长化收藏。”

脾升胃降还主持着心、肝、肺、肾四脏的升降。肝主升，然肝之升靠脾之升。黄坤载深明其理，谓：“肝气宜升，然非脾气之上行，则肝气不升。”肺主降，而肺之肃降亦需胃气之顺降。肺与大肠相表里，肺之降赖大肠腑气之通降，而肠腑之降必赖胃腑之降，胃气不降，大肠之气焉能降乎？正常情况下，心火必依脾胃枢机下降之势下温肾水，肾水须赖脾胃枢机之上升之趋上滋心火，这样方能水火既济，臻于和也。

脾胃为人体气机升降之枢纽。枢纽所司，则当升者升，当降者降，以维持精微的运化与敷布及其全身的气机升降运动。因此，脾胃为枢是生命活动的重要环节。

三、枢机的临床意义

《内经》云：“升降出入，无器不有。”意即凡物之成形者，皆有气化活动存乎其中，升降出入则是气化活动表现的基本形式。然升降出入的正常与否，又与“枢”的运转状况密切相关。若人体的枢机运转正常，则生机盎然，虽病亦轻，或病重易治；反之则病重，甚至于危。故《内经》指出：“出入废则神机化灭，升降息则气立孤危。”

（一）少阳枢机不利

笔者临证对大凡枢机不利、旋转失乖、气血津液聚而为病者，均以和解透达、枢转少阳之法治之，以小柴胡汤为主方，屡验屡效，现举例如下。

患者，女，28岁，工人。产后2年，一直哺乳，平素五志过急，易怒急躁，常襟怀不宽，愤郁于内。2个月来，两乳房或增大3倍，或不经治疗自可消散。增则乳房胀痛重坠（但不红肿），按之石硬，心烦易怒，口苦咽干，间有寒热往来；消则如常，毫无他觉。经青霉素及清热解毒、软坚化结等中药不效。如此3个月有余，未见好转。现脉弦而沉小。遂与小柴胡汤加全瓜蒌30g，枳壳12g，12剂后未发作。自述心情舒畅，食欲旺盛，涵养有增。遂嘱服逍遥散善后，随诊1年半再未复发。

按：乳房为肝经所过之处。肝主疏泄，调节气机，枢机为气机转枢之地。患者平素易怒急躁，肝气多郁，枢机不达，痰气遂生，出入不得，故时聚时散，治当透转枢机，气顺则诸症俱平。

（二）中焦枢机不利

有学者认为，脾胃为人体上下升降之枢，一个主运、主升，一个主纳、主降，两者相互为用，共同组成上下升降的枢纽，故吐利、痞满、眩晕、泄泻诸症，大都可通过调整中焦脾胃的升降枢机而获治愈。也有学者认为，只有脾胃升降功能正常，气机才能通利自如，一旦脾胃升降功能被破坏，内环境紊乱，则百病由生。

四、小结

升降出入是气的运动方式，枢机是维持气升降出入正常的关键。之所以表里如一，阴阳通接，正是枢机转枢的结果。若枢机不利，气机受阻，则津液失和而成病。临床此类病不乏其例，每每他药难效，其理费解。岂不知邪阻枢机，枢机不得转枢气血津液，阴阳升降失乖是其内理，故不可不测。

论三　论柔肝缓痉法治疗帕金森病

帕金森病，是一种中老年期常见的神经系统变性疾病，以震颤、肌强直、运动迟缓及姿势异常为主要特征，中医有颤证、震掉、振栗、颤振等称谓。明代王肯堂在《证治准绳·杂病》中指出，“颤，摇也；振，动也。筋脉约束不住，而莫能任持，风之象也”“此病壮年鲜有，中年以后乃有之，老年尤多。”由于主要在老年期、老年前期发病，故 1991 年，中医脑病界将这些病症统一命名为“老年颤证”。医学界对帕金森病的历代论述颇多，临床证治见仁见智，笔者提出柔肝缓痉之治法，略论如下。

一、本虚标实以虚为本

（一）本虚为肝肾不足

气血两虚帕金森病多见于老年人，《内经》云：“年四十，而阴气自半也。”人到中老年以后，肾精逐渐衰减，加之色欲劳顿之消耗，而致阴精衰少，肝之阴血亦渐有不济，水不涵木；或五志过激化火，灼伤阴津，精血暗耗；或久病及肾，年高多病缠身，致使肝肾亏虚，均可导致肝肾不足，精血亏虚，筋脉失养而虚风内动，颤振由生。

《难经》云："气主煦之，血主濡之。"筋脉之柔健，同样依赖气血的温煦、濡养，肾为先天之本，为五脏之根，肝肾不足，必累及气血之化生及气血之运行，加之高年久病，气血盈少亏多，遂失却濡养，筋脉失荣而虚风内动，发为颤振。

（二）标实为风火内生，痰瘀阻络

内风、火热、痰浊、瘀血为气机气化失乖，气血津液异化所致，五志过激，皆可化火，肝肾不足，肝之阴阳失衡，阳气亢逆，又易阳化生火，火热灼津，炼液成痰，肝旺克伐脾土，泛生痰湿，或致气血不调，出现气滞血瘀、气虚血瘀等，火易动风，虚风内生，痰瘀阻络，筋脉失养而见颤证。

（三）病机为本虚标实，以虚为本

本病起病于中老年人，此期机体阴阳渐损，气血渐亏，尤以五脏之根肾精所损为甚，变生风火痰瘀之邪，邪实致患，筋脉失养，初起多见痰阻瘀滞络脉，筋脉失却温煦濡润之表现，症见手足蠕动，肢体颤振，行动迟缓，拘紧不舒，时轻时重，每遇情志不遂、激动、紧张而诱发或加重，伴心烦、头晕、胸闷、便结、泛吐痰涎，舌下脉络瘀紫，舌尖瘀点等虚中夹实之象。病程缠绵不愈，迁延渐久，正气渐虚，即出现肝肾精亏，气血俱虚，筋脉失养的严重表现，见肢颤渐重，振频难控，颌振口张，行动笨滞或不能行走，汗出如雨，面容呆滞，心悸、懒言，面色㿠白或晦暗，舌淡黯或黯紫，脉沉弱或虚数等以虚为主的证候。

综上所述，虽见风火痰瘀邪实诸症，但肝肾不足，气血两虚在先，实为标，虚为本。

二、筋急风动为病理关键

风气内动为体内阳气亢逆变动所致。震颤、筋肉瞤动、强直、拘紧均为内风为患所致。《素问·至真要大论》云："诸风掉眩，皆属于肝"，可见内风与肝之关系最为密切。肝为刚脏，司主气机，主升主动，最易亢逆化风；肝主筋，"肝主身之筋膜"（《素问·痿论》），筋赖肝之阴血濡养而常健，故《素问·经脉别论》曰："食气入胃，散精于肝，淫气于筋"，肝血充盈，才能淫筋；筋得其所养，才能运动矫健，轻盈有力。无论何种原因导致筋脉失养，均会筋急风动而变生颤振，若因年老体弱，醇酒耗精，致肝肾不足，或脾虚不健，气血亏虚，或痰热阻络，或瘀血阻滞，导致经气不畅，筋脉失养，筋脉失其主持而颤振由生，故主病在肝，表现于筋脉。

可见，无论是肝阳化风，肝肾不足，还是气不煦，血不濡，痰瘀阻络，只有导致筋脉失养，影响筋脉的正常舒挛，失去自如主持动静的能力，才能致颤。因此，筋急风动是本病的病理关键。

三、柔肝缓痉乃其正治

帕金森病集中地表现为肢颤颌震等筋急风动之象，导致颤振的原因虽有痰瘀阻络、气血亏虚、肝肾不足等，然最终归结于筋脉失养，筋急风动这一环节上。上述病因所致病证甚多，唯致颤必以累及于筋脉方为其因，故补益肝肾、补气养血、化痰活血等治法仅顾其一面，只有重在舒筋缓痉息风与之并用方为全面。

肝为罢极之本，主筋，筋急必有肝之阴血濡润不及，治肝乃治颤之大法，治肝之法甚多，但唯柔肝之法最顺肝刚烈之情，不可填塞峻补过猛，亦不可行气活血，通利息风过峻。岳美中指出，“肝性多郁，宜泻而不宜补，肝性至刚，宜柔而不宜伐”。取不腻不燥、酸甘平柔和缓之品以达柔肝缓痉舒筋、肝筋同治的目的。笔者自拟镇颤舒汤治疗帕金森病震颤、肌强直，改善显著。方中芍药甘草汤酸甘化阴，柔肝缓痉为君，白芍乃养血濡筋、缓急止痉的良药，酸苦、微寒，养血敛阴，柔肝，质清不腻，补而不滞，重用不歹；钩藤甘，微寒，息风止痉，清热平肝，清热力微，息风功强，亦为平柔之剂；僵蚕咸、辛，平，缓痉息风，兼以化痰；葛根甘、辛，凉，有解肌舒筋，通络缓急之功，葛根亦为治痉之要药，《金匮要略》治刚痉、柔痉均不离葛；同时配芪益气，归养血，芎行气活血，总体突出柔肝而不黏腻，平肝而不伤气，益气而不壅堵，养血而不滋腻，通络化瘀而不耗气动血。

颤本顽症，渐久起病，焉能骤然求效，只有以平淡之品缓图，方为治本之策。

论四　从肝论治焦虑症之我见

焦虑性神经症，简称焦虑症，是指以广泛和持续性焦虑或反复发作的惊恐不安为主要临床特征的神经症。包括广泛性焦虑症（generalized anxiety disorder，GAD）又称慢性焦虑，和惊恐障碍（panic disorder，PD）又称急性焦虑。常伴有头晕、心悸、胸闷、呼吸急促、口干、尿频、出汗、震颤，肌肉紧张、运动性不安等自主神经症状，以及运动性紧张。中医学无“焦虑症”之名。从临床表现看，本病应属于中医情志病范畴，与“郁证”“惊证”“恐证”“惊悸”“怔忡”“不寐”“脏躁”“百合病”等相关。笔者就焦虑症中医证治方面略论如下。

一、命名

焦虑症的首要表现是焦虑情绪。据杜凌阳等对焦虑症患者临床症状的报道统计，此类患者焦虑情绪的发生率为 100%。焦虑情绪是由于害怕、恐惧而产生的一种负面情绪，表现为惊恐，或忐忑不安，或精神紧张，与中医七情中的“惊”“恐”相近。因此，焦虑症中医应命名为“惊恐证”。

二、病因病机

早在《内经》时代就有关于惊、恐的论述。《素问·至真要大论》云：“惊则气乱”，《素问·举痛论》云：“惊则心无所倚，神无所归，虑无所定”，说明焦虑症（惊恐证）具有气机失调的重要特征，也提示惊、恐是机体七情反应的功能状态，是紧张恐惧的一种临床表现，是神乱、魂飞魄散的“脏”形之于诸外的“象”貌。肝主疏泄，调畅气机，舒畅情志，喜条达而恶抑郁，参与情绪调节；惊恐证之惊则气乱，表明机体气机失调必然与肝有关，乃过度不良刺激造成的肝郁气滞。同时惊易导致气机紊乱，使木之调畅异常，具有突然性而类风象，故属木而归于肝。

《素问·阴阳应象大论》又云，肾“在志为恐”，《证治准绳》在释解时云：“脏腑恐有四：一曰肾……二曰肝胆。经云：肝藏血，血不足则恐。戴人曰：胆者，敢也，惊怕则胆伤矣。盖肝胆实则怒而勇敢，肝胆虚则善恐而不敢也……四曰心。经云：心怵惕思虑则伤神，神伤则恐惧自失者是也。”故本病与肾有关。

心属火，为阳；肾属水，为阴。在正常状态下，心火必下降以温肾水；肾水必上济以滋心火而水火既济，“盖心肾相交，水火既济而后妙用神”（《中国医学汇海》）。而心肾相交则依赖于肝的疏泄转枢，正如《辨证录》所言：“心欲交于肾，而肝通其气；肾欲交于心，而肝导其津，自然魂定而神安。”肝郁化火必然会上助心火、下耗肾水，导致心肾不交，使心火独亢，肾水耗损。

《素问玄机原病式》也有精辟论述："惊，心卒动而不宁。火主于动，故心火热甚也……所谓恐则喜惊者，恐则伤肾而水衰，心火自甚，故喜惊也。"因此，本病与心、肾有关。

上述所见，本病为不良情绪刺激导致肝气郁结，进而扰动心神、肾志所致。肝为刚脏，易亢而生风，藏血而主筋，若忧思过度，或气机不畅，肝气郁久化热，神受其扰，或气郁则津液失布，凝而为痰，或郁而化火，炼液成痰，痰气交阻，神失其养，或暗耗阴血，心肝阴血亏虚，肝失调达或亢逆，则魂无以藏，神无所附而见失眠心烦，坐卧不宁，心悸怔忡。若肝的疏泄功能失常，阴血不能滋养筋脉、肌肉，则易倦怠乏力、拘挛紧张、颤抖等；风阳上扰则出现易激惹、汗出、头晕、麻木等；横逆克脾则出现纳呆、腹泻；损肾伤精则脑髓失养，出现注意力不集中、健忘；若肝郁化火则出现易怒、急躁、易激动；若克伐脾土，聚湿生痰，则出现头晕、麻木、反应迟钝。

初期肝郁气滞为主，多责之于肝，渐久气郁化火，生痰，或耗伤心气、营血，或耗损扰及肾水而致心肾不交，而变生诸症，病情缠绵。"恐则气下"，惊恐伤肾，肾虚易致惊恐，因此，焦虑症主要与心、肝、肾三脏关系密切，尤以肝为主。而肝郁气滞是本病的病理关键。

三、治法

焦虑症的病变脏腑主要在心、肝、肾，病机主要体现在肾—肝—心轴上。轴心为肝，因此疏肝解郁为其正治。肝郁最易化火生痰，克伐脾土易致呕恶、纳呆，肝为刚脏，易亢而化风，故宜在疏肝理气时，兼清泄肝热、健脾化痰、潜镇降逆为要，选用柴胡剂最为妥帖。笔者自拟柴龙解郁丹，即由小柴胡汤加生龙骨、生牡蛎、珍珠母而成。小柴胡汤是少阳肝经第一方，专为和解少阳而设，具有疏肝解郁、和胃健脾之力。而柴龙解郁丹则具有调和阴阳，调畅情志的作用。方中柴胡微苦微寒，入肝经，疏肝解郁为君；黄芩味苦质轻，清肝胆、上焦之热；半夏化痰开结，亦为安神要药；生龙骨、生牡蛎、珍珠母潜降镇逆，重镇安神为臣，党参补益心脾之气并防重坠之品伤脾为佐，炙甘草助党参补气和中，并调和诸药为使，生姜、大枣护脾和胃亦为使药。诸药共奏疏肝解郁、镇静安神之功。焦虑症的治疗不可理气疏泄太过，以防止伤气耗阴。焦虑情绪多为肝郁化热所致，理应清泄肝热，但又应防寒凉太过。"见肝之病，知肝传脾"。且本病多夹脾胃不和之证，故宜和胃而又不宜辛燥大补，只有在和中求之，最为妥帖。

四、病案举例

于某，男，35 岁，因“坐卧不宁、易怒失眠 2 年，加重 1 周”于 2009 年 3 月 31 日初诊。自诉坐卧不安，心神不宁，汗出胸闷，入睡难，似睡非睡，易醒而不欲起，晨起头痛，急躁易怒，纳食不振，情绪低落。舌红苔薄白，脉弦。诊为焦虑症（惊恐证），证属肝气郁结，痰热扰神，治以疏肝解郁，清热镇静，予柴龙解郁丹（院内制剂），药用：柴胡 12g，黄芩 12g，法半夏 12g，党参 12g，炙甘草 6g，生龙骨 30g，生牡蛎 30g，珍珠母 30g，生姜 10g，大枣 10g。每日 3 次，口服。1 周后诉急躁易怒基本消除，坐卧不安、心神不宁、汗出胸闷减轻，纳食不振、情绪低落改善，入睡转佳，睡眠时间 5~6h，无头痛。继续服用 1 个月后诸症已不明显，心神不宁、胸闷失眠症状轻微。

论五　浅析辨阴阳在内伤杂病中的重要性

八纲，是辨证的总纲；阴阳，又是八纲的总纲，故又称“二纲六要”。阴阳辨证是临床诊治疾病必不可少的辨证纲领，故有“善诊者，察色按脉，先别阴阳”（《素问·阴阳应象大论》）之说。在诊断上主要把临证诸多证候根据阴阳属性区分为阴阳两个方面加以辨证归纳。由于阴阳是对疾病证候一般属性的概括，不是具体的实质，因此，在临证中容易被忽视而不易掌握，出现见木不见林，只重“微观”（其他辨证）而忽视“宏观”（总纲）的现象。纵观古今名医能起沉疴大疾者必重阴阳。正如张景岳所言：“凡诊脉施治，必先审阴阳，乃为医道之纲领。”可见阴阳辨证在临证中占有重要地位，掌握阴阳两纲能够比较容易地找出主要矛盾，尤其是慢性病、疑难病，往往证候复杂，盘根错节，掌握阴阳则能够执简驭繁，提纲挈领，减少片面诊断。

笔者在临证中体会到，驾驭阴阳并非易事，尤其在奇难杂症中，往往阴阳难辨，寒热不明，辨清阴阳则思过半矣。屡屡误诊多半在此，列举如下，予以剖析。

一、阴虚错断阳虚癃闭案

张某，男，76 岁。1986 年 3 月 17 日初诊。患者不慎触冒风寒，始觉全身发冷，得热稍舒，喜暖畏寒，至夜间突觉小便不通，涓滴而下，继则点滴全无。心烦急躁，小腹苦急坠胀，下肢冷上身热，食欲不振，渴喜热饮，小便黄少，大便干结，舌苔白厚夹黄，脉沉。西医诊断为前列腺肥大、急性前列腺炎。因惧怕手术而转求治于中医。余以宣肺温阳利水之法，予越婢汤加附子、泽泻不效，继投济生肾气汤、胃苓汤、补中益气汤合春泽汤三十余剂，小便偶有滴沥，仍需留置导尿，寒热除，纳增便调，唯小腹苦急坠胀，小便黄少，渴不喜饮如前。忽悟莫非阴亏热结，遣方六味地黄合猪苓汤，3 剂小水即通，不需留置导尿，6 剂小便通畅，唯夜间仍艰涩不利，剂进三十，癃闭全除，随访 3 年未发。

按：病由感寒，见畏寒喜暖，下肢不温，口渴喜热饮，纳呆，脉沉，"便燥溲赤"考虑为阴虚致病，从宣肺、益气、温肾合利水之法不效，方悟法不对证，诊断有误，细思乃阴阳俱损、寒热错杂之证，心烦急躁、发热、小便黄少、舌象均为肾阴不足，膀胱水热互结之征。可见阴阳两纲不可不辨，不可粗辨。

岳美中认为，老年病脏腑多损，阴阳俱虚，症状颇多复杂，阴阳每易颠倒，如"老年阳虚证"反见口干咽痛，口舌生疮，手足心热，便燥溲赤。"老年阴虚证"反见胃腻恶食，食则不化，大便溏泄，遗精白浊。故在临证中需当反复推敲，细细斟酌，透过现象看本质，方能拨雾见真，以免错断。

二、阳虚误诊湿热癃闭案

王某，男，56 岁。1987 年 4 月 6 日初诊。患者先恶寒发热，继则小便突然不通，点滴全无，少腹拘紧急迫，欲尿不出，少腹如吹，48h 未见滴沥，导尿 2 000ml，之后少腹隆满，亦无尿意。面色苍白，身体壮实，声音粗亢，喜热饮，纳好，四肢不温，舌苔黄白而腻，脉滑有力尺沉。西医诊断为前列腺肥大伴急性炎症，他医以湿热癃闭下焦论治，施八正散加减。剂进二十偶有滴沥，仍需留置导尿。笔者视之，以肾阳不足、气化不利立论，予服附子汤，3 剂小便渐通，再未导尿，16 剂后小便如常，癃闭告愈，随访 3 年未发。

按：本例面色苍白，四肢不温，渴喜热饮，舌苔白黄而腻，脉虽滑但尺沉,实为阳虚之证。但前医见起病急骤,体壮声亢,纳好,舌苔白黄,脉滑,错断为下焦湿热。笔者以上例为鉴,首辨阴阳,阴阳既明,取效亦易。

三、阴虚误作气虚发热案

田某,男,26岁。1989年11月12日初诊。患者素易精神紧张,夜寐不安,婚后渐重。刻下:全身低热,手足心热,鼻息气热,心悸气短,头晕头重,心烦寐差,恶心乏力,腰膝酸软,筋惕肉瞤,小便黄少,曾自服维生素类、地黄丸类、逍遥丸等不效。笔者视之,舌淡红少苔,脉细弱无力。以为中气虚损,心肾阴虚,予补中益气合百合地黄汤加龟甲,6剂不效,更予炙甘草汤与上方交替服用6剂,诸症大减,唯身热,入睡困难如前,复予6剂反加重如初,渐悟本证并非气阴两虚,系肝肾不足,虚风上扰,急投三甲复脉汤6剂,身热渐平,剂进二十诸症悉除而告捷。

按:初诊乍似一派气阴两虚之象,闻其服用地黄丸类不效,见头晕头重、心悸气短、乏力恶心、低热,以为中气下陷,虽已考虑心烦、手足心热、腰膝酸软、筋惕肉瞤为肝肾不足,只因阴阳辨证掌握不精,终辨不明阴阳之孰轻孰重。治疗仍以补气为主,养阴为辅,炙甘草汤取效一时,方悟病在阴不在阳,以法治之,果效。

四、气虚错断阴虚发热案

赵某,女,39岁。1994年2月20日初诊。患者半年来,时时发热,夜间尤甚,手足无力不能拉动被子,烦躁不得安卧,体温37.8℃,常服去痛片、感冒通解热,头昏倦怠,恶心纳差,渴喜热饮,汗多,身热夜甚,汗多倦怠,舌淡苔白,脉虚。似阴虚有热夹有气虚,选方当归六黄汤,2剂症状如前,3剂尽反见身痛呕吐,头昏嗜卧,发热如前,忽悟此乃中气受伐之兆,改投补中益气汤加砂仁。1剂热退寐安,3剂尽再未发热,继服3剂以善其后。

按:身热夜甚,多见阴虚。高热、手足喜凉,考虑为阴虚有热,见汗多倦怠、脉虚等气虚之象,遂出当归六黄汤,重用黄芪轻取三黄。不料反见呕恶身痛，始悟此乃气虚发热。气虚发热以午前为重，此见身热夜甚，虽有脉虚舌淡、头昏体倦等症，但总识不清是病在阴还是在阳，气虚误作阴虚，可谓谬以千里。

五、体会

八纲，是其他辨证的理论基础和总纲，在临证中不仅要注重脏腑辨证、气血津液辨证等，也要用八纲辨证，特别是用阴阳两纲来统领。若只注重其他辨证而忽视阴阳辨证，就会漫无头绪，难以把握疾病之根本所在，事倍功半，南辕北辙。

笔者认为，在临证中各种辨证方法均应与八纲辨证互参，方可诊断准确，既要知病在何经何脏、何损何盈，又要知属阴属阳，既要详辨入微，留意细节，又要统观全局，掌握主线，否则易犯盲人摸象、以偏概全的错断。

第二章　临证实录

第一节　感　冒

案 1. 感冒 - 上呼吸道感染 - 桂枝汤

周某,男,75 岁,退休干部,连云港人。

初诊(2010 年 6 月 4 日):患者以“恶寒发热汗出 1 年”就诊。患者反复恶寒恶风,发热汗出,体温 37.5~38℃,查血常规白细胞 6×10^9/L,淋巴细胞占 40%。肺部 CT 检查未见异常。咽不干,偶见咽痒而咳,素畏寒喜暖,颈项背痛,双腿酸痛,纳差,大便不爽。诊其舌淡红,苔根黄白相间,脉沉。此乃营卫不和,风湿痹阻,法当调和营卫,祛风除湿,方拟桂枝汤加术、防(风)、参、苡。

处方:桂枝 12g,生白芍 12g,炙甘草 6g,防风 9g,苍术 12g,红参 6g,生薏苡仁 15g,生姜 3 片,大枣 4 枚。水煎服,每日 1 剂,煎 2 次,每次煎 30min,共煎 400ml,分 2 次口服,7 剂。

二诊(6 月 11 日):服药后恶风基本消除,恶寒轻,发热仅作 2 次,每次约 37.1℃,有汗出,头刺痛,颈项、腿疼减轻。诊其舌淡红,苔厚根白黄,脉沉。此乃营卫渐和,风湿痹阻突显,法当疏风利湿,方拟麻杏苡甘汤,与桂枝人参新加汤加表散之金银花、防风,交替服用。

一号方:麻黄 6g,杏仁 9g,生薏苡仁 30g,炙甘草 6g。水煎服,每日 1 剂,煎 2 次,每次煎 20min,共煎 400ml,分 2 次口服,4 剂。

二号方:桂枝 12g,生白芍 15g,炙甘草 6g,红参 9g,金银花 15g,防风 6g,生姜 3 片,大枣 4 枚。水煎服,每日 1 剂,煎 2 次,每次煎 40min,共煎 400ml,分 2 次口服,3 剂。

两方交替轮服。

三诊(6 月 18 日):服药后恶风畏寒已除,已未再发热,全身较舒适,头已不刺痛,汗出减少,仍有肩痛,晨起腿酸痛,偶咳气短,无痰。诊其舌淡红苔根部白,脉滑。此乃营卫已和,在表之风湿大减,法当继以调和营卫,兼以疏风,方拟桂枝汤加荆、防、杏、己。

处方:桂枝 12g,生白芍 12g,炙甘草 6g,防风 9g,荆芥 9g,杏仁 9g,防己 12g,生姜 3 片,大枣 4 枚。水煎服,每日 1 剂,煎 2 次,每次煎 30min,共煎 400ml 分 2 次口服,7 剂。

四诊(6 月 28 日):服药后畏寒恶风,汗出,关节痛已除,喉痒喜咳,无痰,纳可,寐安,诊其舌淡红苔根白黄,脉沉滑。此乃营卫不和,肺气不宣,法当调和营卫,兼以宣降肺气,方拟桂枝汤合止嗽散加减。

处方:桂枝 12g,生白芍 12g,炙甘草 6g,杏仁 9g,桔梗 9g,荆芥 12g,紫菀 12g,百部 15g。水煎服,每日 1 剂,煎 2 次,每次煎 40min,共煎 400ml,分 2 次口服,7 剂。

按:感冒一般分风寒感冒、风热感冒、虚人感冒。虚人感冒属正虚邪恋,反复而顽固,每遇起居失常则正易虚而邪易袭。本案患者年事已高,素畏寒喜暖,乃阳虚之体,每遇感冒他医多施以疏表发汗、解热镇痛之法,渐至汗出恶风之表卫虚而邪未尽之象,常见发热汗出,身痛强拘,诊得舌淡红、苔根黄白,乃营卫不和,风湿痹阻之证,当调和营卫,祛风除湿并进。恐温阳补气而助邪,故以桂枝汤为法加防风、苍术、生薏苡仁疏风化湿,佐小剂量红参培补元气。虽表证大有缓解,而舌苔转黄乃湿未尽且有化热之象,遂予以麻杏苡甘汤与前方交替服用,以解风湿在表,恐有风寒化热,又加金银花之辛凉清解,得效后继以桂枝汤加疏风化湿之品为主,视其兼症方药加减进退而收功。

桂枝汤出自《伤寒论》太阳病篇,是仲景第一方,具有调和营卫之功效,用于风寒表虚证。掌握桂枝汤先要思考三个问题:一,作为辛温解表剂为何运用阴柔的白芍?二,桂枝汤是发汗剂还是止汗剂?三,桂枝汤是解表剂还是补益剂?回答这些问题对桂枝汤的定位至关重要。桂枝汤用于营卫不和证,营卫是气血的代名词。往大里说营卫就是气血,就是阴阳。营气是血的组成部分之一,发挥着血的滋养功效,卫气具有防御、温煦、推动、气化等功能,是气的典型代表。营行脉中,卫行脉外,伴随运行在经脉中。

经脉如环无端循行于周身内外，所以，营卫不仅运行在躯体之表，也运行于脏腑之内；桂枝汤的立意就是调和营卫，调和就是既照顾卫气，也照顾营气，相互照顾才谓之调和。而风寒表虚证的表现为恶寒发热，汗出恶风，是卫气亏虚而导致风寒之邪外袭，正邪交争不剧，故运用桂枝温经通脉，助卫抗邪，而非邪盛需要发表祛邪。卫气亏虚乃因营气也亏虚，导致营卫失调、失和，故既要助卫，也要益阴和营，故配以白芍。白芍质硬，既可以养营又可以补血，唐容川谓之补血之品，为此一也。白芍益血和营，有别于其他滋阴养血之品，益营而不滋腻，无碍阳气，堪称与桂枝绝配。所以，桂枝汤既是解表剂也是补益剂，既能发汗也能止汗。这样就回答了前面的三问。

桂枝汤证的核心病机为虚人营卫不和；核心主症为易疲劳、易感冒，有汗、汗出恶风，周身拘急不适，或恶寒发热，不喜凉饮（食），小便清白，舌淡红苔薄白而润，脉沉、弱、细（感冒者见浮而无力）。李翰卿先生认为，应用桂枝汤时，不能见到内热，惧怕吃冷东西，小便不能短赤，应是虚寒证。本案患者年事已高，恶寒发热，汗出恶风，畏寒喜暖，周身疼痛，符合桂枝汤证，只因反复感冒，体虚为甚，方加人参益气（血）扶正。

案 2. 感冒 - 普通感冒 - 玉屏风散

曹某，男，65 岁，退休干部，连云港市人。

初诊（2011 年 8 月 9 日）：患者以“反复恶寒发热 1 年”就诊。患者每遇起居不慎即出现恶寒身痛、汗出恶风，发热轻（37℃）或不发热，无鼻塞流涕，头晕，大便干结，炎热夏月之天夜间依然要盖被，诊其舌淡红，苔白厚，脉弦滑。此为肺脾气虚，卫气不固，法当补气固卫，方拟玉屏风散。

处方：生黄芪 18g，白术 15g，防风 9g。水煎服，每日 1 剂，煎 2 次，每次煎 30min，共煎 400ml，分 2 次口服，7 剂。

二诊（2011 年 8 月 18 日）：服用前方后汗出恶风及全身不适大减，仍有头晕、咽痛，口干喜凉饮，便干结。诊其舌淡红，苔白厚，脉弦已不滑。此乃表已和，肺胃有热，法当补气固卫，兼清肺胃之热，方拟玉屏风散加黄芩、桑叶、玄参。

处方：生黄芪 18g，白术 15g，防风 9g，黄芩 12g，桑叶 12g，玄参 30g。水煎服，每日 1 剂，煎 2 次，每次煎 30min，共煎 400ml，分 2 次口服，7 剂。

三诊（2011 年 8 月 30 日）：服用前方后未感冒，汗出已不恶风，咽已不痛,喜凉饮减轻,仍有全身不舒、酸痛感、口渴,头晕。诊其舌暗红,苔白,脉弦。此乃肺胃热减,表卫渐固,法当固表实卫,兼清肺热,方拟玉屏风散加黄芩、连翘。

处方:生黄芪12g,白术12g,防风9g,黄芩12g,连翘12g。水煎服,每日1剂,煎2次,每次煎30min,共煎400ml,分2次口服,7剂。

四诊(2011年9月13日):服药后未再感冒,无汗出恶风,咽不痛,全身酸痛偶见于受凉后,咽略干,头晕减轻,纳佳。诊其舌淡红,苔白,脉略弦。此乃上焦热清,表卫渐固,法当继以益气固表,兼疏风清解,方拟玉屏风散加紫苏叶、连翘。

处方:生黄芪12g,白术12g,防风9g,紫苏叶12g,连翘12g。水煎服,每日1剂,煎2次,每次煎30min,共煎400ml,分2次口服,7剂。

按:感冒是临床常见病,本何足挂齿,但易感之体,反复感冒,久治难愈,也费思量。感冒之证有偏于肺系者,有偏于表卫者。后者因有全身症状而尤其痛苦,常服表散之中药及解热镇痛之西药,仅图一时之快而汗出更多,更易感冒。

玉屏风散出自《究原方》,由黄芪、白术、防风组成,具有益气固表止汗之功,用治表虚自汗症。其组方之精妙正如《成方便读》所言,"大凡表虚不能卫外者,皆当先建立中气。故以白术之补脾建中者为君,以脾旺则四脏之气皆得受荫,表自固而邪不干;而复以生黄芪固表益卫,得防风之善行善走者,相畏相使,其功益彰,则黄芪自不虑其固邪,防风亦不虑其散表。此散中寓补,补内兼疏,顾名思义之妙,实后学所不及耳。"

表虚之感冒属于风寒表虚证,症见恶寒发热,汗出恶风,何时运用桂枝汤,何时运用玉屏风散,需要思量定夺。以药测证,桂枝汤是营卫两顾,玉屏风乃益气(健脾)疏风,桂枝、生姜温散力强但易助热,生黄芪、白术则补气不敛邪,生黄芪能脱毒生肌、益气利水就是例证,所以,应用桂枝汤时不能见到咽痛、喜凉饮,而玉屏风散无此禁忌。本案患者见咽痛,运用玉屏风散无碍。玉屏风散证的特征为气虚或者气虚湿阻经络之倦怠乏力或遇风寒周身酸痛,而桂枝汤证则为周身拘急不舒。桂枝汤温散力稍强,可以用于感冒发热时;玉屏风散补益力强,解表力弱,更适合于虚人未发热时的预防感冒,治未病,若发热则热势不能太高。山西名医李翰卿先生认为,营卫不调证经常有胃脘不适，鼻塞喷嚏，全身拘急不适，宜桂枝汤；卫气不固证经常容易出汗，汗出恶风，遇风全身酸痛，疲乏无力，宜玉屏风散。

玉屏风散证的核心病机为气虚表卫不固；核心主症为汗出恶风，易疲劳或倦怠乏力，舌淡红苔薄白，脉虚。

本病案之证候系表卫不固型，当用玉屏风散，其舌苔白厚乃邪气甚之征，病进苔重，病退苔薄，不可误认为湿浊中阻；其中多次见口渴，喜凉饮，便干结，不可认为肺胃热为主，主以辛凉表散或清泄其热，则易伤正而感冒益甚，需益气固表兼轻清肺胃之热，使益气不助热，清热不伤正，表固而表证不再。

案 3. 感冒 - 普通感冒 - 麻杏苡甘汤

仲某，女，55 岁，农民，连云港市人。

初诊（2011 年 5 月 7 日）：患者以“恶寒全身酸痛 80 天”就诊。患者触冒风寒后即出现恶寒，全身酸楚，不发热，汗出恶风，纳可，寐安，口苦，小便黄，大便调，曾因风湿性心脏病行瓣膜置换术，诊其舌淡红苔白厚，脉弦。此乃风湿郁表证，法当祛湿解表，方拟麻杏苡甘汤加苍术。

处方：麻黄 9g，杏仁 9g，生薏苡仁 30g，生甘草 6g，苍术 15g。水煎服，每日 1 剂，煎 2 次，每次煎 30min，共煎 400ml，分 2 次口服，7 剂。

二诊（5 月 25 日）：药进 2 剂，诸症即愈，未来就诊。近来因洗头受凉而出现多汗，恶风，全身酸痛、日晡加重，恶寒发热（体温 37.9℃），纳尚可，便秘，小便短赤，舌淡红苔薄黄，脉沉细。此乃素体脾虚湿胜，易招致风湿外邪，虽药进邪退，仍风湿在表，欲将化热，法当解表化湿，方拟麻杏苡甘汤。

处方：麻黄 9g，杏仁 9g，生薏苡仁 30g，生甘草 6g。水煎服，每日 1 剂，煎 2 次，每次煎 30min，共煎 400ml，分 2 次口服，7 剂。

三诊（6 月 2 日）：服药后汗出减少，已不恶风，全身酸痛、日晡加重、恶寒发热已消除，食欲增，大便调，小便短少、已不黄，舌淡红苔白，脉沉，体温 36.6℃。此乃风湿已祛，脾虚欲固，防其再发，法当健脾化湿，方拟参苓白术散加减。

处方：党参 12g，白术 12g，茯苓 15g，炙甘草 3g，莲子 12g，白扁豆 12g，生黄芪 15g，防己 9g，防风 9g。水煎服，每日 1 剂，煎 2 次，每次煎 30min，共煎 400ml，分 2 次口服，7 剂。

四诊(6 月 9 日):服药后已不汗出,食欲佳,二便调,余无不适,舌淡红苔白,脉弱。此乃风湿已祛,脾虚渐固,嘱其多食莲子、薏苡仁、山药,少吃黏腻之品,不再拟方。

按:感冒有虚实之分,有寒热之别,而风湿郁表之证不可不辨。本案患者曾因风湿性心脏病行瓣膜置换术,属脾气不健之风湿之体,故触冒风寒之感冒多见身重、身体酸痛、日晡发热等风湿郁表之症。初诊不发热,舌白厚为风湿在表,以寒湿为主,故以麻杏苡甘汤加辛苦温燥湿健脾之苍术,症状悉除。患者再次感受寒湿风湿郁表,渐有化热之象犹现,既见发热,又见全身酸痛、日晡加重,舌苔薄黄,当解表祛湿,仍施麻杏苡甘汤,剂尽症状即消除。因其素体脾气不健,故以参苓白术散加减以善后。

麻杏苡甘汤由麻黄、杏仁、薏苡仁、炙甘草组成,出自《金匮要略·痉湿暍病脉证治》。“病者一身尽疼,发热,日晡所剧者,名风湿。此病伤于汗出当风,或久伤取冷所致也,可与麻黄杏仁薏苡甘草汤”。此方为治疗风湿在表,病有化热之势的经典名方。若辨证准确,方证对应,往往效若桴鼓。然麻杏苡甘汤毕竟是表散之剂,中病即止不可过剂,视其所需,或补或攻补兼施以善后。麻杏苡甘汤证的核心病机为风湿袭表,肌腠不和;核心主症为身重酸痛,恶寒发热、日晡为甚,舌淡红或暗红、苔白或微黄不燥,脉濡。

第二节 发 热

案 . 发热 - 人乳头状瘤病毒疫苗注射后发热 - 小柴胡汤

张某,女,39 岁,公司职员,连云港市人。

初诊(2021 年 6 月 28 日):患者以“低热伴月经后期 4 天”就诊。患者素月经规律,三十日一至。本月 24 日该至而未至,伴发热(体温约 37℃),头懵,身重,乏力懒动,夜寐安,思睡,纳差,泛恶,21 日即有小腹胀,带下增多,乳房发胀,身重,24 日后逐渐消失。刻下:精神倦怠,面色少泽,近日面部黄褐斑加重,头懵,发热,身热自汗,小腹胀,体重增加,舌淡红苔薄白,脉沉弦有力。既往有贫血病史、子宫肌瘤病史,否认子宫腺肌病病史。诊为月经后期。此乃血热血瘀证,法当和血活血,方拟桃红四物汤去川芎加茯苓。

处方：桃仁 10g，红花 10g，生地黄 10g，当归 10g，生白芍 10g，茯苓 10g。3 剂，中药配方颗粒，水冲服。

二诊（6 月 30 日）：药后诸症如前，舌脉如前，通下无果，拟阴虚血热证，改凉血清热之法，方拟两地汤加减。

处方：生地黄 10g，玄参 10g，赤芍 10g，地骨皮 10g，麦冬 10g，阿胶（烊化）6g，枳壳 12g，怀牛膝 10g。3 剂，中药配方颗粒，水冲服。

三诊（7 月 2 日）：一剂药后，体温升至 37.3℃，月经未至，诸症如前，舌淡红苔薄白水滑，脉沉有力，疑是怀孕，查血 HCG 阴性，彩超检查：子宫大小约 72mm × 70mm × 66mm，子宫形态饱满欠规整，轮廓光滑，于子宫前壁肌层内紧邻浆膜下见一大小约 46mm × 39mm 低回声团，边界清，DDFI 其内可见血流信号，周边可见血流环绕。子宫内膜清晰，两层厚约 9.4mm，盆腔见液性回声，范围约 42mm × 21mm。未见胚囊。追问病史，患者陈述于 6 月 11 日注射 HPV 4 价疫苗，注射后乏力倦怠 2 天，6 月 26 日又注射新型冠状病毒疫苗（第二针），注射后无不适。遂豁然开朗，此乃邪入血室，气血失和，法当和解少阳，方拟小柴胡汤。

处方：柴胡 18g，黄芩 10g，法半夏 12g，人参 10g，炙甘草 6g，生姜 6g，大枣 10g。1 剂，中药配方颗粒，水冲服。

四诊（7 月 3 日）：电告，当天下午服用一半中药颗粒剂后 2 小时，体温降至 36.6℃，头懵、乏力倦怠明显减轻，食欲增，今早体温 36.5℃，头懵、乏力、发热已无，昨晚月经已至，月经正常。

五诊（7 月 27 日）：患者近 3 天身体肿胀感，体重较素日增加，腹胀，矢气多，食欲不振，大便不畅，夜寐不安，今日出现发热，体温波动在 37.1~37.3℃，身倦乏力，舌暗红苔薄白水滑，脉沉细弦。此乃气机不畅，气血失和，气郁发热，水湿停滞，拟透转枢机、和血利水之法，方拟小柴胡汤加白芍、泽泻。

处方：柴胡 15g，黄芩 10g，法半夏 12g，人参 10g，炙甘草 6g，生姜 10g，大枣 10g，生白芍 20g，泽泻 20g。2 剂，中药配方颗粒，水冲服。

六诊（8 月 3 日）：服药 1 剂后体温下降到 36.6℃，并维持在 36.6~37℃，腹胀，身重，身倦乏力，夜寐不安未改善。2 剂后体温降至 36.6℃，身倦身重乏力亦全部消除，但月经未至。停药 3 天后又见反复低热，体温在 37.0~37.3℃，身热喜凉多汗，遇空调则不舒，身重，腹胀，月经未至，舌淡红苔薄白水滑,脉弦。此乃邪热未净,湿郁阻滞,法当透转枢机合温化湿郁,方拟小柴胡汤合平胃散化裁。

处方:柴胡20g,黄芩10g,法半夏12g,苍术15g,厚朴9g,草果6g。2剂,中药配方颗粒,水冲服。

七诊(8月5日):服药后体温在36.5~36.7℃,2天后降至36.3℃,身重、腹胀已无,经水即至。

按:此病案十分蹊跷,月经该至而未至伴不明原因的低热,而与活血、凉血之剂,经未至,低热未退,为排除早孕查HCG显示阴性,后经反复询问病史得悉有注射HPV疫苗史,遂以邪毒入侵,气血失和,枢机不利为出发点,与和解少阳之法,而获效。患者这2个月均在月经即至前出现类似症状,2次均以小柴胡汤为主才热退、肿消、体重减。

从上述诊疗过程可以看出,退热时柴胡剂量不能轻,宜重用,剂量在15~30g。第2次月经不至而又发热、身重、水肿,单纯小柴胡汤也乏效,这可能与八月的连云港暑湿重有关。当年雨量丰沛,湿气尤甚,合温化湿邪之剂可使体温降至更低(36.3℃)而无上火之虞。

疫苗是灭活的病毒抗原,虽说安全,但对特异人群亦会产生影响。笔者认为,疫苗具有病毒的邪毒性质,所以,治疗时应该扶正解外,而小柴胡汤正是扶正祛邪的佳选。

小柴胡汤出自《伤寒论》,由柴胡、黄芩、人参、半夏、炙甘草、生姜、大枣组成,是和解少阳之方,适应证为口苦,咽干,目眩,寒热往来,胸胁苦满,心烦喜呕,默默不欲饮食。小柴胡汤之所以能解上述诸症,均为其能透转枢机,使郁滞之气血和畅。郁滞解则诸症散。经云:气有余便是火,郁则热,解郁则热去。所以,小柴胡汤是退热之良方,屡试不爽。

桃红四物汤出自《医宗金鉴》,由当归、熟地黄、川芎、白芍、桃仁、红花组成,具有活血养血之功,是活血化瘀的经典方剂。两地汤出自《傅青主女科》,由生地黄、玄参、白芍、麦冬、阿胶、地骨皮组成,具有滋阴清热调经之功效。

小柴胡汤证的核心病机为邪在少阳,枢机不利;核心主症极不容易归纳,临床应用十分广泛,而对其证候要点把握却是莫衷一是。本人对其主症把握也是盲人摸象,应用时的出发点和归纳要点甚有偏差。能归纳的主症仅有：无名发热（或高或低，多发于日晡或晚夜间）或往来寒热，少阳经脉所循行处出现结节或疼痛，情绪不佳或身重，舌红或淡红苔薄白，脉弦。桃红四物汤证的核心病机为气血瘀阻；核心主症为局部疼痛，出血伴疼痛，局部瘀青，舌暗红苔薄白，脉沉或滑。两地汤证的核心病机为肾阴亏虚，虚热炽盛；核心主症为月经提前、色红，身热，或盗汗，或咽干，舌红薄少，脉细或数。

第三节 鼻渊

案．鼻渊－鼻窦炎－苍耳子散

马某，男，36岁，公务员，连云港人。

初诊（2011年4月22日）：患者以"鼻流脓涕2年"就诊。患者流脓鼻涕，反复出现，便秘，口苦，寐不安，燥热，纳差，汗出多，易感冒，反复静脉滴注克林霉素，效差。CT检查提示：鼻窦炎。有强直性脊柱炎病史，遇变天则腰痛、僵硬加重。诊其舌淡红苔白黄厚，脉弦滑。此乃肺中有热，法当清热宣肺，方拟苍耳子散加减。

处方：苍耳子12g，辛夷9g，白芷12g，薄荷10g（后下），桑叶12g，黄芩15g，连翘15g，生甘草6g，苍术12g，生黄芪12g，天冬15g。水煎服，每日1剂，煎2次，每次煎30min，共煎400ml，分2次口服，7剂。

二诊（4月29日）：服药后鼻涕大减，色白、量极少，唯晨起有，口干减，不喜饮，便秘，易怒。诊其舌淡红苔白厚，脉弦已不滑。此乃肺热得减，肺宣降得施，法当宣肺清热，效不更方，仍守上方去黄芩、天冬，减薄荷之量。

处方：苍耳子12g，辛夷9g，白芷12g，薄荷6g（后下），桑叶12g，连翘15g，生甘草6g，苍术12g，生黄芪12g。水煎服，每日1剂，共煎400ml，分2次口服，7剂。

三诊（5月6日）：服药后鼻涕已无，不头痛头晕，纳可，寐安。近日因触冒风寒，出现鼻涕色黄，头痛，汗出多。诊其舌淡红苔薄白，脉沉弦。此乃痰热郁肺，法当疏风清热，方拟苍耳子散去白芷加清肺化痰之品。

处方：苍耳子15g，辛夷9g，薄荷9g（后下），天花粉10g，黄芩15g，金银花18g，鱼腥草18g。水煎服，每日1剂，共煎400ml，分2次口服，7剂。

四诊（5月13日）：服药后鼻涕已无，头痛消除，汗出明显减少，纳可，寐安。诊其舌淡红苔薄白,脉沉细。此乃痰热郁肺得解,素体肺脾气虚,表卫不固,法当益气固卫,方拟玉屏风散加减。

处方:生黄芪 15g,白术 12g,防风 9g,辛夷 9g,苍耳子 12g。水煎服,每日 1 剂,共煎 400ml,分 2 次口服,7 剂。

按:鼻渊是指鼻窍时流浊涕,甚则涕出腥臭的病证,常伴头痛。其证多与肺热伤风有关。本案患者素体脾虚气弱,易招致外邪侵袭,故时时发病,肺中有热,感邪即热化,见鼻涕色白而浓,便秘,口苦,寐不安,燥热,汗出喜凉,舌淡红苔白黄厚,脉弦滑。当予清热宣肺之法,以苍耳子散化浊通窍,桑叶、黄芩、连翘清宣肺热,病情渐愈。因触冒风寒,病情反复,又见鼻涕色黄,头痛,汗出,乃痰热壅肺,肺窍不利之象,予苍耳子散加黄芩、金银花清肺经之热,天花粉、鱼腥草清化痰热而愈,后以玉屏风散等善后巩固。苍耳子有小毒,剂量不宜太大,以 6~12g 为宜。据文献报道,剂量在 30g 即易中毒。笔者在本案运用最大剂量 15g,短时间未见中毒现象,但临床宜小心应用才是。

苍耳子散出自《济生方》,由苍耳子、辛夷、白芷、薄荷组成,具有疏风泻热、通利鼻窍之功,用治鼻渊流脓涕、头痛诸症。《汤头歌诀》云:“凡头面之疾,皆由清阳不升、浊阴逆上所致。浊气上烁于脑,则鼻流浊涕为渊。数药升阳通窍,除湿散风,故治之也。”彭子益批注:“此病乃湿热,非风热,风病不宜白芷与葱,此方如服后不效,加补中药即效。”

病痰热壅肺,清热宣肺自当为正治,何以加苍术、黄芪?本病虽见一派肺热之象,而素有强直性脊柱炎,怕凉,遇冷、阴雨天则加重,且纳差,故泻肺时当益气护卫燥湿为要。这也正合彭子益先生之“此方如服后不效,加补中药即效”之训。

第四节 不 寐

案 1. 不寐 - 失眠症 - 黄连阿胶汤

张某,女,40 岁,职员,连云港市人。

初诊(2009 年 10 月 10 日):患者以“失眠 1 年”就诊。患者入睡困难,易醒,手足心热,夜间烦躁,头晕,食欲不振,大便自调。察其舌红苔薄黄,脉弦。此乃阴虚火旺,法当滋阴降火。方拟黄连阿胶汤。

处方:黄连 9g,黄芩 12g,生白芍 15g,阿胶(烊化)10g,鸡子黄(冲)1 枚,荷叶 12g。水煎服,每日 1 剂,煎 2 次,每次煎 30min,共煎 400ml,分 2 次口服,7 剂。

二诊(11 月 10 日):服药后夜寐转安,做梦减少,入睡快,不易醒,无心烦躁热,食纳佳,手足心已不热,停药 20 余天未反弹。诊其舌红苔薄黄,脉弦细。此乃阴得滋火得降,然舌脉未改变,示其心阴虚、心火炎仍在,效不更方。

处方:黄连 9g,黄芩 12g,生白芍 15g,阿胶(烊化)10g,鸡子黄(冲)1 枚,荷叶 12g。水煎服,每日 1 剂,煎 2 次,每次煎 30min,共煎 400ml,分 2 次口服,7 剂。

三诊(11 月 18 日):服药后夜寐安,能寐 6 个多小时,梦少,不躁热,时有心烦易怒,食欲欠佳。诊其舌淡红苔薄黄,脉弦。此为肝气郁结,肝脾不调,法当调和肝脾,丹栀逍遥散加味。

处方:柴胡 12g,生白芍 12g,当归 12g,炒白术 15g,茯苓 15g,炙甘草 6g,牡丹皮 12g,栀子 12g,荷叶 12g,竹叶 12g。水煎服,每日 1 剂,煎 2 次,每次煎 30min,共煎 400ml,分 2 次口服,7 剂。

四诊(11 月 25 日):服药后夜寐安,能寐 6~7 小时,心烦易怒基本消除,食欲正常。诊其舌淡红苔薄白,脉细。此为阴阳已平,肝郁已疏,故不再拟方,嘱其戒怒、戒辛辣之品。

按:不寐是指不能正常睡眠,或入睡困难,或寐而易醒,或醒后难以入睡,是临床常见病,或短或长,甚者常年难寐。其病因较多,总与阴阳不相交有关,正如《类证治裁·不寐》称:"阳气自动而之静则寐;阴气自静而之动则寤;不寐者,病在阳不交阴也。"黄连阿胶汤出自《伤寒论》少阴病篇:"少阴病,得之二三日以上,心中烦,不得卧,黄连阿胶汤主之",由黄连、黄芩、芍药、阿胶、鸡子黄组成。仲景设本方为治少阴肾水不足、心火偏亢的心肾不交之证,即为少阴热化证而设,有育阴清热、交通心肾之功用。

本案患者入睡困难,易醒,夜间烦躁,手足心热,舌红苔薄黄,脉弦,乃阴虚火旺之黄连阿胶汤证,7 剂后诸症大减;因兼有食欲不振、易怒,乃肝郁脾虚之证,改以丹栀逍遥散善后而愈。黄连阿胶汤运用得当,治疗失眠往往收效显著，临证或见口干或见喜凉饮或见口干而不欲饮、五心烦热、汗出等，总不离躁而不安，但黄连阿胶汤苦寒黏腻，宜中病即止，不可久服，恐有伤胃碍脾之嫌；病之大势已去即更滋阴降火之轻剂天王补心丹，清中有补，或易为丹栀逍遥散，清热除烦，疏肝理脾，总为阳能入于阴，阴阳和合，夜得安寐。

黄连阿胶汤证的核心病机为阴虚火旺，心肾阴虚、心火偏亢；核心主症为失眠，以入睡困难为主，夜间心烦，身热喜凉，口渴，舌红苔薄黄或薄白，脉弦或细或滑。刘渡舟认为："此证每晚当阳入于阴之时，则烦甚而不能卧寐"(《伤寒论诠释》)，此句概括用方指征最为精当。

案 2. 不寐 - 失眠症 - 天王补心丹

张某，男，47 岁，工人，连云港人。

初诊(2009 年 11 月 11 日)：患者以"失眠 20 余年"就诊。患者入睡困难，易醒，醒后难以再次入睡，心烦汗出，口干，平素急躁易怒，易焦虑。诊其舌红苔薄白，脉弦。此乃心肝阴虚，虚火扰神，法当滋阴清热，宁心安神，方拟天王补心丹加减。

处方：天冬 18g，麦冬 18g，生地黄 15g，知母 12g，柏子仁 12g，丹参 15g，生白芍 18g，远志 6g，郁金 15g，龙齿 30g。水煎服，每日 1 剂，煎 2 次，每次煎 30min，共煎 400ml，分 2 次口服，7 剂。

二诊(11 月 18 日)：服药后睡眠得到改善，夜间能够入眠，但易醒，夜间心烦汗出、口干减轻，急躁易怒、易焦虑改善。诊其舌红苔薄白，脉弦。此乃阴血得滋养，肝郁减，虚火渐清，心神得安，法当继守前法，方拟前方去龙齿，加当归。

处方：天冬 18g，麦冬 18g，生地黄 15g，知母 12g，柏子仁 12g，丹参 15g，生白芍 18g，远志 6g，郁金 15g，当归 15g。水煎服，每日 1 剂，煎 2 次，每次煎 30min，共煎 400ml，分 2 次口服，14 剂。

三诊(12 月 2 日)：服药后易入眠，寐安，但易惊醒，急躁。诊其舌红苔薄黄，脉弦。此乃阴血得济，心肝虚火渐清，仍有肝郁扰心之象，法当解郁安神，中药不再服用，以天王补心丸以善其后。

按：本案夜间易醒、醒后入睡难，口干，且伴有心烦，焦躁不安，汗出，为心肝阴虚,肝火扰心。故取天王补心丹滋阴养血,加知母、白芍滋阴清热,加郁金解郁清心,龙齿重镇安神,阴血得济,肝得平,心得养,失眠自愈。

天王补心丹出自《校注妇人良方》。柯琴曰:"心者主火,而所以主之者神也,火盛则神困。心藏神,补神者必补其心,补心者必清其火,而神始安。"由生地黄、天冬、麦冬、玄参、丹参、酸枣仁、柏子仁、五味子、当归、人参、茯苓、远志、桔梗、朱砂(现多不用)组成。本方一派滋阴药,容易滑肠泄泻,应用时应引起重视,特别是脾虚溏泄之体,要减滋阴药或其量、增加健脾之品。

笔者在临床运用该方时常去甘寒滋腻之玄参。玄参比生地黄更滋腻,容易碍脾导致纳差、泄泻。亦去桔梗,本方用桔梗之意,解释为载药上行,笔者认为欠妥。《神农本草经》记载:"桔梗,味辛,微温。主胸胁痛如刀刺,腹满肠鸣幽幽,惊恐,悸气。"认为桔梗有治疗惊恐、悸动的作用。目前现代药理研究尚未发现桔梗有此功能。桔梗属于恶心类祛痰药物,其性味也非微温,应该属于寒凉,所以,笔者一般弃之不用,特别是容易恶心、胃不和者。脾胃佳而内热甚者去人参或者易人参为太子参。太子参味甘、微苦,性平,具有益气健脾,生津润肺之功,不燥不易助火;朱砂镇惊安神作用明显,但药房容易缺货,运用剂量须控制精当,服用方法也要告知周详。为防止患者中毒,尽量避免使用。

天王补心丹是治疗阴虚内热、心肝火旺的良方。其核心病机为心肝阴虚、虚热扰神;核心主症为失眠,夜间易醒,夜间口干喜饮,手足心热,舌红或暗红,苔薄少或无苔,脉细或细数。

案 3. 不寐 - 失眠症 - 天王补心丹 - 黄连阿胶汤

于某,男,35 岁,职员,连云港人。

初诊(2009 年 4 月 30 日):患者以"失眠 2 年,加重 1 周"就诊。患者入睡困难,似睡非睡,易醒,晨起头痛、不欲起床、不欲睁眼,闭目舒适,急躁易怒,食欲不振,情绪低落,二便尚调,察其舌红苔薄白,脉弦。此乃心肝火旺,热扰心神而不得眠,法当滋肝阴补心血,方拟天王补心丹加夜交藤养心安神。

处方:柏子仁 12g,炒枣仁 18g,丹参 15g,太子参 12g,麦冬 15g,生地黄 15g,远志 9g,玄参 12g,五味子 6g,当归 12g,夜交藤 15g。水煎服,每日 1 剂,煎2次，每次煎30min，共煎400ml，分2次口服，7剂。

二诊（5月7日）：服药后仍入睡困难，易醒，晨起头痛减轻，情绪低落、急躁如前。察其舌尖红苔薄白，脉弦细，舌尖属心，尖红心火仍炽。此乃阴虚火旺，心火亢盛。天王补心丹滋阴之力强，清火之力弱，法当滋阴降火，清心安神，方拟黄连阿胶汤。

处方：黄连9g，黄芩6g，生白芍15g，阿胶（烊化）9g，鸡子黄（冲）1枚。水煎服，每日1剂，煎2次，每次煎30min，共煎400ml，分2次口服，7剂。

三诊（5月14日）：服药后患者有两晚能安然入眠，睡眠时长达3~4小时，但易醒，急躁，情绪低落，晨起头重。察其舌尖红苔薄白，脉弦细。此乃虚火得清，心火渐平，法当滋阴降火，清心安神，仍守黄连阿胶汤。

处方：黄连9g，黄芩6g，生白芍15g，阿胶（烊化）9g，鸡子黄（冲）1枚。水煎服，每日1剂，煎2次，每次煎30min，共煎400ml，分2次口服，7剂。

四诊（5月21日）：服药后每夜均易入睡，睡眠时长在4~5小时，易醒，急躁减轻，情绪低落改善，晨起后无头痛，食纳尚佳。察其舌淡红苔薄白，脉弦。此乃阴夜得养，心火得清，心神渐安，法当滋阴养血，补心安神，方拟天王补心丹加减。

处方：柏子仁12g，炒枣仁18g，丹参15g，太子参12g，麦冬15g，生地黄15g，当归12g，夜交藤15g。水煎服，每日1剂，煎2次，每次煎30min，共煎400ml，分2次口服，7剂。

五诊（5月27日）：服药后入睡佳，不易醒，无头痛，急躁、情绪低落较前减轻，纳可。察其舌淡红苔薄白，脉弦。此乃心血得养，肝旺仍在，法当滋阴养血，兼以疏肝理气，方拟天王补心丹加减。

处方：柏子仁12g，炒枣仁18g，丹参15g，太子参12g，麦冬15g，生地黄15g，当归12g，夜交藤15g，郁金15g，枳壳18g。水煎服，每日1剂，煎2次，每次煎30min，共煎400ml，分2次口服，7剂。

六诊（6月2日）：服药后夜寐安，已不烦躁，情绪佳，无头痛，停药两周后不寐未再出现。察其舌淡红苔薄白，脉弦。此乃阴血得济，心神得安，不再拟方，嘱其戒怒，多吃百合。

按：不寐病因多样，有情志所伤、心脾两虚、心肝火旺、痰热内扰等。心火与肝火是不寐的重要病因之一，其中肝火的产生又有多种原因，如明代秦景明《症因脉治》曰:“肝火不得卧之因,或因恼怒伤肝,肝气怫郁;或尽力谋虑,肝血有伤。肝主藏血,阳火扰动血室,则夜卧不宁矣。”本案为年轻男性,因工作压力大而见入睡困难,睡后易醒,急躁易怒,情绪低落,舌红苔薄白,脉弦等。此为心肝火旺,先予天王补心丹滋补有余,清泄不足而效差,予黄连阿胶汤加强清泻心火之力而收效,待舌红转淡方复拟天王补心丹而痊愈。天王补心滋阴力强,缺乏疏肝之力,若兼有肝气不疏者,可加郁金、枳壳。

本案先后运用了黄连阿胶汤和天王补心丹,应该对掌握这两首方剂的鉴别有所帮助。两方虽均有滋阴降火之力,但侧重不同,黄连阿胶汤偏泻心火,天王补心丹偏滋心阴,一实一虚,不可不辨。临证或有阴虚火旺偏阴虚、偏火旺难辨时,应仔细研判,若研判不明先予某方,给药后若有不效,要心中有数,及时更方。

案 4. 不寐 - 睡眠焦虑症 - 酸枣仁汤

江某,女,50 岁,退休工人,连云港人。

初诊(2022 年 7 月 12 日):患者以“失眠 3 年”就诊。患者入睡困难,因恐惧失眠而心烦,易醒,醒后难以入睡,晨起口苦,身热汗出,口干,纳可。诊其舌红、苔薄少根微黄,脉弦。此乃肝阴不足,肝胃虚热内扰,法当养阴除烦,清热安神,方拟酸枣仁汤加生牡蛎、竹茹。

处方:炒酸枣仁 30g,知母 12g,茯苓 15g,川芎 6g,炙甘草 6g,生牡蛎 15g,姜竹茹 12g。水煎服,每日 1 剂,煎 2 次,每次煎 30min,共煎 400ml,分 2 次口服,7 剂。

二诊(7 月 19 日):服药后入睡改善,半小时左右即入睡,夜间不醒,仍早醒(5 点钟左右易醒),醒后仍能入睡,身热汗出、口干明显减轻,口苦轻。诊其舌暗红,苔薄微黄,脉弦细。此乃肝阴得滋,肝血得养,胃热得清,继守前法、前方去牡蛎。

处方:炒酸枣仁 30g,知母 12g,茯苓 15g,川芎 6g,炙甘草 6g,姜竹茹 12g。水煎服,每日 1 剂,煎 2 次,每次煎 30min,共煎 400ml,分 2 次口服,7 剂。

三诊(8 月 3 日):服药后夜寐安,梦少,已不心烦,纳佳,便调。诊其舌淡红苔薄白,脉沉。此乃肝阴得养,虚热得清,继守上方巩固。

处方:炒酸枣仁 30g,知母 12g,茯苓 15g,川芎 6g,炙甘草 6g,姜竹茹

12g。水煎服，每日1剂，煎2次，每次煎30min，共煎400ml，分2次口服，7剂。

按：不寐分虚实，虚有阴虚、气虚之别。本案为肝阴虚证。患者入睡困难，心烦，易醒，身热汗出，口干，舌红，脉弦，为阴虚内热之轻证，乃肝阴虚、虚热扰神之证。若见失眠、身热喜凉、心烦易怒等症则为阴虚内热之重证，乃阴虚肝旺之证，或伴心悸者。轻证宜酸枣仁汤，重证宜滋水清肝饮或天王补心丹。《成方便读》张秉成云："夫肝藏魂，有相火内寄。烦自心生，心火动则相火随之，于是内火扰乱，则魂无所归。故凡有夜卧魂梦不安之证，无不皆以治肝为主。"肝阴虚、肝郁所致之不寐当从肝论证，无疑是正确的，但认为心火先动扰动肝火则不然，应该是正好相反，是肝火扰动心火。本病病机是肝阴虚，虚热内生，虚热扰神。酸枣仁汤证通常描述为肝血不足，根据阴、血属性应理解为肝阴不足比较合适。

酸枣仁汤出自《金匮要略》："虚劳虚烦不得眠，酸枣仁汤主之。"由炒酸枣仁、知母、川芎、茯苓、炙甘草组成，具有养肝阴肝血、安神之功，用于失眠诸症。《古今名医方论》："枣仁酸平，应少阳木化，而治肝极者，宜收宜补，用枣仁至二升，以生心血，养肝血，所谓以酸收之，以酸补之是也。故肝郁欲散，散以川芎之辛散，使辅枣仁通肝调营，所谓以辛补之。肝急欲缓，缓以甘草之甘缓，防川芎之疏肝泄气，所谓以土葆之。然终恐劳极，则火发于肾，上行至肺，则卫不合而仍不得眠，故以知母崇水，茯苓通阴，将水壮、金清而魂自宁，斯神凝、魂藏而魄且静矣。此治虚劳肝极之神方也。"

酸枣仁汤证的核心病机为肝阴亏，虚热扰神；核心主症为性格急躁，又易疲劳，见入睡困难，或见心烦，易醒，入睡不沉，口干、夜间为甚，舌红或淡红、苔薄白或薄黄偏干，脉弦，无明显身热喜凉或喜暖便溏等寒热象。

本案患者入睡困难，心烦，易醒，醒后难以入睡，身热汗出，口干，舌红、苔薄少根微黄，脉弦，当辨为肝阴亏虚、虚热扰神，兼有胃之虚热，故拟酸枣仁汤。见口苦，多汗，则加竹茹清胃热，生牡蛎咸寒敛汗。三诊诸症改善。

案5. 不寐 - 焦虑症 - 一贯煎

魏某，女，44岁，工人，连云港人。

初诊（2009年5月7日）：患者以"失眠2个月"就诊。患者于2009年2月因宫颈癌行手术治疗，遂出现入睡困难，似睡非睡，甚至彻夜难寐，焦躁不安，畏寒喜暖，倦怠乏力，小便频数、灼热疼痛，纳可。尿常规：白细胞（+）。血常规大致正常，随机血糖：6.8mmol/L。诊其舌淡白苔白厚，脉沉弱。此为心脾两虚，肝经有热，法当健脾养心。方拟归脾汤加车前子、夜交藤。

处方：红参9g，炒白术15g，茯苓15g，炙甘草6g，生黄芪30g，当归12g，木香12g，远志9g，龙眼肉15g，车前子15g，夜交藤18g。水煎服，每日1剂，煎2次，每次煎30min，共煎400ml，分2次口服，7剂。

二诊（5月18日）：服药后夜寐转安，入睡沉，畏寒喜暖、倦怠乏力减轻，小便频数、灼热疼痛不显，仍焦躁不安，又见手足心热。诊其舌红苔白已不厚，脉细。此乃气血得补，而阴虚又见，法当滋阴益气，兼以安神，方拟一贯煎合百合乌药汤加减。

处方：北沙参18g，麦冬18g，当归12g，枸杞子9g，百合30g，乌药12g，太子参15g，黄精12g，郁金15g，远志12g。水煎服，每日1剂，煎2次，每次煎30min，共煎400ml，分2次口服，7剂。

三诊（7月18日）：服药后入睡易，夜寐安，已不倦怠乏力，小便调，仍喜暖恶冷空调及风扇，已不焦躁不安、手足心热。停药后2个月又出现入睡不沉，多梦，潮热汗出，心悸，白带多。察其舌淡红苔白，脉细。此乃肝阴亏，心气虚，心神失养，夹有湿注下焦，法当养阴安神，益气利湿，方拟百合乌药汤合四君子汤加减。

处方：百合30g，乌药12g，黄精12g，太子参12g，茯苓18g，炙甘草3g，煅牡蛎（先煎）30g，蒲公英30g，白果6g。水煎服，每日1剂，煎400ml，分2次口服，7剂。

四诊（7月25日）：服药后夜寐不安、心悸、潮热汗出消除，仍多梦，白带明显减少，纳增，诊其舌尖红苔薄白，脉沉细。此乃气阴得养，湿邪得除，法当继守前法，方拟百合乌药汤合四君子汤加减，前方继进。

处方：百合30g，乌药12g，黄精12g，太子参12g，茯苓18g，炙甘草3g，煅牡蛎30g（先煎），蒲公英30g，白果6g。水煎服，每日1剂，煎400ml，分2次口服，7剂。

五诊（8月3日）：服药后夜寐安，梦少，心悸、潮热汗出未再作，白带已正常，诊其舌尖红苔薄白，脉沉弱。此乃心肝之阴亏得补，脾气亏虚渐充，中病即止，法当生活调养，不再拟方。

按：不寐实证多，虚证少。虚有肝阴虚和心脾两虚。肝阴虚宜一贯煎，心脾两虚宜归脾汤。一贯煎出自清代魏玉璜《续名医类案》，由北沙参、生地黄、麦冬、枸杞子、当归、川楝子组成，用治"胁痛，吞酸，吐酸，疝瘕，一切肝病"。因肝藏血，主疏泄，体阴而用阳，喜条达而恶抑郁。肝肾阴血亏虚，肝失滋养，则疏泄失常，肝气郁滞则犯胃，或扰动神明等；治宜滋阴养血、柔肝舒郁。一贯煎一派阴柔之品，有所滋腻，若肝肾亏虚不著宜去枸杞子。归脾汤出自宋代严用和《济生方》，主治心脾气血两虚证，见心悸怔忡，健忘失眠，盗汗，体倦食少，面色萎黄或脾不统血证之便血、皮下紫癜、妇女崩漏等症。归脾汤温补之力较强，容易上火，若夹有湿浊，阴虚内热，尤其易导致失眠、兴奋，口干、生疮，应根据情况去龙眼肉、生黄芪、木香，可加祛湿之荷叶及清泻心胃之热的竹叶。

本案患者不寐既有肝肾（阴）不足，又有阳气亏虚（心脾两虚），而以心脾两虚为主，夹有肝郁不舒，初期以气血两亏、脾气不健、心脾两虚为主，见畏寒喜暖，倦怠乏力，舌淡白苔白厚，脉沉弱，故拟健脾养心，方拟归脾汤加车前子、夜交藤，心脾两补，温阳益气。此患者为宫颈癌手术后，一侧卵巢切除，天癸受损，肝肾不足，阴虚内热为其根本，故随后即见潮热汗出，手足心热脏躁之象，遂给予一贯煎合百合乌药汤，阴虚火旺有减而阳气又伤，此为术后伤气，故改为百合乌药汤合四君子汤，避用咸寒黏腻，及辛甘温热。百合乌药汤为消胀除满治胃之方，此处取其百合养阴安神补心，乌药入肝理气、解郁除烦，四君子汤去燥热之白术，太子参易党参，补气养阴，并取黄精补气养阴而使心肝之阴得补，脾气得健而诸症渐除。

一贯煎证的核心病机为肝阴肝血亏虚，肝体失养，肝气疏泄失常；核心主症为失眠，以似睡非睡、易醒为主，急躁不安，夜间口干、五心烦热，或吞酸、胁痛，舌红少苔，脉细或细弦。归脾汤证的核心病机为脾气不足，心血亏虚；核心主症为失眠，以入睡不沉为主，晨起头昏，倦怠乏力、懒动，头晕心悸，或便血、崩漏，舌淡红苔白、边有齿痕，脉沉弱。

案 6. 不寐 - 失眠症 - 血府逐瘀汤

赵某，女，58 岁，退休工人，连云港人。

初诊（2010 年 1 月 7 日）：患者以"失眠 5 年，加重 3 个月"就诊。患者入睡困难，夜间仅能寐 2 小时左右，白天头昏头胀，汗出，纳可，急躁，胸闷胸痛。心电图未见异常。诊其舌淡红苔白,脉缓。此为肝气郁结,法当疏肝理气。方拟柴胡疏肝散加味。

处方:柴胡15g,生白芍15g,枳壳18g,炙甘草6g,香附12g,陈皮12g,川芎6g。水煎服,每日1剂,煎2次,每次煎30min,共煎400ml,分2次口服,7剂。

二诊(3月2日):服药后失眠改善,夜能寐3~4小时,仍性急,易疲劳,头胀痛,纳可。察其面部暗、口唇紫,舌红苔白,脉沉弦。此乃气滞血瘀,心神失养,法当理气活血,方拟血府逐瘀汤加减。

处方:桃仁12g,红花15g,赤芍15g,川芎9g,当归15g,柴胡15g,枳壳18g,香附12g。水煎服,每日1剂,煎2次,每次煎30min,共煎400ml,分2次口服,7剂。

三诊(3月11日):服药后入睡困难改善,夜能寐4~5小时,仍早醒,头晕头胀不显,性急、疲劳明显减轻,纳可,察其口唇暗,舌暗红苔白,脉沉弱。此乃气滞血瘀得减,心神得养,法当理气活血,方拟血府逐瘀汤加减,上方加水蛭。

处方:桃仁12g,红花15g,赤芍15g,川芎9g,当归15g,柴胡15g,枳壳18g,香附12g,水蛭(中药配方颗粒)1包(冲)。水煎服,每日1剂,煎2次,每次煎30min,共煎400ml,分2次口服,5剂。

四诊(3月16日):服药后有困意,入睡易,夜寐安,仍早醒,头晕、急躁基本消除,纳可,足冷。察其口唇淡红,舌红苔白,脉沉。此乃气得畅,血瘀渐化,而有行气破血、耗气伤阳之象,法当活血化瘀,兼以温阳,方拟血府逐瘀汤加减,去行气之香附、破血之水蛭,活血药减量,加桂枝、淫羊藿。

处方:桃红12g,红花12g,赤芍12g,当归15g,川芎9g,柴胡12g,枳壳15g,炙甘草6g,桂枝9g,淫羊藿12g。水煎服,每日1剂,煎2次,每次煎30min,共煎400ml,分2次口服,7剂。

五诊(3月23日):服药后入睡佳,夜寐安,已不早醒、头晕,急躁不显,纳可,足温。察其口唇淡红,舌淡红苔白,脉沉。此乃气得畅,瘀血化,心神得养,遵经意中病即止,不可过剂,故不再拟方,嘱其生活调养。

按:失眠所见瘀血证临床并不多见,但不可不辨。初诊根据此患者性急胸闷、头昏头胀,辨为肝气郁滞,并予柴胡疏肝散,药后失眠改善,而诸症仍在。细察面暗唇紫，深思缘由，乃气滞久、血亦瘀，遂遵血府逐瘀之意，果收效迅速。后据其足冷脉沉，虑其阳气不足，而加桂枝、淫羊藿以温养阳气，足冷亦回。此患者头痛、胸痛胸闷、不寐、性急，均符合所治之证候，且患者面暗唇紫、脉沉弦，亦是瘀血之征，此为血瘀致神明失养而不眠，故用之颇有效验。瘀血致病多"根深蒂固"，治疗宜缓图，方可获全效。

血府逐瘀汤乃清代王清任所创，出自《医林改错》，其云："头痛、胸痛、胸不任物、胸任重物、天亮出汗、食自胸右下、心里热、瞀闷、急躁、夜睡梦多、呃逆、饮水即呛、不眠、小儿夜啼、心跳心忙、夜不安、俗言肝气病、干呕、晚发一阵热"，且说"夜不能睡，用安神养血药治之不效者，此方若神"。

血府逐瘀汤证的核心病机为气滞血瘀，气机不畅，血脉瘀阻；核心主症为失眠，以入睡困难为主，夜间易醒，胸闷、身痛、夜间（自觉）身热，心烦，舌暗紫或暗红、苔白或黄，脉弦或沉而有力。

案 7. 不寐 - 失眠症 - 逍遥散

许某，女，68 岁，退休工人，连云港人。

初诊（2011 年 2 月 17 日）：患者以"失眠 2 年"就诊。患者入睡困难，易醒，醒后难以入睡，平素靠服地西泮 2~3 片维持，心烦易怒，纳尚可，便调，有高血压、冠心病病史，测血压 150/95mmHg。舌淡红苔白，脉弦。此乃肝郁脾虚，法当疏肝健脾，解郁安神，方拟逍遥散加香附、合欢皮、夜交藤。

处方：柴胡 15g，生白芍 18g，当归 12g，炒白术 12g，茯苓 15g，炙甘草 6g，薄荷 6g（后下），香附 12g，合欢皮 12g，夜交藤 15g。水煎服，每日 1 剂，煎 2 次，每次煎 30min，共煎 400ml，分 2 次口服，7 剂。

二诊（2 月 24 日）：服药后入睡困难、易醒、醒后难以入眠已完全改善，仍多梦，已停服地西泮，心烦明显减轻，纳增，便调。诊其舌淡红苔白厚，脉沉。此乃肝郁得疏，脾仍不健，法当疏肝健脾，方拟逍遥散加莲子等。

处方：柴胡 15g，生白芍 18g，当归 12g，炒白术 15g，茯苓 15g，炙甘草 6g，莲子 12g，香附 12g，合欢皮 12g。水煎服，每日 1 剂，煎 2 次，每次煎 30min，共煎 400ml，分 2 次口服，7 剂。

三诊（3 月 3 日）：服药后夜寐安，梦少，已不心烦，纳佳，便调，诊其舌淡红苔薄白，脉沉。此乃肝郁得疏，脾气得健，继守上方。

处方:柴胡 15g,生白芍 18g,当归 12g,炒白术 15g,茯苓 15g,炙甘草 6g,莲子 12g,香附 12g,合欢皮 12g。水煎服,每日 1 剂,煎 2 次,每次煎 30min,共煎 400ml,分 2 次口服,7 剂。

按:不寐又称失眠,是以入睡困难、易醒、早醒为临床表现的病证。不寐的病机有虚有实,虚有心脾两虚、血不养心等,实有阴虚火旺、肝郁化火、痰热扰神等,也有虚实相兼之证,肝郁脾虚即是。逍遥散出自《太平惠民和剂局方》,由柴胡、白芍、当归、白术、茯苓、甘草、薄荷、生姜组成,被称为疏肝解郁第一方,用治肝郁血虚、脾失健运之证,服用后心情畅快,犹如"逍遥于天地之间而心意自得"(庄子语)而得名。张秉成:"夫肝属木,乃生气所寓,为藏血之地。其性刚介而喜条达,必须水以涵之,土以培之,然后得遂其生长之意。若七情内伤,或六淫外束,犯之则木郁而病变多矣。"逍遥散组方系疏肝柔肝与健脾培土两派药组成,配伍精当,突出肝体阴用阳的特点,养肝而疏肝,无愧解郁第一方的称谓。逍遥散是临床常用方剂,看似平淡,只要辨证准确,应用得当,获效颇速。

本病案入睡困难,易醒,醒后难以入睡,心烦,舌淡红苔白,脉弦,虽纳尚可,但苔白仍有脾虚之候,当属肝郁脾虚之证,与逍遥散加疏肝之香附,安神之合欢花、夜交藤,疏肝理脾,解郁安神,药后失眠基本消除,仍多梦,食欲有增,苔白厚当属脾虚为主,予上方去薄荷、夜交藤,加重白术之量,加莲子以着重健脾益气之力,失眠痊愈。合欢花、夜交藤是中药里的"安眠药",在辨证基础之上可以加减应用。一般剂量宜大,30g 起。合欢皮甘、平,兼有解郁之功,宜失眠见肝郁脾虚之证者;夜交藤微苦、平,兼有滋阴清热之效,宜失眠兼阴血虚少或阴虚阳亢之证者。

逍遥散证的核心病机为肝郁脾虚、肝血不足、木郁土虚;核心主症为失眠以入睡不沉、易醒为主,神情忧郁,心烦,纳欠佳,或月经量少,舌淡红苔薄白,脉弦细。

案 8. 不寐 - 失眠症 - 丹栀逍遥散

李某,女,51 岁,干部,连云港市人。

初诊(2021 年 12 月 17 日):患者以"失眠 1 年"就诊。患者入睡困难,夜间易醒,心烦易怒,身热,醒后难以再睡,且入睡不沉,口干,饮不解渴,心神不宁,多虑,纳可,反酸,遇冷胃痛,便稍干,舌暗红苔黄,脉弦。此乃肝郁化火,阳不入阴。法当疏肝解郁,方拟加味逍遥散加味。

处方:柴胡 12g,当归 12g,生白芍 12g,茯苓 15g,炒白术 15g,炙甘草 6g,牡丹皮 12g,栀子 15g,香附 12g,陈皮 9g。水煎服,每日 1 剂,煎 2 次,每次煎 30min,共煎 400ml,分 2 次口服,7 剂。

二诊(2021 年 12 月 28 日):药后当晚从 11 点入睡,安寐至次日 8:20,后每晚均入睡佳,夜间不醒,早上起床靠闹铃唤醒,偶有做梦。心神不宁已无,口干,饮不解渴,胃不适,食饮变差,大便已不结。舌暗红苔薄黄,脉沉弦。此乃肝郁得疏,肝火得清,药偏燥,阴已伤,继守上方去香附、陈皮,减牡丹皮、栀子剂量。

处方:柴胡 12g,当归 12g,生白芍 12g,茯苓 12g,炒白术 12g,炙甘草 6g,牡丹皮 10g,栀子 12g。水煎服,每日 1 剂,煎 2 次,每次煎 30min,共煎 400ml,分 2 次口服,5 剂。

三诊(2022 年 1 月 4 日):药后夜寐安,口渴减,食欲增,舌暗红苔薄微黄,脉沉弦。夜寐已安,无须再治,嘱调情志、节饮食。

按:丹栀逍遥散又名加味逍遥散,出自《内科摘要》,由经典名方逍遥散加牡丹皮、栀子而成,具有疏肝解郁、清热除烦之功效,用治肝郁化火诸症。《成方便读》载有:"本方加丹皮、黑山栀各一钱,名加味逍遥散。治怒气伤肝,血少化火之证。故以牡丹皮之能入肝胆血分者,以清泄其火邪;黑山栀亦入营分,能引上焦心肺之热,屈曲下行,合于前方中,自能解郁散火,火退则诸病皆愈耳。"个人体会,本方对心烦易怒、失眠难寐、经前乳房胀痛尤为奏效。本案以失眠为主要诉求,入睡困难为阳热亢、阳不入阴,易醒、醒后难以入睡为阴不涵阳,身热、口干喜饮为肝火偏旺,心神不宁为肝火扰动心火,胃痛、反酸乃肝气犯胃,舌暗红苔黄,脉弦为肝郁化火,脾失健运之象。

无论其他证候如何复杂,以此为抓手就可以执简御繁,且收效神速。此案药进 1 剂即夜寐转安。药进 7 剂口渴喜饮、食欲不振加重,乃理气辛燥之品所致,而苦寒亦致胃败,遂调整香附、陈皮、牡丹皮、栀子而诸症悉愈。牡丹皮、栀子均可导致泄泻,特别是栀子在 15g 以上时即易出现;牡丹皮用量一般在 10g 左右,超量也会腹泻。脾胃虚寒者栀子剂量宜小,栀子宜选焦栀子或者炒栀子,若栀子确需重剂(18g 以上者),宜佐生姜 15g(或

3片),或干姜6g。

丹栀逍遥散证的核心病机为肝郁血虚、气郁化火;核心主症为心烦易怒,失眠难寐,舌偏红苔薄白或薄黄,脉弦,无明显身热喜凉或倦怠乏力、畏寒喜暖之偏热偏虚寒之象。

案9. 不寐-失眠症-真武汤

杨某,女,47岁,自由职业,连云港人。

初诊(2011年12月24日):患者以“失眠10年”就诊。患者入睡困难,多梦,早醒,醒后难以入睡,畏寒喜暖,口不渴、不喜饮,纳可,小便频数。尿常规示:隐血10(±),细菌1 216.20个/μl。超敏C-反应蛋白117.6mg/L。血常规示:白细胞3.71×10^9/L。诊其舌淡嫩,苔薄白水润,脉沉。此乃阳不化气,法当温阳化气,方拟五苓散加车前子。

处方:泽泻15g,猪苓9g,茯苓9g,桂枝6g,白术9g,车前子30g(包煎)。水煎服,每日1剂,煎2次,每次煎30min,共煎400ml,分2次口服,7剂。

二诊(2011年12月29日):中药尚未服尽即前来就诊,服药后夜间尿意大减,已不起夜,多梦,已不醒,夜寐转安,下肢畏寒喜暖,便秘,诊其舌淡红,苔白,脉沉。此乃温阳化气得法。阳气者,精则养神,肾阳亏虚除见淋证,亦见不寐。法当温补肾阳,方拟真武汤。

处方:制附子9g(先煎),生白芍12g,白术15g,茯苓15g,生姜3片。水煎服,每日1剂,煎2次,每次煎30min,共煎400ml,分2次口服,7剂。

三诊(2012年1月7日):药后夜寐安,已不起夜,但仍有尿意,大便尚调,畏寒大减。诊其舌淡红苔薄白,脉沉。尿常规示:结晶19/μL,余均正常。此乃阳得温,气得化,神得安,效不更方,制附子减量。

处方:制附子6g,生白芍12g,白术15g,茯苓15g,生姜3片。水煎服,每日1剂,煎2次,每次煎30min,共煎400ml,分2次口服,7剂。

四诊(2012年1月14日):药后入睡佳,不易醒,小便自利,已不频多、尿急。察其手足已暖,尿常规未见异常。诊其舌淡红,苔薄白,脉细。此乃阳虚得补神已安,守方巩固,制附子加量。

处方:制附子9g(先煎),生白芍15g,茯苓15g,白术15g,生姜3片。每日1剂,水煎服,共煎400ml,分2次口服,7剂。

按：不寐也有因其他疾病而夜寐不安更甚者。本病案患者有10年失眠史，近期又见小便频数，尿急，不痛，夜寐不安更重，见畏寒喜暖，下肢尤甚，口不渴，当为肾阳不足，不能温养心神，而阳不得入于阴故不能寐，阳不化气则小便不利，虽二证貌似无关，其机制则一，当先化气行水，后温阳化气，温补肾阳而诸症悉除。

五苓散、真武汤均出自《伤寒论》，五苓散由泽泻、茯苓、猪苓、白术、桂枝组成，真武汤由附子、白术、茯苓、白芍、生姜组成。前者用于阳不化气之膀胱蓄水证，为化气行水之法，以利水为主；后者温补肾阳，温阳化气，用于阳虚水泛之水饮证，以温阳为主。本病案患者初期以小便不利为主，当化气行水，后期以正（阳）虚为主，当温阳化气，而失眠、淋证俱除。本案患者见畏寒喜暖，口不渴、不喜饮，小便频数，舌淡嫩苔薄白水润，脉沉，符合两方之核心主症，前期小便不利甚，故选五苓散利水通淋，待小便不利得减，以真武汤温阳化气，而失眠随之得解。

不寐见虚寒证者偏少，多属于阳不能入于阴。不寐之虚证多见心脾两虚型，虚寒者多见心肾阳虚，如"但欲寐"的麻黄附子细辛汤证。本例属于肾阳亏虚，投真武汤而温阳安神，失眠随之而愈。《医宗金鉴·凡例》中说："医者，书不熟则理不明，理不明则识不精，临证游移，漫无定见，药证不合，难以奏效。"可见临证取效之关键在于精准辨证，药证相合，本案患者虽为不寐病，但并未拘泥于病种而按图索骥，而是条分缕析地辨证论治，从而实现法随证立，方随法出。

五苓散证的核心病机为阳不化气，水饮上犯；核心主症为小便不利，口渴、不喜饮或渴喜热饮，或水肿或头晕，舌淡红苔薄白水润，脉弦或沉。真武汤证的核心病机为阳虚水泛；核心主症为畏寒喜暖，水肿，小便不利，舌淡红苔薄白水润，脉沉。

案10. 不寐-失眠症-香砂六君子汤

左某，女，38岁，教师，连云港市人。

初诊（2011年12月24日）：患者以"失眠1个月"就诊。患者入睡难，易醒，心烦，似睡非睡，嗳气，胃胀，纳可，小腹冷痛。诊其舌淡红苔薄白，脉细。此乃脾不健运，中州不调，神明被扰。法当健脾和胃，运化中州，方拟香砂六君子汤加合欢皮。

处方：党参 12g，白术 15g，茯苓 15g，炙甘草 6g，法半夏 15g，陈皮 12g，木香 9g，砂仁 9g（后下），合欢皮 12g。水煎服，每日 1 剂，煎 2 次，每次煎 30min，共煎 400ml，分 2 次口服，7 剂。

二诊（2012 年 1 月 3 日）：药后夜寐转安，嗳气、胃胀减轻，小腹冷痛改善。察其手足不温，舌淡红，苔薄白，脉沉弱。此乃脾胃得健，中焦得运，法当健运脾胃，兼以温中，仍守上方消息，去合欢皮，加桂枝、肉豆蔻，砂仁减量。

处方：党参 12g，白术 15g，茯苓 15g，炙甘草 6g，法半夏 15g，陈皮 12g，木香 9g，砂仁 6g（后下），桂枝 12g，肉豆蔻 9g。水煎服，每日 1 剂，煎 2 次，每次煎 30min，共煎 400ml，分 2 次口服，7 剂。

三诊（2012 年 1 月 10 日）：服药后夜寐安，嗳气、胃胀、小腹冷痛未见。昨天因伤风，出现咳嗽、喷嚏，便溏，矢气多。诊其舌淡红，苔白，脉沉弱。此乃脾肾阳虚、风寒犯肺，法当表里同治，温补脾肾，疏风散寒，方拟白术附子汤加荆芥、防风、肉豆蔻。

处方：白术 18g，制附子 9g（先煎），炙甘草 6g，荆芥 9g，防风 6g，肉豆蔻 9g，生姜 5 片，大枣 18g。水煎服，每日 1 剂，煎 2 次，每次煎 30min，共煎 400ml，分 2 次口服，7 剂。

四诊（2012年1月17日）：药后感冒症状消除，寐安，入睡佳，夜寐不醒，小腹亦不冷，便溏改善，矢气多除。诊其舌淡红，苔薄白，脉弱。失眠已愈，余症亦消，停药，饮食调养。

按：不寐所致因素不外火、痰、食、虚等。胃不和则卧不安，临床并不少见，多因痰、食中阻，或脾胃不和，中焦枢机不利，气机升降失乖，导致阴阳不能和合而夜不安寐，当健脾和胃，疏利枢机。正如清代《张聿青医案》有曰："胃为中枢，升降阴阳，于此交通。心火俯宅坎中，肾水上注离内，此坎离之即济也。水火不济，不能成寐，人尽知之。不知水火之不济，非水火不欲济也，有阻我水火相交之道者，中枢是也。"此处提出脾胃为阴阳交通之枢，枢纽不利是阳不入阴、水火不济而导致失眠的一大病因。

本病案患者失眠而伴见嗳气、胃胀、纳差，甚至便溏等，乃脾不健运，痰湿易生，脾虚湿盛之象，故以香砂六君子汤健脾和胃，行气化湿，运转中焦，使脾运健，清气升，浊气降而心神得养。本例见嗳气，胃胀，小腹冷痛，舌淡红苔薄白，脉细。香砂六君子汤证核心主症俱见，虽以失眠来诊，其核心病机为脾不健运，湿阻中焦，仍当选香砂六君子汤以治之。脾虚之体易致外寒侵袭，见伤风、便溏，又以白术附子汤加荆防而温阳散寒，表里俱解。据表里证俱在，宜先解表后治里，正虚感邪则宜扶正解表，本案在治疗失眠时遇触冒风寒而兼表证，因属于肺脾气虚，感受风寒，故可以助阳解表，运用白术附子汤加疏风之品而无引邪入里之虞。

香砂六君子汤出自《古今名医方论》，由人参、白术、茯苓、甘草、陈皮、半夏、砂仁、木香组成，具有健脾理气，和胃化湿之功，用于脾虚气滞湿阻诸症。

香砂六君子汤证的核心病机为脾不健运，湿阻中焦；核心主症为食欲缺乏，脘腹胀满，或嗳气，或便溏，或倦怠乏力，舌淡红苔薄白或白厚，脉沉细或沉弱。

案 11. 不寐 - 快速眼动睡眠行为障碍 - 黄连温胆汤

马某，男，59 岁，公务员，连云港人。

初诊（2009 年 7 月 14 日）：患者以“夜寐不安伴喊叫 1 年”就诊。患者夜寐不沉，早醒，多梦，在睡眠中大声喊叫，每夜均有 1~2 次，饮酒后尤为明显，而自己不知，食纳尚佳，大便黏滞。有高脂血症、高血压、2 型糖尿病病史。察其舌紫红苔白，脉弦硬，病属不寐。此乃痰热扰神，兼有瘀滞，法当清热化痰，兼以活血，方拟黄连温胆汤加减。

处方：黄连 6g，法半夏 18g，陈皮 15g，枳实 18g，竹茹 12g，胆南星 9g，桃仁 12g，红花 12g。水煎服，每日 1 剂，煎 2 次，每次煎 30min，共煎 400ml，分 2 次口服，7 剂。

二诊（7 月 23 日）：服药 3 剂后，夜间睡眠期间不再大喊大叫，梦减少、夜寐转安，由原来每晚寐 4 小时即醒至能寐 6 个小时，食纳佳，大便黏滞明显改善。察其唇紫暗，舌淡红左边紫苔白，脉弦已不硬。此乃痰瘀得化、邪热得清，故寐安，不再寐中妄动，效不更方。

处方：黄连 6g，法半夏 18g，陈皮 15g，枳实 18g，竹茹 12g，胆南星 9g，桃仁 12g，红花 12g。水煎服，每日 1 剂，煎 2 次，每次煎 30min，共煎 400ml，分 2 次口服，7 剂。

三诊（7 月 30 日）：服药后夜寐安，能寐 6 个多小时，再未喊叫。察其唇暗紫减轻，舌淡红苔薄白，脉弦。此为痰瘀已化、热已清，不再拟方，嘱其规则服用治疗“三高”药物，饮食清淡，适量运动。

按：快速眼动睡眠行为障碍是一种发生在快速眼动期的睡眠行为异常，是一种常见的睡眠行为障碍。患者在快速眼动期中因丧失肌张力抑制，从而导致与梦境一致的肢体活动。常伴有精神压抑、过度饮酒等，可见于任何年龄，但60~70岁具有暴力性梦境的老年男性较为多见。通常在生动、惊人的梦境中出现各种不自主运动，如拳打脚踢、翻滚喊叫、打人性攻击等猛烈粗暴动作，常会引起自伤或伤及同睡者。快速眼动睡眠行为障碍因不被人们认识，常被延误诊断和治疗。

中医没有快速眼动睡眠行为障碍的称谓，应归属于不寐范畴。于睡眠中出现睡眠不稳，拳打脚踢、翻滚喊叫，属于阳热亢盛之象，以心火肝亢、痰热内扰等实证多见。正如《景岳全书·不寐》中记载：“痰火扰乱……火炽痰郁而致不眠者多矣。”本病例夜寐不沉、早醒，多梦、在睡眠中大声喊叫、饮酒后尤为明显，大便黏滞，舌紫红苔白，脉弦硬，均为痰热内扰为主，兼有瘀血阻滞之实象，具备了核心主症的多数症状，故拟黄连温胆汤清热化痰，去健脾益气之茯苓、甘草，加桃红活血，两诊即愈。

黄连温胆汤出自《六因条辨》，由黄连、竹茹、枳实、半夏、陈皮、茯苓、甘草、生姜组成，具有清热化痰之功，用治痰热扰神的失眠、心烦、头晕、脘痞诸症。

黄连温胆汤证的核心病机为胆郁痰热，痰热扰神；核心主症为入睡困难、易醒，多梦，口干口苦、不喜饮，胃脘不舒，大便黏滞，舌暗红或红、苔白或黄腻，脉弦或滑。

案12. 不寐 - 快速眼动睡眠行为障碍 - 黄连阿胶汤、天麻钩藤饮

董某，男，72岁，退休工人，连云港市人。

初诊（2011年11月26日）：患者以“夜寐不安1个月”就诊。患者夜寐不安，喊叫躁动，甚至从床上摔下来，牙痛，便干结，烦躁易怒，双腿抖动。诊其舌暗红苔薄（白）少，脉弦有力。有高血压、2型糖尿病病史，规则服用降压药，血压控制不理想。有胆囊切除史。中医诊断：不寐。此乃阴虚火旺，法当滋阴降火，方拟黄连阿胶汤加郁金。

处方：黄连 9g，黄芩 12g，生白芍 18g，阿胶 10g（烊化），鸡子黄 1 枚（冲），郁金 18g。水煎服，每日 1 剂，煎 2 次，每次煎 30min，共煎 400ml，分 2 次口服，7 剂。

二诊（2011 年 12 月 3 日）：服前 3 剂药后大喊大叫即已消除，而后又见，夜寐仍不安，但未从床上掉下，仍有双腿抖动，夜间手足时时抽动，便秘已通，后又见羊屎样便。诊其舌暗红，苔薄少，脉沉弦有力。血压 160/90mmHg。此乃肝阳上亢，痰扰心神，法当平肝潜阳，化痰安神，方拟天麻钩藤饮加减。

处方：天麻 12g，钩藤 15g，菊花 12g，石菖蒲 9g，郁金 30g，远志 9g，生白芍 30g，生牡蛎 30g。水煎服，每日 1 剂，煎 2 次，每次煎 30min，共煎 400ml，分 2 次口服，7 剂。

三诊（2011 年 12 月 10 日）：药后夜寐安，已不喊叫，双腿抖动已消除，夜间手足不宁抽动已除，入睡已安静，大便略干结，仍有羊屎样便，不喜饮，纳差。察其眼干涩，口疮，舌红，苔薄少，脉沉有力。此为阳亢得减，阴液亏虚，肠中燥热，法当养阴润燥，方拟增液汤加味。

处方：玄参 30g，麦冬 18g，生地黄 30g，枳壳 18g，郁李仁 12g。水煎服，每日 1 剂，煎 2 次，每次煎 30min，共煎 400ml，分 2 次口服，7 剂。

四诊（2011 年 12 月 17 日）：药后夜寐已安，1 周内只说过 1 次梦话，未喊叫，腿未抽动，纳可，便干结改善，已无羊屎样便。诊其舌红，苔薄白，脉沉有力。此阳亢得解，津亏得润，法当滋阴润燥，方拟增液汤加味。

处方：玄参 30g，麦冬 30g，生地黄 30g，枳壳 18g，郁李仁 12g，生牡蛎 30g。水煎服，每日 1 剂，煎 2 次，每次煎 30min，共煎 400ml，分 2 次口服，7 剂。

按：快速眼动睡眠行为障碍是一种特殊的睡眠行为异常，见夜里喊叫、躁动，甚至跌落于床下等症状。不寐有虚有实，实有火、痰、瘀，虚有血虚、阴虚等不同，而快速眼动睡眠行为障碍见夜寐不安伴躁扰不宁、喊叫等，多为实证，偏心火旺、肝阳亢，或偏痰热者为多。

本病案患者夜寐不安，躁动，甚则从床上摔下，烦躁易怒，大便干结，当属心肝火旺。黄连阿胶汤核心主症基本俱见，予黄连阿胶汤滋阴降火有效；但有反复，这是因为该患者兼有肝阳上亢，风痰窜动，改投天麻钩藤饮加减而躁扰息，抽动止。黄连阿胶汤本滋阴降火，清泻心火，而患者烦躁易怒，肝郁为甚，肝郁化风，故黄连阿胶汤难解其全部，后予天麻钩藤饮平肝息风而诸症基本消除。唯便结难解，以增液汤加枳壳、郁李仁滋阴润燥通便，便得通。本案症状俱见实证，而舌脉则见虚象，这可能与肝郁气机不畅，气机不能外达有关。在临证中舍去其舌脉，而目的已达到，取天麻钩藤中天麻、钩藤，以生牡蛎易石决明，郁金易栀子，菊花易黄芩，石菖蒲、远志易夜交藤、茯神，白芍易益母草，去补益之杜仲、桑寄生等，以加强平肝解郁之功。

天麻钩藤饮首载于胡光慈先生《中医内科杂病证治新义》，方由天麻、钩藤、石决明、山栀、黄芩、夜交藤、朱茯神、益母草、杜仲、桑寄生、川牛膝组成。原方主治肝阳偏亢、肝风上扰之头痛、眩晕、失眠，临证处方，随症加减出入，其效甚佳。

天麻钩藤饮证的核心病机为肝阳上亢，风阳上扰；核心主症为头晕头胀，筋惕抽动，失眠急躁，舌红苔白或黄，脉弦或滑。

第五节 足 悗

案 1. 足悗 - 不宁腿综合征 - 芍药钩藤木耳汤

曹某，男，60 岁，公务员，连云港市人。

初诊(2011 年 4 月 7 日)：患者以“失眠伴下肢不适 10 年”就诊。患者入睡困难，入眠前双腿不适，必须下床活动方可缓解，纳可，有高血压、冠心病病史，诊为不宁腿综合征。诊其舌淡白苔白，脉滑。此乃痰气交阻，法当化痰理气，舒筋活络，方拟半夏白术天麻汤加钩藤、僵蚕、独活。

处方：法半夏 18g，陈皮 15g，茯苓 18g，天麻 9g，白术 15g，炙甘草 6g，钩藤 18g(后下)，僵蚕 12g，独活 9g。水煎服，每日 1 剂，煎 2 次，每次煎 30min，共煎 400ml，分 2 次口服，7 剂。

二诊(4 月 21 日)：服药后双腿不宁、失眠未减，详细问诊见夜间手足心热、口干喜饮，诊其舌暗红苔薄黄，脉弦滑。此乃阴虚风动，药燥化热，法当柔肝息风、化痰，方拟芍药钩藤木耳汤加减。

处方：生白芍 18g，钩藤 30g(后下)，天麻 12g，僵蚕 12g，炙甘草 6g，菊花 12g，胆南星 9g，郁金 18g。水煎服，每日 1 剂，煎 2 次，每次煎 30min，共煎 400ml，分 2 次口服，7 剂。

三诊（4 月 28 日）：服药后有 5 晚腿无不宁，入眠佳，夜安寐。仅有两晚腿不宁，走行 5~6min 后上床即安寐，纳可，手足心热、口干喜饮改善。诊其舌偏红苔薄白而少，脉沉缓。此乃肝风平，痰热化，效不更方，仍守上方。

处方：生白芍 18g，钩藤 30g（后下），天麻 12g，僵蚕 12g，炙甘草 6g，菊花 12g，胆南星 9g，郁金 18g。水煎服，每日 1 剂，煎 2 次，每次煎 30min，共煎 400ml，分 2 次口服，7 剂。

四诊（5 月 5 日）：服药后夜寐安，夜间未见腿不宁，唯下午出现一次下肢不宁，程度轻，纳可，手足心热进一步减轻，口干喜饮已无。诊其舌偏红苔薄白而少，脉沉缓。此乃阴得养、风得息、痰得化，法当继守前法，效不更方。

处方：生白芍 18g，钩藤 30g（后下），天麻 12g，僵蚕 12g，炙甘草 6g，菊花 12g，胆南星 9g，郁金 18g。水煎服，每日 1 剂，煎 2 次，每次煎 30min，共煎 400ml，分 2 次口服，7 剂。

按：不宁腿综合征又称不安腿综合征，表现为下肢尤其是小腿部有一种难以表达的特殊不适感，迫使患者下肢不停地活动，安静时发作，夜晚或休息一段时间后症状最明显。中医没有此病名，归属中医“足悗”范畴。早在《黄帝内经》时期就有“厥气生足悗……血脉凝涩”的记载。其中“悗”即指烦乱不适状，与不安腿有极为相似之处。本病案患者表现为入睡前腿不适，活动后舒适，难以入睡，舌淡白苔白，脉滑，为风痰交阻，以痰为主之象，以半夏白术天麻汤加钩藤、僵蚕、独活化痰理气，舒筋活络而未果，反见舌暗红苔薄黄，脉弦滑，有化热之象，当属阴虚风动，筋脉失养，及时修正辨证，予柔肝息风法，方拟芍药钩藤汤加减而症状改善，守方继进，症状得以完全缓解，方悟足悗以风为主，并非以痰为主，治疗以柔肝息风为主、清热化痰为辅，方为妥当。

芍药钩藤木耳汤是山西名老中医门纯德先生所创，由生白芍、炙甘草、钩藤、天麻、僵蚕、郁李仁、全蝎、白苣子、黑木耳组成，具有柔肝缓痉、息风止痛之功，用治阴虚风动，筋脉失养之震颤、疼痛诸症。芍药钩藤木耳汤系芍药甘草汤加味而来，白苣子通常缺药，多不用，黑木耳具有润燥活血作用，药房不提供，可自备。全蝎以止痛为主，本案患者无疼痛，故去全蝎；无内热，故去郁李仁；兼有痰热，故加胆南星、郁金，化痰清热。门纯德先生主张白芍生用，认为白芍酸苦、微寒，是养血护阴柔肝之品，取其寒性生用最佳，不宜炒制。朱良春国医大师也持此观点，笔者在临床常以生制白芍为用。白芍柔肝息风宜量大方效佳。

芍药钩藤木耳汤证的核心病机为阴血亏虚，筋脉失养；核心主症为三叉神经疼痛、蛇串疮后疼痛、入睡前腿不适伴抽动、头面肢体不自主抽动等，兼见夜间口干喜饮，手足心热，或身体喜凉，女性月经量少，舌红少苔，脉细或沉或弦。

案 2. 足悗 - 不宁腿综合征 - 酸枣仁汤

曹某，女，79 岁，退休工人，连云港人。

初诊（2010 年 6 月 29 日）：患者以"双腿不适无法入睡 40 年"就诊。患者双腿不宁，不适难忍，自服艾司唑仑后双腿不适得以控制，方能入睡，能寐至夜间 2 点左右，腿又有不宁，下床行走后复又能寐至夜间 4 点左右，汗出多，口干喜饮，心烦。诊其舌暗紫苔白，脉弦细。此乃心肝火旺，法当滋阴降火，柔肝息风，方拟酸枣仁汤合芍药钩藤木耳汤加减。

处方：炒枣仁 18g，知母 15g，生白芍 30g，钩藤 18g，僵蚕 12g，生地黄 30g，丹参 18g，黄连 6g，郁金 18g，竹茹 15g，煅牡蛎 30g。水煎服，每日 1 剂，煎 2 次，每次煎 30min，共煎 400ml，分 2 次口服，7 剂。

二诊（7 月 6 日）：服药后双腿不宁减轻，夜寐转安，汗出仍多，口干喜饮，心烦。诊其舌暗紫苔薄白，脉弦。此乃心肝火旺，阴虚夹瘀，法当滋阴降火，兼以化瘀，方拟酸枣仁汤加减。

处方：炒枣仁 18g，知母 15g，生白芍 30g，钩藤 18g，僵蚕 12g，生地黄 30g，丹参 18g，黄连 6g，郁金 18g，竹茹 15g，煅牡蛎 30g，桃仁 12g。水煎服，每日 1 剂，煎 2 次，每次煎 30min，共煎 400ml，分 2 次口服，7 剂。

三诊（7 月 13 日）：药后双腿不宁大减，只一夜出现腿不适，夜间安寐，盗汗大减，双臂出冷气，双手心灼热。诊其舌暗红，苔薄白，脉沉弦。此乃火热得降，阴得滋，瘀得化，法当息风化瘀通络，继守上方去生地黄、郁金、桃仁，加羌活 9g，川芎 9g。

处方：炒枣仁 18g，知母 15g，川芎 9g，生白芍 30g，钩藤 18g，僵蚕 12g，丹参 18g，黄连 6g，竹茹 15g，煅牡蛎 30g，羌活 9g。水煎服，每日 1 剂，煎 2 次，每次煎 30min，共煎 400ml，分 2 次口服，7 剂。

四诊（7月20日）：药后双腿无不适，夜寐已安，盗汗、手心热大减，双臂出冷气减。诊其舌暗红，苔薄白，脉沉弦。此乃火热已清，虚风渐息，瘀化络通，法当息风化瘀通络，继守上方巩固疗效。

处方：炒枣仁18g，知母15g，川芎9g，生白芍30g，钩藤18g，僵蚕12g，丹参18g，黄连6g，竹茹15g，煅牡蛎30g，羌活9g。水煎服，每日1剂，煎2次，每次煎30min，共煎400ml，分2次口服，7剂。

按：不宁腿综合征又称不安腿综合征，任何年龄都可发病，但中老年多见，部分患者有家族史，有并发于糖尿病、尿毒症、贫血、隐性肝病、癌症、帕金森病等其他疾病者，亦有因妊娠或受凉而发病者。所发症状如上一案例所述。

不宁腿综合征，中医无此名称，但有关论述散见于历代文献中。《灵枢·百病始生》谓："厥气生足悗……血脉凝涩。"薛己《内科摘要》记载道："夜间少寐，足内酸热。若再良久不寐，腿内亦然，且兼腿内筋似有抽缩意，致两腿左右频移，辗转不安，必至倦极方寐"，其论述与不宁腿综合征症状相似。本案双腿不宁，不适难忍，口干喜饮，心烦，舌暗紫苔白，脉弦细，此乃心肝火旺，法当滋阴降火，柔肝息风，方拟酸枣仁汤合芍药钩藤木耳汤加减。本案阴虚内热为甚，酸枣仁汤、芍药钩藤木耳汤力逊，故取天王补心丹之意加生地黄、丹参滋阴降火，烦热甚，故加黄连、郁金清心除烦，烦热汗出为甚，加咸寒之煅牡蛎敛汗。酸枣仁汤中川芎行气活血，有偏燥伤阴之嫌，初期阴虚火旺之时则宜舍去，后见肢体出冷气，经脉不通，方又加入。

第六节　面　瘫

案1. 面瘫－小柴胡汤、黄连解毒汤

陈某，男，21岁，大学生，苏州市人。

初诊（2023年10月2日）：患者以"左侧面部口眼㖞斜3天"入院。患者左眼闭合不全，左侧眉毛抬举不能，面部麻木，微笑时口角向右歪斜，左口角进食时漏水、鼓腮漏气，左耳不疼，夜寐安，纳食可，二便调。察得其左侧额纹变浅，闭眼露睛，示齿口角右歪，舌淡红苔薄白，脉弦细。此乃面瘫病，邪在少阳，法当和解少阳，方拟小柴胡汤加减。

处方：柴胡 18g，黄芩 12g，法半夏 12g，人参 6g，炙甘草 6g，桑枝 15g。中药配方颗粒剂，每日 1 剂，每次水冲 200ml，分早晚服，7 剂。

二诊（10 月 10 日）：服药后患者左眼闭合不漏睛，左口角轻微漏水，额纹眉间有抬起，眨眼无力，面部麻木，口干喜饮，身热喜凉，口不苦，时有乏力。诊其舌红苔薄黄，脉数。此乃上焦有热，邪郁化热，法当清热泻火，方拟黄连解毒汤加减。

处方：黄连 6g，黄芩 12g，焦栀子 15g，大青叶 18g，赤芍 12g，全蝎 6g，桑枝 12g，柴胡 12g。中药配方颗粒剂，每日 1 剂，每次水冲 200ml，分早晚服，7 剂。

三诊（10 月 17 日）：服药后患者左眼闭合不漏睛，左口角轻微漏水，额纹眉间抬起进一步改善，眨眼有力，面部麻木好转，身热喜凉减轻，纳寐尚可，二便尚调。诊其舌红苔薄白，脉数。此乃上焦热毒得减，法当清热泻火，仍守上方。

处方：黄连 6g，黄芩 12g，焦栀子 15g，大青叶 18g，赤芍 12g，全蝎 6g，桑枝 12g，柴胡 12g。中药配方颗粒剂每日 1 剂，每次水冲 200ml，分早晚服，7 剂。

四诊（10 月 24 日）：服药后左眼闭合已不漏睛，左口角不漏水，口角不右歪，左额抬起与右侧对称，面部麻木未见，身热喜凉明显减轻，纳可，寐安。诊其舌淡红苔薄白，脉弦已不数。患者面瘫康复，不再服药，近日出院。

按：面瘫又称口僻，是指突然出现以口角向一侧歪斜、目不能闭合为主症的病变，常伴有患侧耳后疼痛。特发性面神经麻痹又称面神经炎或贝尔麻痹，是因面神经管内面神经不同级段或分支急性非特异性炎症所致的周围性面瘫。多因受冷、病毒感染、自主神经功能不稳等导致局部神经营养血管痉挛、神经缺血、水肿，产生面神经损害而出现面肌瘫痪。本案未见患侧耳后疼痛，以特发性面神经麻痹可能性大。患者发病 3 天即来就诊，因青年面部肌肉紧致，故面瘫目测不明显，神经系统检查时即可显现。首次查房时患者临床无明显寒热症状，舌淡红苔薄白，脉细，也无耳后疼痛、恶寒发热等表证，故未解外，也未祛风，因一侧口面之患属少阳经所过之处，即以小柴胡汤加桑枝扶正祛邪、和解少阳、疏经通络，服药后虽然面瘫症状稍有好转，但好转程度不明显，反见舌红苔薄黄，脉数，及身热喜凉，是小柴胡汤扶正之力助火还是本来就有身热喜凉而未测知，二次查房问诊仔细才获知，遂以清热解毒，兼以通络，与黄连解毒汤以大青叶易黄柏（因病在上焦头面）清热解毒，加赤芍凉血、全蝎通络息风，柴胡、桑枝通络，柴胡可以清热解外兼引经。经过2周治疗，患者面瘫完全康复。

面瘫通常以祛风息风为治法，牵正散等是常用方剂，而临证时应辨证而施治。本案属热毒内盛，故以黄连解毒汤加减，取得显著效果。

黄连解毒汤出自《肘后备急方》，由黄连、黄芩、黄柏、栀子组成，具有清热解毒功效，主治三焦火毒诸证。黄连解毒汤证的核心病机为邪热充斥三焦，热毒内盛；核心主症为身热喜凉，口渴喜饮，心烦，或发热，或牙疼或便秘，或疖肿，舌红苔黄，脉数或弦。

（庞云　整理）

案2. 面瘫 - 小柴胡汤、银翘散、黄连解毒汤

薛某，女，34岁，公司职员，连云港市人。

初诊（2023年10月20日）：患者以"左侧口角㖞斜16天"入院。患者左侧口角㖞斜，左眼睑闭合不全，左耳疼痛明显，左口角漏水，左侧鼓腮漏气，左面部麻木，纳可、寐安，二便尚调。察得其左侧额纹消失，闭眼露睛，示齿口角右歪，鼓腮左侧不能，舌淡红苔薄白，脉弦细。此乃面瘫病，邪在少阳证。法当和解少阳，方拟小柴胡汤加减。

处方：柴胡15g，黄芩12g，法半夏9g，人参6g，炙甘草9g，大青叶12g。中药配方颗粒剂，每日1剂，每次水冲200ml，分早晚服，3剂。

二诊（10月23日）：服药后患者左侧口角㖞斜减轻，左眼闭合不全及左口角漏水、面部麻木较前好转，左侧眉毛抬举不能，左耳耳周疼痛未缓解。诊其舌红薄白，脉弦数。此乃风热外袭，法当辛凉解外、清热解毒，方拟银翘散加减。

处方：金银花15g，连翘15g，薄荷12g，淡豆豉15g，淡竹叶12g，桑枝20g，丝瓜络10g，地黄15g，大青叶30g，柴胡18g。中药配方颗粒剂，每日1剂，每次水冲200ml，分早晚服，3剂。

三诊（10月28日）：服药后患者左眼闭合不全明显好转，左口角轻微漏水，额纹眉间有抬起，左耳耳周疼痛好转，身热喜凉。诊其舌红苔薄黄，脉弦数。此乃热毒蕴结，法当清热解毒，方拟黄连解毒汤加减。

处方：黄连 6g，焦栀子 15g，黄芩 12g，黄柏 6g，桑枝 15g，钩藤 30g（后下），地黄 15g，大青叶 18g。中药配方颗粒剂。每日 1 剂。每次水冲 200ml，分早晚服，7 剂。

四诊（11 月 4 日）：服药后患者左眼闭合不全已不明显，左口角轻微漏水，额纹抬举基本正常，仅留发际处额纹浅，左耳耳周疼痛、面部麻木再未出现。诊其舌红苔薄白，脉弦。此乃热毒蕴结得减，法当清热解毒，仍守上方去桑枝加乌梢蛇，患者带药出院。

处方：黄连 6g，焦栀子 15g，黄芩 12g，黄柏 6g，乌梢蛇 10g，钩藤 30g，地黄 15g，大青叶 18g。中药配方颗粒剂，每日 1 剂，每次水冲 200ml，分早晚服，7 剂。

五诊（11 月 11 日）：1 周后患者专程前来送花表示感谢，左侧面瘫完全恢复。

按：特发性面神经麻痹是常见的神经系统周围神经病变，归属中医面瘫范畴。表现为突发眼睑不能完全闭合，口角歪向一侧伴漏口水，或进餐时有食物留滞在齿颊之间等，常伴有患侧耳后疼痛等。本案患者发病已经 16 天，已过急性期，入院前抗病毒药物、激素已用 10 天，恢复状态欠佳；与上例面瘫相似，首次查房时均见淡红舌、薄白苔、弦细脉，寒热象不甚明显，即与小柴胡汤和解少阳，虽有改善，但感觉疗效不满意，特别是耳后疼痛未减标志病毒感染、水肿并未改善。二诊时见红舌，脉弦数，则当以风热外袭、热毒蕴结立论，予辛凉解外、清热解毒之银翘散加减，去辛温及发表药，加大青叶加强清热解毒之力，生地黄凉血清热，桑枝、丝瓜络、柴胡通络，柴胡兼引经，面瘫改善每天均有进步，7 剂后病去大半。三诊时舌脉均未有明显改善，虽然耳后疼痛明显减轻，但追问有身热喜凉，给予辛凉解毒药后身热喜凉并未减轻，当属素体热甚，故改弦更张，以苦寒直折之黄连解毒汤加减以清热解毒而诸症消除，面瘫告愈。

银翘散出自《温病条辨》，由金银花、连翘、竹叶、荆芥、牛蒡子、薄荷、淡豆豉、甘草、桔梗和芦根组成，具有辛凉解表、清热解毒之功，是用于风热感冒的代表性方剂，临床疗效显著。银翘散并非只针对风热感冒，对时行热病及带状疱疹、面神经炎符合热毒蕴结者均可运用。

银翘散证的核心病机为风热或温热之邪外袭，热毒蕴结，肺卫卫外失乖；核心主症为咽干咽痛、口渴，发热，无汗或汗出不畅，或头面局部疼痛，舌红苔薄黄，脉浮或数。

（庞云　整理）

第七节　头　　痛

案 1. 头痛 - 紧张性头痛 - 桂枝加葛根汤

赵某，男，55 岁，个体创业者，连云港人。

初诊（2010 年 4 月 20 日）：患者以“头胀痛 30 年”就诊。患者头胀痛，项肩背亦强痛，自觉面部肿胀，牙痛，食纳可，寐欠安，二便调，头颅 CT、脑电图均未见异常。测其头面压痛，诊为慢性紧张性头痛，诊其舌暗红苔薄白，脉弦。此乃头痛，肝风上扰，络脉痹阻之证。法当平肝通络，方拟天麻钩藤饮加减。

处方：菊花 12g，钩藤 18g（后下），天麻 12g，羌活 9g，赤芍 15g。水煎服，每日 1 剂，煎 2 次，每次煎 30min，共煎 400ml，分 2 次口服，3 剂。

葛根定眩胶囊 36 粒 ×1 瓶，每次 4 粒，每日 3 次。

二诊（4 月 27 日）：服药后头、面、牙、肩背疼痛发胀减轻，出现胃不适，反酸，便溏。诊其舌暗紫苔白，脉弦。此乃肝风稍平，络脉稍通，但药物寒凉伤胃，当健脾化湿兼活血通络，方拟半夏白术天麻汤加活血之品。

处方：法半夏 18g，陈皮 15g，茯苓 18g，炙甘草 6g，炒白术 12g，桃仁 12g，当归 12g，川芎 9g，钩藤 15g（后下）。水煎服，每日 1 剂，煎 2 次，每次煎 30min，共煎 400ml，分 2 次口服，7 剂。

葛根定眩胶囊 36 粒 ×2 瓶，每次 4 粒，每日 3 次。

三诊（5 月 4 日）：服汤药后头面又见发胀，服中成药后减轻，仍肩背拘急，疼痛不舒，纳差。详细问诊得知有汗喜暖。诊其舌暗红苔薄白，脉沉弱。此乃太阳经枢不利为甚，法当解肌疏经，方拟桂枝加葛根汤加减。

处方：葛根 30g，桂枝 12g，生白芍 12g，炙甘草 6g，羌活 15g，细辛 3g，僵蚕 12g，钩藤 18g（后下），片姜黄 9g，木瓜 15g。水煎服，每日 1 剂，煎 2 次，每次煎 30min，共煎 400ml，分 2 次口服，3 剂。

四诊（5 月 8 日）：服药后头、颈项已不胀痛，面颊、腮部发胀明显减轻，后肩背肿胀发僵减轻，仍牙痛。诊其舌暗红苔薄白，脉沉。此乃经脉得疏，通则不痛，法当继以舒筋通络，方拟桂枝加葛根汤加减。

处方：葛根 30g，桂枝 12g，生白芍 12g，炙甘草 6g，羌活 15g，细辛 3g，僵蚕 12g，钩藤 18g（后下），片姜黄 9g，木瓜 15g。水煎服，每日 1 剂，煎 2 次，每次煎 30min，共煎 400ml，分 2 次口服，4 剂。

五诊（5 月 13 日）：服药后头面颊胀痛已除，肩背痛明显减轻，牙痛减轻，测其头部压痛不明显。诊其舌淡红苔薄白，脉沉。此乃经脉已通，法当继以疏经通络巩固疗效，仍守上方去细辛加白芷。

处方：葛根 30g，桂枝 12g，生白芍 12g，炙甘草 6g，羌活 15g，僵蚕 12g，钩藤 18g（后下），片姜黄 9g，木瓜 15g，白芷 12g。水煎服，每日 1 剂，煎 2 次，每次煎 30min，共煎 400ml，分 2 次口服，4 剂。

六诊（5 月 18 日）：服药后头胀痛、后项痛已除，肩背强痛、面颊紧胀痛基本消除，纳可，寐安。诊其舌暗红苔薄白，脉弱。此乃太阳经脉已畅，既已收功，不再进剂，嘱服葛根定眩胶囊巩固 2 周。

按：头痛为临床常见之症，但兼见面部、项、肩背也强紧酸痛，则须细辨。此属慢性紧张性头痛，迁延不愈，反复发作，时轻时重，为肌肉痉挛所致，多有肌肉压痛。初诊见舌暗红苔薄白，脉弦，诊为肝风上扰，络脉痹阻之证，施以平肝通络之天麻钩藤饮加减，虽也取效但大法不对，又见反酸、便溏伤脾碍胃之象，予半夏白术天麻汤，病有反复，服用葛根定眩胶囊，症状缓解。葛根定眩胶囊为桂枝加葛根汤加味的院内制剂，用之效显，提示本症有太阳经枢不利之象，遂改用桂枝加葛根汤而症情缓解。因患者病情迁延 30 余年，久病入络、久病多瘀，加细辛、姜黄、僵蚕等搜风入络、化瘀通络。用天麻钩藤饮加减、半夏白术天麻汤治之乏效，乃非（肝）风非痰，虽舌见暗有瘀之象，但头面项背强痛酸胀当属经脉不利，当疏经通络。本病以头项强痛为主，故以桂枝加葛根汤之类疏利太阳经脉为先，他经亦随之调畅。

桂枝加葛根汤由葛根、桂枝、生白芍、炙甘草、生姜、大枣组成，出自《伤寒论》，“太阳病，项背强几几，反汗出恶风者，桂枝加葛根汤主之”。虽为外感病而设，亦能解肌舒筋，可治太阳经枢不利之颈椎病、紧张性头痛等见头项强痛者。葛根定眩胶囊为院内制剂，由桂枝加葛根汤加味而成，为调和营卫、舒利经枢之法，详见自拟方部分。

桂枝加葛根汤证的核心病机为风寒客居、太阳经枢不利；核心主症为颈项强硬，后枕疼痛，有汗恶风，舌淡红或暗红苔白，脉浮或弱。

案 2. 头痛 - 高血压 - 柴胡加龙骨牡蛎汤

刘某，女，70 岁，农民，徐州人。

初诊（2020 年 7 月 12 日）：患者以“头痛头晕半年”就诊。患者头痛头晕，晨起为甚。平素因高血压每日服用苯磺酸氨氯地平片 5mg、厄贝沙坦氢氯噻嗪片 1 片，晨起测血压在 200/120mmHg 左右。心烦善惊，急躁易怒，容易紧张，心神不宁，夜寐不安，纳可。察其舌暗红苔白，脉弦滑有力，有高血压病史。此乃高血压头痛，属肝郁肝亢，法当解郁平亢、化痰镇静，方拟柴胡加龙骨牡蛎汤加郁金。

处方：柴胡 15g，黄芩 12g，人参 9g，法半夏 12g，生龙骨 30g，生牡蛎 30g，桂枝 9g，茯苓 15g，大黄 6g（后下），郁金 15g。水煎服，每日 1 剂，煎 2 次，每次煎 30min，共煎 400ml，分 2 次口服，7 剂。

二诊（7 月 19 日）：服药后头痛头晕、心烦善惊、心神不宁明显减轻，情绪变得轻松，便溏，察其血压 170/100mmHg，舌暗红苔白，脉弦滑有力。此乃肝郁有减，肝亢得平，法当解郁平亢、化痰镇静，继守上方去郁金，大黄减量，加钩藤。

处方：柴胡 15g，黄芩 12g，人参 9g，法半夏 12g，生龙骨 30g，生牡蛎 30g，桂枝 9g，茯苓 15g，大黄 3g（后下），钩藤 30g（后下）。水煎服，每日 1 剂，煎 2 次，每次煎 30min，共煎 400ml，分 2 次口服，7 剂。

三诊（7 月 26 日）：服药后头痛未作，头晕基本消失，心烦易怒、怕惊、紧张、心神不宁已不明显，纳可，便调，夜寐安。查其血压 145/90mmHg，舌暗红苔白，脉弦已不滑。此乃肝郁肝亢得解，继守前法，效不更方。

处方：柴胡 15g，黄芩 12g，人参 9g，法半夏 12g，生龙骨 30g，生牡蛎 30g，桂枝 9g，茯苓 15g，大黄 3g（后下），钩藤 30g（后下）。水煎服，每日 1 剂，煎 2 次，每次煎 30min，共煎 400ml，分 2 次服，14 剂。

其后患者儿子来诊告知，只服厄贝沙坦氢氯噻嗪片，每日 1 片，血压控制在140/85mmHg,停服中药。后期随访2年,血压未见明显反弹。

按:头痛是指以头部疼痛为主要表现的病症,常见偏头痛、紧张性头痛、丛集性头痛、痛性眼肌麻痹综合征、三叉神经痛等,而高血压亦会见到头痛、头晕的症状,特别是血压不稳,骤然升高时多见。本案患者之高血压头痛、头晕则是由紧张情绪导致,中医四诊见心烦善惊,急躁易怒,容易紧张,心神不宁,夜寐不安,舌暗红苔白,脉弦滑有力,乃肝郁肝亢之证,予柴胡加龙骨牡蛎汤解郁化痰,平亢镇静而肝郁解、肝亢平,诸症随之消失,血压得到控制,恢复正常。治疗头痛、头晕,平肝之法有多种,而容易紧张、心神不宁之肝郁、肝亢则不宜用平肝潜阳、滋阴潜阳、清肝泻火之法,宜以解郁为要。柴胡加龙骨牡蛎汤解郁化痰,使少阳气机和畅而气血通调,则血压恢复正常。

柴胡加龙骨牡蛎汤出自《伤寒论》,由柴胡、黄芩、半夏、人参、龙骨、牡蛎、桂枝、茯苓、大黄、生姜、大枣、铅丹(因有毒已不用)组成。柴胡加龙骨牡蛎汤是柴胡剂的代表方剂之一,具有解郁化痰、平亢镇静之功效,是临床运用广、覆盖病种多的方剂。运用该方治疗失眠、抑郁等在临床上较为多见,本案则是运用柴胡加龙骨牡蛎汤治疗恶性高血压的案例,患者应用二联长效降压药,血压控制不理想,晨起血压达200/120mmHg,而服用14剂柴胡加龙骨牡蛎汤后血压回落至高血压的临界点,后期亦未见明显反弹,最高不超160/95mmHg,降压药由二联降至一种,表明疗效稳定性好。通过解郁畅达气机而调节情绪,放松心情,从根本上降低血压。

柴胡加龙骨牡蛎汤证的核心病机为少阳不和,气火交郁;核心主症为心烦,善惊,恐而如捕状,或身倦懒动或心神不宁,或失眠,或大便干结,舌红或暗红苔薄白或薄黄,脉弦。

第八节 眩晕

案1. 眩晕-高血压-温胆汤

张某,男,67岁,退休职工,连云港市人。

初诊(2009年6月18日):患者以“头晕头昏、视物模糊1年”就诊。患者头脑不清,头晕头昏,视物不清,打盹思睡,倦怠懒动,食欲旺盛,二便自调。肝功能：球蛋白 35g/L（正常值为 20~30g/L），白球比 1.39，γ- 谷氨酰转肽酶 60U/L（正常值为 11~50U/L）。血脂：总胆固醇 6.9mmol/L（正常值为 3.1~5.7mmol/L），甘油三酯 2.7mmol/L（正常值为 0.57~1.7mmol/L），高密度脂蛋白胆固醇 0.8mmol/L（正常值为 1.1~2.0mmol/L），低密度脂蛋白胆固醇 3.8mmol/L（正常值为 1.81~3.5mmol/L）。有高血压病史，规则服药；有高脂血症病史，未服调脂药。查其面红目赤，血压 150/90mmHg，舌淡红苔薄白，脉弦。此为脾虚湿阻，风痰上蒙，清窍受阻，法当化痰息风，健脾降浊，方拟半夏白术天麻汤加味。

处方：法半夏 18g，陈皮 15g，茯苓 15g，炙甘草 6g，天麻 9g，炒白术 15g，石菖蒲 9g，枳壳 15g。水煎服，每日 1 剂，煎 2 次，每次煎 30min，共煎 400ml，分 2 次口服，7 剂。

二诊（7 月 14 日）：服药后头晕头昏、视物模糊减轻，仍打盹思睡，倦怠懒动，纳佳便调，查其面红目赤，血压 140/85mmHg，舌淡红苔薄白，脉弦。此乃风痰有减，法当仍守前法，上方继进。

处方：法半夏 18g，陈皮 15g，茯苓 15g，炙甘草 6g，天麻 9g，炒白术 15g，石菖蒲 9g，枳壳 15g。水煎服，每日 1 剂，煎 2 次，每次煎 30min，共煎 400ml，分 2 次口服，15 剂。

三诊（9 月 3 日）：服药后头晕头昏进一步减轻，倦怠懒动改善，视物不清、模糊减轻不明显，多寐打盹。查其面红目赤减轻，血压 138/85mmHg，舌淡红苔薄白，脉沉细。此乃脾虚湿阻，风痰上蒙得减，而以痰郁夹热为主，法当化痰行气泄热，方拟温胆汤加减。

处方：法半夏 12g，陈皮 15g，茯苓 15g，枳实 15g，竹茹 12g，麦芽 18g，川芎 6g，菊花 9g，石菖蒲 9g。水煎服，每日 1 剂，煎 2 次，每次煎 30min，共煎 400ml，分 2 次口服，15 剂。

四诊（9 月 24 日）：服药后头晕头昏明显减轻，尤其晨起为轻，倦怠懒动改善，视物不清、模糊减轻不明显，寐安，已不打盹。查其面红目赤已不显，血压 135/85mmHg，舌淡红苔白，脉弦。此乃痰郁夹热得解，而痰浊体质仍在，故法当继守化痰行气之法，方拟温胆汤加减。

处方：法半夏 12g，陈皮 15g，茯苓 15g，枳实 15g，竹茹 12g，川芎 6g，石菖蒲 9g，桑寄生 12g，制首乌 12g。水煎服，每日 1 剂，煎 2 次，每次煎 30min，共煎 400ml，分 2 次口服，15 剂。

五诊(10 月 24 日):服药后头晕头昏基本消除,已不倦怠懒动,白天不再打盹,夜寐安,视物模糊减轻,纳佳。查其面红轻微,已无目赤,血压 135/85mmHg,肝功能:球蛋白 31.9g/L,白球比 1.48,γ- 谷氨酰转肽酶 29U/L。血脂:总胆固醇 3.7mmol/L,甘油三酯 1.51mmol/L,高密度脂蛋白 0.95mmol/L,低密度脂蛋白 2.23mmol/L。舌淡红苔薄白,脉沉弦。肝功能基本正常,血脂除高密度脂蛋白略低外,均已正常。此乃肝风痰浊渐化,清气得升,《内经》云:小毒治病,十去其八。故不再服中药,嘱其坚持适量锻炼,节食低脂,并常吃薏苡仁、荸荠调养。

按:《丹溪心法》云"无痰不作眩"。本病头晕视糊,思睡打盹,倦怠懒动,面红目赤,粗测极似肝阳上亢之象,尤其是面红目赤,细测舌脉则不见肝风化热之象,而为痰浊中阻,风痰上蒙之征,以痰为主而以风为辅,守二陈之类,略加行气息风之品而风痰得化,眩懵之症得解。二陈汤为治痰之要方,备受医家器重,半夏白术天麻汤、温胆汤均为二陈汤之类方,不可轻其方简药廉,疑其力差;但温胆汤、半夏白术天麻汤亦需要辨别其异同点加以应用。温胆汤由二陈汤加枳实、竹茹而成,出自《三因极一病证方论》,具有化痰泄热之功,用治胆郁痰扰诸症,其中二陈汤偏温燥,而枳实味苦,微寒,行气化痰,竹茹味甘,微寒,清热化痰,故温胆汤在化痰时具有行气清热之功用,适应证自当侧重于痰(湿)郁化热之症;半夏白术天麻汤由二陈汤加白术、天麻而成,出自《医学心悟》,具有化痰(湿)息风之功,而天麻性平、息风平肝,白术甘温、健脾燥湿,故半夏白术天麻汤在化痰时具有息风健脾(益气)之功用,适应证自当侧重于痰湿夹风之症,二者的寒热属性不可不辨。复盘治疗过程可以感受到初诊时没有很好地辨清痰热还是痰湿,而选择半夏白术天麻汤,虽有一定疗效但无法进一步取效,改投温胆汤后诸症逐步消除。

温胆汤证的核心病机为胆气郁滞,痰郁有热;核心主症为头晕,失眠,口苦或口干,脘痞或大便黏滞,舌暗红或淡红,苔白或微黄偏厚,脉弦或滑。

案 2. 眩晕 - 高脂血症 - 半夏白术天麻汤

顾某,女,58 岁,退休教师,连云港人。

初诊(2010 年 12 月 30 日):患者以"头晕 1 年"就诊。患者头晕,站立不稳，头痛，纳可，寐安，喜暖，有颈内动脉硬化伴斑块形成病史，低密度脂蛋白 4.2mmol/L。诊其舌淡红苔白，脉沉弦。此乃痰浊上蒙，兼以脾虚，法当化痰降浊，方拟半夏白术天麻汤。

处方：法半夏 15g，陈皮 15g，茯苓 15g，炒白术 15g，天麻 10g，炙甘草 6g。水煎服，每日 1 剂，煎 2 次，每次煎 30min，共煎 400ml，分 2 次口服，15 剂。

适量运动，控制体重，低胆固醇饮食。

二诊（1 月 22 日）：服药后头晕明显减轻，停药有反复，行走自如，喜暖，头不痛。诊其舌淡红苔白，脉沉。此乃痰浊上蒙得减，法当化痰降浊，方拟半夏白术天麻汤。

处方：法半夏 15g，陈皮 15g，茯苓 15g，炒白术 15g，天麻 10g，炙甘草 6g。水煎服，每日 1 剂，煎 2 次，每次煎 30min，共煎 400ml，分 2 次口服，15 剂。

三诊（2 月 17 日）：服药后头晕头痛消除，纳可，寐安，喜暖，低密度脂蛋白 2.4mmol/L。诊其舌淡红苔白，脉沉缓。此乃痰浊渐化，法当继守化痰降浊，方拟半夏白术天麻汤。

处方：法半夏 15g，陈皮 15g，茯苓 15g，炒白术 15g，天麻 10g，炙甘草 6g。水煎服，每日 1 剂，煎 2 次，每次煎 30min，共煎 400ml，分 2 次口服，15 剂。

按：眩晕是常见的脑系疾病，既有头晕目眩，如坐舟车，又有头晕头昏如酒后状，多与风、火、痰、虚有关，故有无风不作眩、无痰不作眩之说。本案患者头晕头痛，不目眩，头重脚轻，站立不稳，而舌脉俱见风痰上蒙、脾气不健之象，病机单一，治当化痰息风，健脾降浊而头晕消除，低密度脂蛋白降至正常。

半夏白术天麻汤出自《医学心悟》，书云："有湿痰壅遏者，书云'头旋眼花，非天麻、半夏不除是也'，半夏白术天麻汤主之"，由半夏、陈皮、茯苓、天麻、白术、甘草组成。《历代名医良方注释》注解曰："痰浊上扰，故眩晕头痛；痰阻气滞，故胸膈痞闷。痰厥头痛，非半夏不能疗；眼黑头晕，风虚内作，非天麻不能除。故方中以半夏燥湿化痰，天麻息风止眩晕，二药合用为主药，以治风痰眩晕头痛；白术、茯苓健脾祛湿，以治生痰之源，为辅药；橘红理气化痰，甘草、生姜、大枣调和脾胃，均为佐使药。诸药相合，方简力宏，共同体现化痰息风，健脾祛湿之功。"半夏白术天麻汤是治疗风痰上扰所致头痛、头晕的经典方剂，本案用治痰浊上蒙之头痛、头晕，获得佳效。

半夏白术天麻汤证的核心病机为风痰上扰，湿浊中阻；核心主症为头晕，头痛，痰多不渴，舌淡红苔白厚水滑，脉沉滑。

案3. 眩晕 - 椎基底动脉供血不足 - 东垣清暑益气汤

李某，男，63岁，退休工人，连云港人。

初诊（2010年9月28日）：患者以"头晕、行走不稳1年"就诊。患者站立时头晕，行走不稳，不目眩，坐卧时头晕止，纳可，寐安，头颅CT血管成像示左椎动脉细，颈部血管彩色多普勒超声示颈动脉斑块，椎动脉供血不足，口服阿司匹林肠溶片0.1g、辛伐他汀片20mg，每晚1次，谷维素片10mg，每日3次，1年症状未见改善。诊其舌淡红苔薄白，脉沉细。此乃气虚痰蒙之证，法当益气化痰为主，方拟补中益气汤化裁。

处方：生黄芪18g，人参9g，炒白术15g，陈皮15g，炙甘草6g，升麻6g，柴胡6g，当归12g，葛根30g。水煎服，每日1剂，煎2次，每次煎30min，共煎400ml，分2次口服，7剂。

二诊（10月5日）：服药后行走时头晕减轻，喜卧，站立时不头晕，行走则晕，纳可，寐安，夜间口干不喜饮，口苦。诊其舌暗红苔白，脉弦。此乃清气得升，痰浊有化，痰湿化热，兼有津伤，法当益气升阳，化湿生津，方拟东垣清暑益气汤。

处方：生黄芪18g，人参9g，炒白术15g，苍术12g，麦冬12g，五味子6g，青皮6g，陈皮15g，泽泻12g，神曲12g，升麻6g，当归12g，黄柏6g，葛根15g，炙甘草6g。水煎服，每日1剂，煎2次，每次煎30min，共煎400ml，分2次口服，7剂。

三诊（10月12日）：药后行走时头晕明显减轻，偶见行走时头晕，喜卧懒动减轻，夜间口干、喜凉明显缓解。诊其舌暗红苔白，脉细。此乃气虚湿阻津伤改善，效不更方。

处方：生黄芪18g，人参9g，炒白术15g，苍术12g，麦冬12g，五味子6g，青皮6g，陈皮15g，泽泻12g，神曲12g，升麻6g，当归12g，黄柏6g，葛根15g，炙甘草6g。水煎服，每日1剂，煎2次，每次煎30min，共煎400ml，分2次口服，7剂。

四诊（10月19日）：药后站、坐、卧头晕均消除，久行仍有头晕，口已不干，口苦减轻，纳可，寐欠安，便调。诊其舌暗红苔薄白，脉沉弱。此乃清气得升，津伤、湿浊两顾，效不更方。

处方：生黄芪 18g，人参 9g，炒白术 15g，苍术 12g，麦冬 12g，五味子 6g，青皮 6g，陈皮 15g，泽泻 12g，神曲 12g，升麻 6g，当归 12g，黄柏 6g，葛根 15g，炙甘草 6g。水煎服，每日 1 剂，煎 2 次，每次煎 30min，共煎 400ml，分 2 次口服，7 剂。

五诊（11 月 9 日）：药后已不再头晕，久行后头晕亦不明显，受凉后易晕，腿软已愈，纳可，寐欠安，口不苦、不干。诊其舌暗红苔薄白，脉沉弱，嘱其多锻炼，以桑寄生代茶饮，多吃山药、藕，清淡饮食，未再服药。

按：《景岳全书》云无虚不作眩。清气不能上承于脑窍则作眩。本案患者头晕而不目眩，行走不稳，站立行走时为甚，乃清气不升所致，予补中益气汤后头晕减轻，然服补中益气汤后见夜间口干不喜饮、口浊，白苔增厚，有津伤、湿阻之象，故改为东垣清暑益气汤而取效。两方虽都为升阳之方，然各有侧重，不可不辨。

补中益气汤出自《内外伤辨惑论》，由生黄芪、人参、白术、陈皮、炙甘草、升麻、柴胡、当归组成，用治清阳不升或中气下陷之脾虚气陷证，组方机制单一、便于掌握；清暑益气汤出自《脾胃论》，由生黄芪、人参、白术、苍术、麦冬、五味子、青皮、陈皮、泽泻、神曲、升麻、当归、黄柏、葛根、甘草组成，既有益气升清之功，又有生津化湿之力，用治气虚津伤湿阻诸症。

清暑益气汤证的核心病机为脾气亏虚，湿阻津伤；核心主症为倦怠乏力，头晕，口苦，口干不喜饮或饮水不多，舌淡红苔白，脉沉弱。

案 4. 眩晕 - 过度饮酒 - 竹叶石膏汤

李某，男，30 岁，工人，山西长治人。

初诊（2011 年 10 月 13 日）：患者以“头晕 1 个月”就诊。症见头晕头昏，如醉酒状，起卧时头晕，胃胀不适，口浊，口中灼热，心悸，纳可，寐安。诊其舌暗红，苔白，脉沉。血压 120/88mmHg。有酗酒史。中医诊断为眩晕，此乃痰热互结，法当化痰清热，方用温胆汤。

处方：法半夏 15g，陈皮 12g，茯苓 15g，炙甘草 3g，枳实 18g，竹茹 12g。水煎服，每日 1 剂，煎 2 次，每次煎 30min，共煎 400ml，分 2 次口服，7 剂。

二诊（11 月 17 日）：药后头晕减轻，口浊、口中灼热、心悸明显减轻，仍低头时头晕，查其口干，咽干，喜凉，舌红，苔白，脉沉。此乃痰热得减，胃热明显，法当甘凉泄热，酌清痰热，方拟竹叶石膏汤加天花粉、竹茹、石菖蒲。

处方：竹叶 12g，生石膏 30g，麦冬 30g，太子参 12g，炙甘草 6g，天花粉 12g，竹茹 12g，石菖蒲 9g。水煎服，每日 1 剂，煎 2 次，每次煎 30min，共煎 400ml，分 2 次口服，7 剂。

三诊（11 月 29 日）：服药后头昏头晕基本消除，仍胃胀痛，口干，反酸，大便干结。诊其舌红，苔白，脉沉。此为痰热渐清，胃热为甚，法当清泄胃热，兼以化痰，方拟上方去石菖蒲，合栀子豉汤。

处方：竹叶 12g，生石膏 30g，麦冬 15g，太子参 12g，炙甘草 6g，天花粉 12g，竹茹 12g，栀子 12g，淡豆豉 9g。水煎服，每日 1 剂，煎 2 次，每次煎 30min，共煎 400ml，分 2 次口服，7 剂。

四诊（12 月 8 日）：服药后头昏头晕不明显，近日因疲劳又见头晕，登高时有不稳感，胃胀、反酸未作，仍口干、大便干结。诊其舌红，苔薄白，脉沉细。此为胃热偏甚，法当清泄胃热，方拟上方加黄连。

处方：竹叶 12g，生石膏 30g，麦冬 15g，太子参 12g，炙甘草 6g，天花粉 12g，竹茹 12g，栀子 12g，淡豆豉 9g，黄连 6g。水煎服，每日 1 剂，煎 2 次，每次煎 30min，共煎 400ml，分 2 次口服，7 剂。

五诊（12 月 22 日）：服药后头晕、口干、胃胀、反酸未再发作，唯大便干结。诊其舌红，苔薄白，脉沉细，病势已去，不再拟方，嘱其戒酒。

按：眩晕以头晕目眩，如坐舟车为特征，有晕、有眩，病有轻重。有关眩晕论治，从痰、从虚论治为多，从火论治以肝火为主，而以胃热论治偏少。本病案患者因嗜酒致胃热生痰，见头晕头昏，而口干、喜凉，便结之胃热津伤证显见，初诊除见胃热之象，还见口浊、胃不适之痰浊中阻之象，故初从痰论治，拟温胆汤化痰泻浊，虽有获效、尚不理想，且胃热之象见重，方悟实属胃热偏盛、火热上炎，扰动清窍，遂更以竹叶石膏汤甘凉泄热，生津和胃为法，根据临床兼症而加减化裁，或加化痰之竹茹、石菖蒲，或加泄胸膈之热的栀子豉汤，或清泄胃火之黄连等，胃热方清，津伤得顾，诸症渐消，而头晕悉除。竹叶石膏汤方中用人参，本案患者胃热偏甚，遂更改为太子参。

太子参味甘、微苦，性平，温性弱于人参，助火之弊亦小于人参。天花粉清热生津、润燥力强，口渴者最为适宜；然天花粉易导致恶心、胃胀，或泄泻，剂量不宜过大。竹茹化痰兼清热，有痰夹热者最宜。

孔伯华先生在《医方总论》中讲到，“医无定法而法有定理”。眩晕是病在上，但致病之因未必就在“上”，肝火上炎会致眩晕，然因火热致眩未必就是肝火。竹叶石膏汤出自《伤寒论》，由竹叶、石膏、麦冬、人参、半夏、甘草、粳米组成，用治胃热津伤之证，具有清热生津、益气和胃之功。但竹叶石膏汤不拘泥于治疗胃疾，大凡符合病机之证均可应用。如本案用于眩晕病症，效果满意。

竹叶石膏汤证的核心病机为邪热在胃，津伤热扰；核心主症为胃胀，口干或喜饮，大便干结，或见失眠或见头晕，舌红苔薄白或薄少，脉细或沉细。

第九节 厥　证

案．厥证－晕厥－半夏白术天麻汤

姜某，女，64岁。家庭主妇，连云港市人。

初诊（2011年5月22日）：患者以“反复头晕仆倒、恶心呕吐20年”就诊。患者反复出现突然仆倒、不省人事，每次发作时先头晕，随即仆倒，失去知觉，片刻清醒，能忆起过程，伴心悸、恶心呕吐，查头颅磁共振成像、心电图正常，有颈椎病病史，颈椎磁共振成像见：生理弧度消失，C3~4、C4~5椎间盘突出，压迫硬脊膜囊。否认高血压、冠心病、心律失常病史。查其颈项强硬，舌淡红苔白厚，脉滑。此乃痰浊上蒙，法当化痰开窍，方拟半夏白术天麻汤。

处方：法半夏18g，陈皮12g，茯苓18g，炙甘草6g，天麻12g，炒白术15g。水煎服，每日1剂，煎2次，每次煎30min，共煎400ml，分2次口服，7剂。

葛根定眩胶囊36粒 ×2瓶，每次4粒，每日3次。

二诊（7月14日）：服药后头晕，厥仆未再作，自觉已愈，不想再诊，停药近2个月无发作。近两天因乘坐电梯又作轻微头晕而前来就诊，不恶心，纳可，寐安。查其颈项强硬，舌淡红苔白厚，脉滑。此乃痰浊上蒙仍在，法当化痰开窍，方拟半夏白术天麻汤。

处方：法半夏18g，陈皮12g，茯苓18g，炙甘草6g，天麻12g，炒白术

12g。水煎服，每日1剂，煎2次，每次煎30min，共煎400ml，分2次口服，7剂。

葛根定眩胶囊36粒×2瓶，每次4粒，每日3次。

三诊(7月21日)：服药后头晕，厥仆未作，余无不适。查其颈项强硬改善，舌淡红苔白已不厚，脉弦。此乃痰浊上蒙得减，法当化痰开窍，方拟半夏白术天麻汤。

处方：法半夏18g，陈皮12g，茯苓18g，炙甘草6g，天麻12g，炒白术15g。水煎服，每日1剂，煎2次，每次煎30min，共煎400ml，分2次口服，7剂。

葛根定眩胶囊36粒×2瓶，每次4粒，每日3次。

按：厥证是指由于阴阳失调，气机逆乱，出现突然仆倒，不省人事，片刻清醒，或见四肢逆冷的病证。厥证有虚有实，有寒有热。本案患者厥仆频作，病程久远，已有20年之久，当以虚为多见，而患者未见头晕眼花、倦怠乏力等气血亏虚之象，反见呕恶、苔白厚、脉滑之象，当属痰浊蒙窍之实象。“无痰不作眩”，当以化痰开窍为法，因无热象故无需清化痰热，故选半夏白术天麻汤治之，因有颈项强硬，故兼以葛根定眩胶囊疏达太阳之经枢不利。本案发病时间长，厥仆程度甚，经数剂即获效，甚为欣慰，间有轻微反复，再施以其法，病证再未发作。可见有是证用是方，平淡之方即可疗疾。

半夏白术天麻汤有四首方剂，本次应用系指《医学心悟》眩晕门中记载的方剂。书中云：“眩，谓眼黑；晕者，头旋也……其中有肝火内动者……有湿痰壅遏者，书云头旋眼花……半夏白术天麻汤主之。”

本案兼有太阳经枢不利，气血上呈失乖，故兼顾疏利经脉，畅达经气。葛根定眩胶囊系笔者自拟方，为桂枝加葛根汤加羌活、川芎、钩藤、僵蚕而成，具有解肌和营，疏经通络之功，主治项背强拘、疼痛，头晕头昏等太阳经枢不利之证。(有关论述详见后面自拟方部分)

第十节 痫 病

案1. 痫病-癫痫持续状态-涤痰汤、东垣清暑益气汤

马某，男，67岁，退休职工，连云港人。

初诊(2021年4月14日)：患者因“反复意识不清、四肢抽搐3h”由急诊拟“癫痫持续状态”收入院。患者昨晚21:00时被家属发现意识不清,四肢抽搐、强直,牙关紧闭,持续约7~8min后抽搐渐止,但仍神志不清,后再发抽搐4次,入院后抽搐发作10余次,经抗癫痫治疗症状得到控制,但一直处于嗜睡状态。有脑出血去骨瓣减压手术史。次日邀余查房,患者呈嗜睡状态,精神萎靡,两眼无神,反应迟钝,舌强不语,时有低热,喉间有痰鸣音,不能自行咳痰,四肢乏力,鼻饲饮食,保留导尿。舌淡红,苔白厚腻,脉滑数有力。此乃痫病,为正气亏虚、痰浊蒙窍之证,法当清化痰热,兼以扶正,方拟涤痰汤。

处方:法半夏12g,陈皮18g,茯苓15g,炒枳实15g,竹茹12g,人参10g,胆南星10g,石菖蒲15g。水煎服,每日1剂,煎2次,每次煎30min,共煎400ml,分早晚2次鼻饲,3剂。

二诊(4月17日):患者精神较前明显改善,能主动与家人及医生交流,反应较前灵敏,偶有低热,喉间无痰鸣音,四肢乏力明显减轻,已能经口少量进食,稍呛咳,白天思睡明显减少,夜寐安,舌淡红,苔白腻(较前明显变薄),脉滑数。此乃痰热得化,正虚、痰浊蒙窍显现,法当益气化湿,方拟东垣清暑益气汤。

处方:生黄芪15g,人参9g,炙甘草6g,苍术9g,炒白术12g,升麻6g,葛根15g,当归12g,麦冬12g,五味子6g,青皮10g,陈皮12g,黄柏9g,泽泻15g,焦神曲10g。水煎服,每日1剂,煎2次,每次煎30min,共煎400ml,分早晚2次鼻饲,3剂。

三诊(4月20日):患者神清,精神佳,言语流利,反应较前明显改善,面色有华,能在家人搀扶下行走,拔除鼻饲管、纳食正常,寐安,二便调,舌淡红,苔薄白,脉弦。此乃正虚得补、痰湿得化之佳象,继守前方3剂,患者好转出院。

按:本案属于癫痫持续状态后诸症,在两联抗癫痫药作用下,癫痫未再作,而存在嗜睡、乏力、反应差、表情呆滞、舌强不语、进食困难、痰多等状态,不利于癫痫的控制。抗癫痫、镇静与促醒形成矛盾,如何既能定痫,又能醒脑是辨证切入的关键。本案患者既有正气亏虚,也有邪气过甚,即“邪之所凑,其气必虚”,临证所见面色萎黄,两目无神,呆若木鸡,少气懒言,静而不烦,身热不扬,舌淡等。此次因颅内机化日久的坏死脑组织刺激神经细胞异常放电，犹如邪气日积月累，由量变到质变，从而爆发，导致“地动山摇”，而邪气盛体现在舌苔厚腻，脉象滑数有力。正虚邪甚，虚实夹杂之象昭然若揭。其本为正虚，而标为邪甚，当“急则治其标，缓则治其本”。该患者在癫痫控制初期，仍处于不稳定状态，随时有再次发作风险，故此次仍应以治标为主，方拟涤痰汤。

涤痰汤出自《奇效良方》，由温胆汤加人参、石菖蒲、胆南星组成。方中半夏燥湿化痰；陈皮行气化痰，茯苓利湿化痰，枳实破气消痰，石菖蒲豁痰醒神，竹茹、胆南星清化痰热，人参、甘草合用，益气健脾，共奏化痰开窍、益气扶正之效。患者为癫痫持续状态，癫痫发作频率偏高，有脑水肿迹象，而甘草有水钠潴留之弊，故本案方中去甘草。方中石菖蒲剂量中等，该药小剂量有兴奋作用，大剂量有抑制作用，此药在该方中主要取其开窍豁痰、醒神益智之功，如剂量偏小，恐加强脑部兴奋作用而导致神经细胞异常放电，而剂量偏大又不利于神志清醒。二诊时患者神志转清，表情较前丰富，能言语，反应程度较前明显提升，身有低热，口干，喉间痰鸣声减少，且舌苔较前明显变薄，但仍倦怠，纳少，脉仍为滑，但势头已减半。应以正虚为主，邪实为辅，如仍守上方，恐攻邪过度，伤及正气，痰湿所生多责之于脾，脾气亏虚则化湿生痰，扶正当以健脾益气，故拟东垣清暑益气汤。

东垣清暑益气汤出自李东垣的《脾胃论》。方中黄芪、人参、白术、甘草健脾益气；麦冬、五味子合人参养阴生津；当归补血，苍术、陈皮、青皮、神曲、泽泻除湿泻浊；黄柏清热泻火；升麻、葛根升阳散火，共奏补虚除湿泻热之功。该方看似杂乱无章，其实配伍甚是严谨，层次井然，主次分明。

东垣清暑益气汤证的核心病机为脾气亏虚、湿阻、津伤；虚实夹杂，湿有化热伤津耗气之倾向。核心主症为倦怠乏力，口渴不喜饮，手足心烦热或小便短赤，头晕思睡，舌红苔白或黄，脉沉或细数。该方不仅可用于北方夏月伤暑，凡见脾气不健，气阴亏损，兼有湿邪化热之象者均可运用。涤痰汤证的核心病机为正气亏虚、痰热蒙窍，正虚邪实，邪实为甚；核心主症为神昏或嗜睡或似睡非睡，痰多、口浊，身倦乏力，舌淡红或暗红，苔白厚或黄厚，脉滑或弦或沉。

（杜青　整理）

案2. 痫病-癫痫-蒲金丹

庄某，男，10岁，学生，连云港市人。

初诊（2010年5月20日）：患者以“不自主叹气如咳状2个月”就诊。患者频作叹气如咳，不能自控，叹气时牵动肩背，注意力集中时减少。耳鼻喉科检查咽喉部无异常，纳可，寐安，睡眠脑电图正常范围，诊断为癫痫小发作。查其形体肥盛，舌略红苔薄白，脉细。此乃痰气郁结，法当化痰息风，方拟蒲金丹（张学文先生自拟方）加减。

处方：石菖蒲6g，郁金15g，丹参12g，法半夏12g，僵蚕12g。水煎服，每日1剂，煎2次，每次煎30min，共煎400ml，分2次口服，7剂。

二诊（5月27日）：服药后不自主叹气如咳嗽状次数减少、程度减轻，纳佳，寐安。诊其舌淡红苔白，脉细。此乃风痰郁结得减，法当化痰息风，效不更方。

处方：石菖蒲6g，郁金15g，丹参12g，法半夏12g，僵蚕12g。水煎服，每日1剂，煎2次，每次煎30min，共煎400ml，分2次口服，7剂。

三诊（6月3日）：服药后叹息样咳次数明显减轻、程度明显减轻，肩背抽动状已无，纳可，寐安。因伤风出现咽痛、鼻衄，动态脑电图正常范围，诊其舌淡红苔薄黄，脉细数。此乃肝风痰郁渐解，风热犯肺，法当化痰息风，疏散风热，方拟上方去法半夏加桔梗、牛蒡子。

处方：石菖蒲6g，郁金15g，丹参12g，僵蚕10g，桔梗9g，牛蒡子9g。水煎服，每日1剂，煎2次，每次煎30min，共煎400ml，分2次口服，7剂。

四诊（6月10日）：服药后叹息样咳再未出现，纳差，寐安，咽痛、鼻衄消除，诊其舌淡红苔薄白，脉细。此乃肝风痰郁得解，仍守上法上方，去桔梗、牛蒡子加法半夏、天麻。

处方：石菖蒲6g，郁金15g，丹参12g，法半夏10g，僵蚕10g，天麻6g。水煎服，每日1剂，煎2次，每次煎30min，共煎400ml，分2次口服，7剂。

五诊（6月17日）：服药后叹息样咳再未出现，纳可，寐安，诊其舌淡红苔薄白，脉细。此乃病证已得解，仍守上方巩固疗效。

处方：石菖蒲6g，郁金15g，丹参12g，法半夏10g，僵蚕10g，天麻6g。水煎服，煎2次，每次煎30min，共煎400ml，分2次口服，隔日服，14剂。

按：癫痫是大脑神经元突发性异常放电，导致短暂的大脑功能障碍的一种慢性疾病。其特征是突然和一过性症状，由于异常放电的神经元在脑中的部位不同，而有多种多样的表现。本病案患者睡眠脑电图未见异常，但据临床表现仍诊断为癫痫小发作。癫痫归中医痫证范畴，有虚有实，初期以实为主，后期以虚为主，虚实夹杂，常见于儿童。本案患儿形肥，叹气如吼频作，间歇如常人，当属风痰交阻，予化泻肝风之法症状控制，因风热上犯出现咽痛、鼻衄，加辛凉利咽之品症状得以改善，为泻肝风增加天麻化痰息风而控制发作，随访半年未见发作。本方用药虽少，仍可获效，可见辨证得法、遣方得当最为重要。本案属于癫痫小发作，无神昏、谵语等，故去清热活血之品，病患以抽动为主，加僵蚕、天麻息风止痉。

蒲金丹出自笔者导师张学文先生的《疑难病证治》，由石菖蒲、郁金、丹参、黄连、川芎、半夏、胆南星、竹茹组成，具有化痰开窍醒神之功，用于中风闭证、肺型脑病、痫病、热病昏迷等。

蒲金丹证的核心病机为痰热蒙窍，神明失乖；核心主症为神昏痰鸣，抽搐，或躁扰，或发热，舌淡红或暗红苔白腻或黄腻，脉滑。

第十一节 谵 妄

案 谵妄 - 药物中毒后谵妄 - 蒲金丹、小陷胸汤

孙某，男，72岁，退休教师，连云港人。

初诊(2010年12月4日)：患者“谵妄、胡言乱语1个月”。患者1个月前出现谵妄，时有意识不清，胡言乱语，捏空理线，遂入住连云港市某医院重症监护病房，经治效不理想，邀余会诊。患者患有帕金森病，家属陈述其因服多巴丝肼片每日5片出现谵妄昏迷，减至每日1.5片始清醒。更换为卡左双多巴缓释片又复见，更换为服盐酸苯海索每日2片，吡贝地尔缓释片每日2粒。现症：自言自语、讲话不着边际，时时妄言，捏空理线，但识人懂事、能刮胡子，他人喂食配合良好，小便失禁，大便干结，不能主动表达诉求，但问之能答，现在服多巴丝肼片每日1.5片。查其两目无神，舌暗淡苔黄厚，脉弦滑有力。此乃痰热蒙窍，法当豁痰泻热开窍，方拟蒲金丹加减。

处方：石菖蒲9g，郁金30g，钩藤15g(后下)，大黄6g(后下)。水煎服，每日1剂，煎2次，每次煎30min，共煎400ml，分2次口服，3剂。

镇颤舒胶囊 24 粒 ×2 瓶，每次 4 粒，每日 3 次，停多巴丝肼片。

二诊（12 月 6 日）：药进 1 剂后白天已清醒，语言流畅、清晰，从晚 5:00 后又见谵妄、胡言乱语。第 2 剂后，晚 9:00 又见谵妄、思睡，并有躁动、攻击他人行为。第 3 剂后完全清醒，已不谵妄，大便日行 1 次、已不干结，痰多色白。查其两目呆滞，舌暗红苔白黄，已不厚，脉弦滑。此乃痰热得减，热得泻而痰蒙甚，法当豁痰开窍，兼以泻热，方拟菖金丹加减。

处方：石菖蒲 9g，郁金 30g，竹茹 15g，法半夏 15g，大黄 6g（后下）。水煎服，每日 1 剂，煎 2 次，每次煎 30min，共煎 400ml，分 2 次口服，5 剂。

镇颤舒胶囊 24 粒 ×3 瓶，每次 4 粒，每日 3 次。

三诊（12 月 16 日）：服药后患者完全清醒，有妄行行为，已不攻击人，胡言乱语偶作，时见坐卧不宁，能忆起过去的所有事情，震颤轻，便调，痰多。查其两目已有神，舌暗红苔白黄，脉滑。此乃痰热未尽，法当豁痰清热，方拟小陷胸汤加郁金。

处方：全瓜蒌 30g，黄连 9g，法半夏 18g，郁金 18g。水煎服，每日 1 剂，煎 2 次，每次煎 30min，共煎 400ml，分 2 次口服，7 剂。

柴龙解郁丹 60g×2 瓶，每次 6g，每日 3 次。

四诊（12 月 23 日）：服药后神昏不识他人未见，已无胡言乱语，时有坐卧不宁，震颤轻，便调，痰明显减少。查其两目已有神，交谈自如，舌暗红苔白，脉滑。此乃痰热渐清，法当豁痰清热，方拟小陷胸汤加郁金。

处方：全瓜蒌 30g，黄连 9g，法半夏 18g，郁金 18g。水煎服，每日 1 剂，煎 2 次，每次煎 30min，共煎 400ml，分 2 次口服，7 剂。

柴龙解郁丹 60g×2 瓶，每次 6g，每日 3 次。

按：西医学认为，谵妄是以意识、知觉、记忆、行为、人格改变为特征的脑器质性精神综合征，多因高热、中毒、药物不良反应等所致。中医也有谵妄的记载，又称俨妄，是指因内热过盛或痰火内扰等，导致胡言乱语、情绪失常，或有躁动不宁等临床表现的病症。早在《素问·气交变大论》中就有记载："民病身热烦心躁悸，阴厥上下中寒，谵妄心痛。"《医宗金鉴·谵妄》云："谵妄者，由毒热炽盛，上干心气，致使错语妄言，神气不清，妄见妄闻，志气昏愦，以黄连解毒汤主之。"

本案谵妄乃因治疗帕金森病的药物多巴丝肼片等所致，停药后仍不能缓解,在重症监护病房对症治疗未能改善。本病谵妄、便结、舌暗苔黄厚、脉弦滑有力,乃痰热蒙窍之象,予蒲金丹之石菖蒲、郁金、竹茹、法半夏,加息风之钩藤、泻热之大黄而谵妄减,渐清醒,又见痰多,改拟豁痰清热之小陷胸汤,神清、语静,便调、痰消。郁金有清心开窍之力,神昏谵妄之痰热实证最宜郁金。

镇颤舒胶囊是笔者的自拟方,属院内制剂,组成功效等详见自拟方篇。镇颤舒胶囊功能柔肝息风止痉,停服多巴丝肼片后用以缓解震颤、肌僵直等症状。小陷胸汤出自《伤寒论》,由黄连、半夏、瓜蒌组成,具有清热化痰,宽胸散结之功,用治痰热互结之证。小陷胸汤证的核心病机为痰热结于胸膈,气机失乖;核心主症为胸闷或/和痰多,色黄难咳,或心下按痛,息促不畅,舌红或暗红苔黄厚或白厚,脉滑或弦而有力。

第十二节 昏　迷

案．昏迷-脑外伤术后昏迷-脑窍通方合温胆汤

李某,女,61岁,退休职工,山东青岛人。

初诊(2016年2月15日):患者因“脑外伤术后昏迷10余天”邀余会诊。患者10余日前在高速路上发生车祸,导致颅脑挫裂伤伴出血,于淮安市某医院行开颅手术,术后处于昏迷状态,血压不稳,靠多巴胺维持,呼吸靠呼吸机维持,发热,37.8℃左右。刻诊:昏迷不醒,静卧不烦,呼之不应,面部水肿,呼吸机刚撤去,呼吸急促,鼻饲进食,痰少色微黄,大便不爽、溏滞色暗。查其压框反射存在,舌红苔白而干,脉滑数。此乃脑外伤、昏迷,颅脑水瘀、脑神受蒙,法当化痰行水,活血醒脑,方拟脑窍通方合温胆汤加减。

处方:麝香0.2g(冲),桃仁10g,赤芍15g,石菖蒲10g,白茅根30g,法半夏12g,陈皮15g,茯苓15g,枳实15g,竹茹12g,郁金20g,黄芩12g。水煎服,每日1剂,煎2次,每次煎30min,共煎400ml,分3次鼻饲,5剂。

二诊(3月4日):服药后患者恢复自主呼吸,血压稳定,生命体征平稳,能间断性唤醒,有时能完成握手指指令,未再静脉滴注多巴胺,发热,体温37.8~38℃,右侧硬膜下积液,腹胀、大便溏泄,小便深黄、潜血阳性,痰多,呛咳。肛门湿疹,皮肤红色丘疹,重症监护病房医生考虑可能为抗生素过敏，遂停用抗生素。查其舌红苔白厚，脉沉滑（他医提供舌脉，患者妹妹是主任中医师）。此乃颅脑水瘀，水热互结，法当育阴利水，泻热祛湿，方拟猪苓汤合三妙散加味。

处方：生地黄 15g，猪苓 15g，茯苓 12g，滑石 20g（包煎），阿胶 10g（烊化），黄柏 12g，苍术 12g，生薏苡仁 30g，土茯苓 30g，牡丹皮 12g，白茅根 30g，石菖蒲 6g。水煎服，每日 1 剂，煎 2 次，每次煎 30min，共煎 400ml，分 3 次鼻饲，3 剂。

三诊（3 月 8 日）：患者肛门湿疹、皮肤过敏、小便短赤明显改善，意识处于浅昏迷，呼之能应，思睡，神情委顿，舌红苔薄白而干，脉细。此乃颅脑水瘀，脑神受蒙，法当化痰行水，活血醒脑，仍守第一次方去黄芩。

处方：麝香 0.2g（冲），桃仁 10g，赤芍 15g，石菖蒲 10g，白茅根 30g，法半夏 12g，陈皮 15g，茯苓 15g，枳实 15g，竹茹 12g，郁金 20g。水煎服，每日 1 剂，煎 2 次，每次煎 30min，共煎 400ml，分 3 次鼻饲，5 剂。

四诊（3 月 14 日）：患者意识转清醒，仍神情委顿，未见低热，大便溏黏，小便短赤，舌偏红苔薄少而干，脉细弱。此乃颅脑水瘀，脑神受蒙，法当化痰，活血行水，益阴醒脑，方拟脑窍通方加减，剂量酌减。

处方：麝香 0.1g（冲），桃仁 6g，赤芍 15g，石菖蒲 10g，白茅根 30g，郁金 15g，知母 12g，牡丹皮 10g。水煎服，每日 1 剂，煎 2 次，每次煎 30min，共煎 400ml，分 3 次鼻饲，5 剂。

按：昏迷是以神志不清、不省人事为主要特征的一类脑系病症，以意识内容障碍和觉醒障碍为主要临床表现。本案系脑外伤脑组织挫裂伤伴颅内出血，第一次开颅手术后又见颅内出血，请上海脑外科专家行二次手术，术后一直处于深度昏迷，血压不稳，靠升压药维持，不能自主呼吸，行有创呼吸机维持。笔者受委托前去淮安会诊，中午前到达医院时患者自主呼吸已逐步建立，刚撤去呼吸机，但血压需要多巴胺维持。患者处于开颅术后、头面水肿、昏迷状态，呼之不应，发热 37~38℃，根据痰色、二便状况，结合舌脉辨证，当属颅脑水瘀、痰热互结、脑神受蒙，当活血行水，化痰醒脑，以脑窍通方合温胆汤加减，方进 5 剂血压平稳、停用多巴胺，昏迷改善，处于浅昏迷状态，呼之能应、可以执行指令，因出现尿路感染、皮肤过敏，停用抗生素，改对症治疗，处以猪苓汤合三妙散加减，待其症状均改善后继守脑窍通方合温胆汤活血行水，化痰醒脑，患者逐渐转清醒。

中医在治疗急重症，尤其是在重症监护病房中的急重症患者时，辨证施治均比诊治正常人困难。因患者处于昏迷状态，无法陈述病情，医护人员也难以陪同会诊，病情细节难以详细获悉，加上仪器插入患者孔窍，患者手足被绑，医生验舌、号脉十分困难或者不能完成，无法获得舌脉信息，或者获得的信息失真，如被呼吸机久压的舌象、因烦躁给予了镇静剂，空调低温下的身体色泽、温度等都难免失真，给辨证带来困难。而中医在治疗急重症方面是具有肯定疗效的，临床医生应积极掌握此种情况的辨证论治技巧。

脑窍通方出自张学文先生的《疑难病证治》，由麝香、丹参、桃仁、川芎、白茅根、赤芍、石菖蒲、三七、益母草、冰片、川牛膝组成。具有活血行水、醒脑开窍功效，适用于脑外伤、脑出血等病症。

脑窍通方证的核心病机为颅脑水瘀，脑窍不通；核心主症为昏迷，头痛或颅压升高，解颅，舌暗红或紫暗，苔薄白，脉滑。

第十三节 麻 木

案．麻木 - 微循环障碍 -《本事方》温脾汤

马某，女，41 岁，家庭妇女，连云港人。

初诊（2009 年 11 月 14 日）：患者以“舌与四肢麻木 1 个月”就诊。患者舌尖麻木、发硬，肢体麻木，畏寒喜暖，手足不温，纳可，寐安，便秘，面部色暗而色斑重，查头颅 CT 未见异常改变。血常规在正常范围。血液流变学检查：纤维蛋白原 6.0g，红细胞聚集指数 32。查其面色黧黑，舌淡白苔白，舌下脉络瘀紫，脉沉。此乃寒凝经脉，气血瘀滞，法当温阳益气、活血通脉，方拟补阳还五汤加减。

处方：生黄芪 30g，桃仁 10g，红花 12g，当归 18g，川芎 6g，地龙 12g，制附片 9g（先煎），桂枝 12g。水煎服，每日 1 剂，煎 2 次，每次煎 30min，共煎 400ml，分 2 次口服，7 剂。

二诊（11 月 28 日）：服药后肢体麻木略改善，舌尖麻木、发硬如前，畏寒甚，手足不温，大便干结。查其面色黧黑，舌淡白苔白，舌下脉络瘀紫，脉沉。此乃脾肾阳虚，寒凝为甚，中州不运，气血难以通畅，法当温补脾肾、温通中州，兼以活血，方拟《本事方》温脾汤合急救回阳汤加味。

处方：

1号方：制附子9g（先煎），干姜9g，炙甘草6g，厚朴12g，肉桂6g（后下），大黄6g（后下）。3剂。

2号方：制附子6g（先煎），红参12g，炒白术18g，干姜6g，炙甘草6g，桃仁12g，红花12g，川芎9g，当归18g。4剂。

1号方、2号方两方交替轮服，每日1剂，水煎服，煎2次，每次煎30min，共煎400ml，分2次口服。

三诊（12月5日）：服药后舌尖、四肢麻木改善，畏寒喜暖减轻，仍大便干结。查其面色黧黑转淡，舌淡红苔薄白，边有瘀点，舌下脉络瘀紫，脉沉弦。此乃阳虚寒凝有减，但仍盘居中州，而清阳不能实四肢，法当温通中州，兼以活血，方拟《本事方》温脾汤合桃红四物汤去生地黄。

处方：制附子6g（先煎），干姜6g，炙甘草6g，厚朴12g，肉桂3g（后下），大黄9g（后下），桃仁12g，赤芍18g，当归18g。水煎服，每日1剂，煎2次，每次煎30min，共煎400ml，分2次口服，7剂。

四诊（12月12日）：服药后舌尖麻木、发硬基本消除，四肢已不麻木，畏寒喜暖减轻，便已调，月经至、量已增多、色黑夹有血块减轻。查其面部色斑转淡，舌暗淡苔薄白，舌边瘀点减轻，舌下脉络瘀暗，脉沉细。此乃阳虚寒凝得解，中州得通，清阳得发，气血得畅，法当继以温通活血为法，方拟《本事方》温脾汤合桃红四物汤去生地黄。

处方：制附子9g（先煎），干姜9g，炙甘草6g，厚朴12g，肉桂3g（后下），大黄9g（后下），桃仁12g，赤芍18g，当归18g。水煎服，每日1剂，煎400ml，分2次口服，7剂。

五诊（12月26日）：服药后麻木已无，畏寒减轻，手足已温，面部仍发暗，色素重。查其舌淡红苔薄白，边有极少小瘀点，舌下脉络瘀暗，脉沉细。此乃阳虚寒凝得解，血瘀为甚，法当活血破瘀，兼以温通，方拟桃红四物加破血温通之品。

处方：桃仁12g，红花12g，生地黄15g，赤芍15g，当归18g，川芎9g，水蛭6g（冲）（中药配方颗粒，下同），地龙10g（冲），土鳖虫3g（冲），三七粉6g（冲），桂枝12g，制附子9g（先煎）。水煎服，每日1剂，煎400ml，分2次口服，14剂。

六诊（2010年2月2日）：服药后已不麻木，畏寒明显减轻，大便通畅，食纳正常，面部色暗减轻，已有光泽，色斑转淡，复查血液流变学：纤维蛋白原3.8g，红细胞聚集指数22。查其舌淡白苔薄白，瘀点极少，舌下脉络淡暗，脉沉弱，法当活血化瘀，益气辛散，方拟补阳还五汤加减。

处方：生黄芪60g，桃仁12g，红花12g，赤芍15g，当归18g，三七粉6g（冲），桑白皮12g，白芷15g，桂枝12g。水煎服，每日1剂，煎400ml，分2次口服，7剂。

七诊（2月27日）：服药后麻木未作，畏寒肢冷不显，纳可，寐安，便调。面部色斑明显变轻，肤有光泽。查其舌淡红苔白，已无瘀点，舌下脉络正常，脉沉。此乃瘀血渐化，气血得畅，法当益气活血，化瘀通络，方拟补阳还五汤加减。

处方：生黄芪15g，桃仁12g，红花12g，赤芍15g，当归18g，三七粉6g（冲），桑白皮12g，白芷15g，桂枝12g。水煎服，每日1剂，煎400ml，分2次口服，7剂。

按：麻木是指肌肤、肢体发麻，甚或全然不知痛痒的一类疾病。麻木多见于四肢、指趾，舌麻尚少见，多为中风先兆。本案患者乃舌麻甚，以舌尖麻为主诉就诊。麻木病因有多种，以气虚、血虚、湿痹、痰凝、血瘀多见，而阳虚寒凝较为少见。本案患者见畏寒喜暖，手足不温，大便干结，面色黧黑，舌下脉络瘀紫，为寒凝血瘀之证，故予补阳还五汤加附子、桂枝，效差，细辨方悟此证以脾肾阳虚，中焦寒凝不通为本，故拟《本事方》温脾汤与急救回阳汤加味，后一直守《本事方》温脾汤至中焦得通，寒凝得解，待寒凝已解、瘀无所依时才以桃红四物汤加水蛭、地龙、土鳖虫破血化瘀而瘀终得化，后以补阳还五汤加减收功而麻木除，色斑减。

急救回阳汤出自王清任《医林改错》，由附子理中汤加桃仁、红花组成，具有活血通经、回阳救逆之功效。

在诊疗中一次开2~3张方子交替轮服的服药方法，是由我的启蒙老师、山西名老中医门纯德教授创造，名为“联合方组”，可以看作是扩大的君臣佐使方剂配伍运用之法，每首方剂都针对其证，效专力宏，各个击破，可避免几张方剂合方互相牵制之弊，对治疗复杂、疑难、慢性病很有帮助。

急救回阳汤证的核心病机为阳虚寒凝，血脉凝涩；核心主症为畏寒喜暖，身痛或腹痛，舌暗红苔淡白，舌有瘀点或瘀斑，脉沉或沉涩。

第十四节 内伤发热

案1. 内伤发热-自主神经功能紊乱-血府逐瘀汤

于某，女，52岁，公务员，连云港市人。

初诊（2009年4月4日）：患者以"夜间先冷后热10年"就诊。患者前半夜畏寒，形寒肢冷，手足不温，喜盖衣被，后半夜全身出火感、发热，手足心为甚，即使冬天屋里不取暖，亦要掀掉衣被，或手足伸于棉被之外，不潮热汗出，口干口苦，不喜饮，食纳可，大便调。查其舌红苔薄白，舌有瘀点，脉细。此为阴阳不调，法当调和阴阳，方拟桂枝加龙骨牡蛎汤。

处方：桂枝12g，生白芍12g，炙甘草6g，生龙骨30g，生牡蛎30g。水煎服，每日1剂，煎2次，每次煎30min，共煎400ml，分2次口服，7剂。

二诊（4月13日）：服药后畏寒减轻，发热甚，手足心灼热，易怒急躁，寐欠安。查其舌红苔薄白，舌有瘀点，脉弦。桂枝汤调和营卫，调和阴阳，生龙骨、生牡蛎重镇潜降雷龙之火于阴分，阳气得其助，阴火仍很旺。此乃瘀血伏于阴分，肝肾阴虚，虚火上炎，心肝火旺为甚之象，故宜滋阴降火，兼以活血，方拟知柏地黄汤加味。

处方：生地黄30g，山茱萸18g，生山药12g，茯苓15g，泽泻9g，牡丹皮18g，知母15g，黄柏15g，郁金30g，陈皮12g，赤芍18g，桃仁12g。水煎服，每日1剂，煎2次共400ml，分2次口服，7剂。

三诊（4月20日）：服药后前半夜发冷明显减轻，后半夜发热略减，口苦，喜饮，燥热汗出，大便溏，便次多。查其舌红苔薄白，舌尖有瘀点，脉细。此乃阴虚火旺有降，阴阳渐有调和，而瘀滞之象显露，并见肝郁化热，兼有黏腻碍脾之征，故宜活血化瘀，方拟血府逐瘀汤加减。

处方：桃仁12g，红花12g，赤芍15g，当归12g，枳实18g，柴胡12g，炙甘草6g，怀牛膝12g，煅牡蛎30g，浮小麦30g，香附12g。水煎服，每日1剂，煎2次共400ml，分2次口服，7剂。

四诊（4月27日）：服药后前半夜已不怕冷，后半夜发热减轻，燥热已无，汗出减少，白天畏寒喜暖，手足不温，夜间口苦、喜饮，大便溏而便次多。查其舌红苔薄白，舌尖瘀点已淡，脉弦。此乃瘀滞渐消，气机渐畅，瘀热仍在，而理血克伐之品有伤脾耗气之象，故宜活血化瘀兼以健脾补气，方拟血府逐瘀汤加减。

处方：桃仁 12g，红花 12g，赤芍 15g，当归 12g，川芎 9g，枳实 18g，柴胡 15g，炙甘草 6g，怀牛膝 12g，香附 12g，木香 9g，党参 12g，生黄芪 15g，白术 15g，浮小麦 30g。水煎服，每日 1 剂，煎 2 次，每次煎 30min，共煎 400ml，分 2 次口服，7 剂。

五诊（5 月 3 日）：服药后，患者后半夜发热大减，由原来的 1:00—5:00 反复热醒、掀被、手足伸于棉被之外才热减方能入睡，改善到 2:00—3:00 间只热醒 1 次，无需掀被，仅需足伸于棉被之外片刻即热止，汗出明显减少，便溏、夜间口苦，喜饮减轻，白天仍畏寒喜暖，手足不温。查其舌红苔薄白，舌尖已无瘀点，脉弦细有力。此乃瘀血大消，脾气得健，气机仍有瘀滞，法当化瘀理气健脾，方拟血府逐瘀汤加减。

处方：桃仁 9g，红花 15g，赤芍 15g，当归 12g，川芎 9g，枳实 24g，柴胡 15g，炙甘草 6g，香附 12g，党参 12g，生黄芪 15g，莲子 12g，浮小麦 30g。水煎服，每日 1 剂，煎 2 次，每次煎 30min，共煎 400ml，分 2 次口服，7 剂。

六诊（5 月 10 日）：服药后夜间发热未再出现，便已调，夜间汗出、口苦、喜饮基本消除，仍有白天喜暖，手足不温。查其舌红苔薄白，脉细。此乃瘀血已消，脾气不健基本恢复，仍有气郁脾虚之征，法当疏肝健脾以善其后，方拟逍遥散。

处方：柴胡 12g，生白芍 15g，当归 12g，白术 15g，茯苓 12g，炙甘草 6g，生黄芪 9g，薄荷 6g（后下），生姜 3 片。水煎服，每日 1 剂，煎 2 次，每次煎 30min，共煎 400ml，分 2 次口服，7 剂。

按：内伤发热非因外感，而是由于气血精液亏虚，脏腑功能失调所致的发热，大多数患者自觉发热、出火感或手足心热，体温不一定高。本病例不仅发热，还有畏寒及恶寒之感，且出现在夜里，午夜前为阴中之阴，甲子后为阴中之阳，午夜前畏（恶）寒、甲子之后发热乃阴阳不调之象。桂枝汤为调和营卫、调和阴阳之第一方，能扶阳和阴，生龙骨、生牡蛎潜降，引阳入阴，药进 7 剂冷感减而发热甚，为阴分热甚，又有瘀象，故改用知柏地黄汤加桃仁、赤芍活血，郁金清心除烦，陈皮护胃，药后热势有减但不明显，而畏寒反而大减，原本口不渴不苦，无燥热汗出，滋阴降火后反见，此乃气郁被发越，瘀血郁滞未解，改拟血府逐瘀汤活血化瘀，通泄上下，并根据燥热汗出、便溏、畏寒喜暖等，加减敛汗、补气健脾之品而夜间发热基本消除，此乃瘀血气郁发热。仍有喜暖，夜间微有汗出，以逍遥散收功。回顾分析，本案病机当为血瘀致病，运用桂枝加龙骨牡蛎汤、知柏地黄汤属盲人摸象，见木不见林，可见，临证寒热虚实须当细辨，遣方用药理当慎思，望闻问切必当合参，如此方可顾其周详，避免南辕北辙，以图早日收功。

血府逐瘀汤证的核心病机、核心主症前节里已述，其中核心主症的自觉发热，夜间尤甚，舌有瘀斑瘀点是本案辨证的切入点。瘀血致病易被忽略，当使用血府逐瘀汤乏效时应及时改弦更张。

案 2. 内伤发热 - 多囊卵巢综合征 - 桃核承气汤

张某，女，38 岁，职员，连云港人。

初诊（2010 年 2 月 18 日）：患者以“面赤出火感、眼干 1 个月”就诊。患者面赤、冒火喜凉，眼干模糊，纳可，便调，夜寐不安，烦躁易怒，月经周期正常、色暗量少，有多囊卵巢综合征病史。查其颜面潮红，舌淡红苔薄白，脉弦。此乃上焦火旺之证，法当清泻火热为主，方拟黄连解毒汤加味。

处方：黄连 9g，黄芩 15g，栀子 15g，菊花 15g，木贼 18g，生地黄 30g，玄参 18g。水煎服，每日 1 剂，煎 2 次，每次煎 30min，共煎 400ml，分 2 次口服，7 剂。

二诊（2 月 23 日）：服药后诸症减轻，初几剂明显，后几剂反弹，便未泻，查其面赤，舌淡红苔薄白，脉弦。此乃邪热太甚，恐其泻火之力不足，法当继以清泻上焦火热，增加清泻肝火之力，方拟上方加龙胆草、怀牛膝。

处方：黄连 9g，黄芩 15g，栀子 15g，菊花 15g，木贼 18g，生地黄 30g，玄参 18g，龙胆草 9g，怀牛膝 12g。水煎服，每日 1 剂，煎 2 次，每次煎 30min，共煎 400ml，分 2 次口服，7 剂。

三诊（3 月 4 日）：服药后下半身发冷，头面出火感、发红如前，夜间为甚，眼干，多梦，手足出汗，烦躁易怒，易疲劳，倦怠乏力。查其面赤，舌红苔薄白，脉细。此乃苦寒直折太过，伤阳伤阴？抑或血热而瘀？法当轻清上焦，活血化瘀，方拟菊花、栀子、桃仁、红花之类。

处方：菊花 12g，栀子 12g，赤芍 15g，红花 12g，桃仁 12g，香附 12g。水煎服，每日 1 剂，煎 2 次，每次煎 30min，共煎 400ml，分 2 次口服，7 剂。

四诊（3 月 27 日）：服药后面赤出火感如前，面部发麻发胀，双眼干涩不适，全身不热，反有冷感，手足不温，月经至而不畅，色暗量极少如黏涎状，纳可，便溏，便结时面红。诊其舌淡红苔薄白，脉沉细，几诊不效，反见伤阳之象，百思不得其解，细悟此乃痰瘀结于下焦，逼阳越于上，法当峻下痰瘀，方拟甘遂、大黄之属。

处方：桃红 12g，甘遂 1g（冲），酒大黄 6g，青皮 6g。水煎服，每日 1 剂，煎 2 次，每次煎 30min，共煎 400ml，分 2 次口服，3 剂。

五诊（4 月 1 日）：服药后面赤、出火感减轻，便溏反未见增重，小便短少，手足心热，全身怕冷，月经量增多，仍色暗而黏。诊其舌淡红苔薄白，脉细。此乃药中病所，仍克伐有过，法当通泻下焦瘀热，兼以护阳，方拟桃核承气汤。

处方：桃仁 12g，大黄 6g（后下），芒硝 6g（后下），炙甘草 6g，桂枝 9g。水煎服，每日 1 剂，煎 2 次，每次煎 30min，共煎 400ml，分 2 次口服，3 剂。

六诊（4 月 3 日）：服药后头面出火上冲感明显减轻，大便 2~3 次，手足心热、发烦减轻，心中安宁，纳可，寐差多梦。诊其舌淡红苔薄白，脉弱。此乃下焦瘀热得清，浮阳得降，法当攻逐下焦瘀热，方拟桃核承气汤增加桃仁之量。

处方：桃仁 15g，大黄 6g（后下），芒硝 6g（后下），炙甘草 6g，桂枝 9g。水煎服，每日 1 剂，煎 2 次，每次煎 30min，共煎 400ml，分 2 次口服，5 剂。

七诊（4 月 8 日）：药后头面出火感进一步减轻，面部已不红，心中安宁，已不烦躁，大便每日 3~5 次，纳可，夜寐转安。诊其舌淡白苔白，脉弦细。此乃下焦瘀热渐清，浮阳回纳，法当继守前法，方拟上方继进。

处方：桃仁 15g，大黄 6g（后下），芒硝 6g（后下），炙甘草 6g，桂枝 9g。水煎服，每日 1 剂，煎 2 次，每次煎 30min，共煎 400ml，分 2 次口服，10 剂。

八诊（4 月 20 日）：药后头面出火感消除，10 天内只发作 1 次，寐安，思睡，大便每日 3 次，小便短赤，全身偶有阵发性燥热。诊其舌淡红苔薄白，脉细。此乃瘀热大清，兼有阴虚火旺，法当逐瘀泻热与滋阴清热并进，方拟桃核承气汤、知柏地黄汤加减交替服用。

处方：

一号方：桃仁 12g，大黄 6g（后下），芒硝 6g（后下），炙甘草 6g，桂枝 9g。

二号方：女贞子 12g，墨旱莲 15g，牡丹皮 12g，生地黄 18g，黄柏 12g，泽泻 15g，刘寄奴 12g。

上两方各5剂，水煎服，每日1剂，煎2次，每次煎30min，共煎400ml，分2次口服，两方交替服用。

九诊（4月29日）：药后面部出火感、发红已消除，纳可，寐安，大便日一行、已不溏，经至而不畅，色暗已不黏。诊其舌淡红苔白，脉沉。此乃下焦瘀热已清，阴血不足，法当养血补血调经，方拟桃红四物汤加味。

处方：桃仁12g，红花12g，熟地黄15g，生地黄15g，生白芍15g，川芎6g，阿胶10g（烊化），刘寄奴12g。水煎服，每日1剂，煎2次，每次煎30min，共煎400ml，分2次口服，隔日服，15剂。

十诊（5月27日）：药后月经畅，仍色暗，面赤出火感未作，偶有阵发性烘热，片刻消退，小便短赤。诊其舌淡红苔薄白，脉细。此乃阴血得补，经血渐调，法当调补气血，方拟上方继守以巩固疗效。

处方：桃仁12g，红花12g，熟地黄15g，生地黄15g，生白芍15g，川芎6g，阿胶10g（烊化），刘寄奴12g。水煎服，每日1剂，煎2次，每次煎30min，共煎400ml，分2次口服，隔日服，15剂。

按：内伤发热是指以内伤为病因，脏腑功能失调，气血阴阳亏虚为基本病机的发热，多为低热，或为自觉发热或局部发热等。本案病例以头面发热出火感为表现，面赤如妆，眼干，寐差，心烦易怒，当属心肝火旺，与黄连解毒汤加味初获效而后不效，反见下身怕冷等，加重清火之力而病情更甚，方悟出此非实火，结合月经之色暗而黏少、便溏等，当属下焦邪气阻结，浮阳上越，经桃仁、甘遂、大黄、青皮3剂有效，攻邪之心已定，施以桃核承气汤果然收效满意，继以知柏地黄加减、桃红四物汤调补而头面发热消除，月经亦有改善。

此病例临床症情复杂，虽见实火但诸寒之而热不减，当细审病机，一旦无效应及时改弦易辙，细研证候，不可抱残守缺，固守成见。

桃核承气汤出自《伤寒论》，由桃仁、大黄、芒硝、桂枝、甘草组成，为治下焦蓄血之方，具有通瘀泻热之功，与抵挡汤相比剂缓而持久，桂枝一味通阳散结、引上越之浮阳入里，有形之痰瘀得除，则热解经调。

桃核承气汤证的核心病机为瘀热互结；核心主症为头面升火，或牙痛，或粉刺，或头痛，心烦，大便干结，舌暗红或有瘀斑瘀点、苔薄黄，脉沉或弦。

案3. 内伤发热 - 自主神经功能紊乱 - 四逆散

梁某，女，56岁，干部，湖北巴东县人。

初诊（2012年1月12日）：因"围腰腹1周发热3个月"就诊。患者自觉腰周发热，体温不高，右胁胀痛，恶心欲呕，夜寐不安，有浅表性胃炎病史。诊其舌暗淡苔薄白，脉沉细弱。中医诊断：内伤发热。此乃肝郁气滞，法当疏肝理气，调和肝胃，方拟四逆散加味。

处方：柴胡15g，枳壳12g，生白芍15g，炙甘草6g，乌药12g，香附12g。水煎服，每日1剂，煎2次，每次煎30min，共煎400ml，分2次口服，5剂。

二诊（1月17日）：服药后腰腹1周发热已除，夜寐转安，右胁已不痛，泛恶轻微，又见舌麻，左乳房胀痛。诊其舌淡红苔薄白，脉沉弱。此乃肝郁气结，法当疏肝理气，方拟柴胡疏肝散。

处方：柴胡15g，枳壳18g，生白芍15g，炙甘草6g，香附12g，川芎9g，陈皮12g。水煎服，每日1剂，煎2次，每次煎30min，共煎400ml，分2次口服，7剂。

三诊（1月24日）：服药后自觉发热未再见，夜寐安，舌麻大减，左乳房胀痛基本消除，不再泛恶，食欲欠佳。舌淡红苔薄白，脉沉弱。此乃肝郁气结得解，中焦亏虚，法当疏肝理脾以善其后，方拟逍遥散。

处方：柴胡15g，生白芍12g，当归12g，白术12g，茯苓15g，炙甘草6g，薄荷6g，生姜3片。水煎服，每日1剂，煎2次，每次煎30min，共煎400ml，分2次口服，7剂。

按：内伤发热是指因气血失调导致气机不和而出现的发热。内伤发热多为实证，或阴虚火旺，或气滞，或血瘀，或痰阻郁而化火等。全身发热或五心烦热多为阴虚火旺，局部发热多为气滞、血瘀或痰阻。本病案患者围腰一周发热，系带脉所过之处，伴右胁胀痛，恶心欲呕，夜寐不安，当为肝郁气滞，肝胃不和，带脉不通，郁而化火。从舌、脉未见明显瘀、痰之象，故以四逆散加疏肝不助火之乌药、香附疏肝和胃，诸症改善，后又见乳房胀痛、舌麻，为肝气郁滞，当疏肝理气，以柴胡疏肝散治之，诸症缓解后，唯留食欲不振，改疏肝理脾之法，以逍遥散善后巩固。肝郁气滞证理应多见弦脉，而临床上的肝郁之证反常见沉脉或者弱脉，这也许是气郁不达，脉反伏而不出之故。

本案患者自觉发热，病机并不复杂，但随着伴发症状不同，治法方药均有调整，四逆散、柴胡疏肝散、逍遥散三方均为理气剂，但疏肝理气各有侧重。四逆散出自《伤寒论》，由柴胡、白芍、枳壳、甘草组成，具有透邪解郁之功，用治气滞肝郁、阳郁气机不达诸症，疏肝之力逊于柴胡疏肝散；柴胡疏肝散用治肝郁气滞之重症，因川芎、香附行气兼有活血止痛之力，故对气滞兼有血滞之症效果尤佳；逍遥散由养肝之品合健脾之剂合方，乃疏肝健脾两顾，或曰乃针对肝血不足而致肝郁诸症，疏肝之力最弱，而养肝之力偏强，且能护中健脾。三方须当辨别应用。

四逆散证的核心病机为气滞肝郁，阳郁不达；核心主症为发热，或身热喜凉，手足不温，或胸胁胀满，舌淡红苔薄白，脉弦或沉弱。

案 4. 内伤发热 - 肿瘤术后发热 - 增液汤

祁某，男，78 岁，连云港人。

初诊（2017 年 6 月 15 日）：患者因“持续发热 15 天”就诊。患者 3 个月前因（原位）食管癌行食管癌根治术，1 周后进食流质，出院前钡餐造影及胸腹部 CT 吻合口周围未见异常，留空肠造瘘管进食。出院后出现进食即吐，经口进流食减少，大便 2~3 日一行，小便短少，乏力，口干甚。近 2 周来出现发热，不咳，查胸腹部 CT、血常规、肝肾功能未见异常，血沉、超敏 C 反应蛋白略高，降钙素原正常。拔除造瘘管，予以抗生素静滴 1 周，未见好转。患者发热从下午 1：00 开始，晚上 9：00 热退，体温在 37.4~37.8℃之间，自觉热甚难耐，口干，小便短少，腹微胀、不欲饮食、食入即吐，大便干，五六日一行。予以止吐药及地塞米松磷酸钠注射液 5mg 后，食量较前增多，热退，停药两天后症状如前。刻诊：发热，体温在 37.5℃左右，晚上 7：00—9：00 热甚，口干口渴欲饮，食欲缺乏，食后欲吐，大便干结如羊屎，小便短少，舌淡暗，苔薄白，脉滑。中医诊断：内伤发热。按六经病欲解时的时间判断其发热归阳明病欲解时，法当清泻阳明，方拟调胃承气汤。

处方：大黄 6g，芒硝 6g，炙甘草 6g（中药配方颗粒剂）。每日 1 剂，水冲 400ml，分早晚 2 次服，3 剂。

二诊（6 月 18 日）：药后第二天发热时间变为下午 3：00 至凌晨 5：00，晨起热退，第 1 日大便未行，第 2 日大便 3 次，第 1 次干结，第 2 次干稀交作，第 3 次稀水样，自觉热随便下，身体舒畅，小便短赤，仍食欲缺乏，食后欲吐，全身乏力，舌淡暗苔薄白，脉滑。第3剂药未服。本病热已清燥仍在，法当润燥，兼护脾，方拟增液承气汤加味。

处方：玄参18g，麦冬20g，生地黄15g，大黄3g，芒硝3g，炙甘草6g，人参10g，山药15g，砂仁6g（中药配方颗粒剂）。每日1剂，水冲400ml，分早晚2次服，2剂。

三诊（6月20日）：药后第1天下午2:00左右开始发热，最高达37.8℃，至次日早上8:00热退，排便2次，第1次稀便，第2次稀水样便。口干、小便短赤、食纳较前好转。燥象有改善，泻热已伤正，法当润燥，兼以护脾，不宜苦寒，方拟增液汤加味。

处方：玄参18g，麦冬20g，生地黄15g，人参10g，山药15g，砂仁6g（颗粒剂）。每日1剂，水冲400ml，分早晚2次服，3剂。

四诊（6月23日）：药后再未发热，体温36.2℃，自觉亦无发热，食纳少，食多欲吐，乏力，但双腿较前有力，口干明显好转，小便仍短赤，大便调。仍小便短赤，食纳少，为燥已大解，脾仍不健，当滋阴润燥并健脾消食，仍守上方去辛燥之砂仁，加消导之品。

处方：玄参18g，麦冬20g，生地黄15g，人参6g，山药15g，炒麦芽15g，焦山楂10g（中药配方颗粒剂）。每日1剂，水冲400ml，分早晚2次服，5剂。

1个月后复诊，患者已无不适，食量基本正常。

按：按照六经病欲解时的诊病思路，日晡潮热，或者日晡时定时发热的任何疾病都可以认为是阳明病，并有学者推荐使用小承气汤，效如桴鼓。依照六经病欲解时理论，本病例下午至晚上定时发病，止发有时，符合六经病欲解时的机制，因患者口干甚、溲短赤，故未选用偏燥的小承气汤，改为调胃承气汤，理仍相同，但未能退热，热反延长，后改为增液汤而热退，口干喜饮、小便短赤均完全改善。

六经病欲解时的遣方用药理论有其独到之处，有时效如桴鼓，十分神奇。而对定时发病的疾病是否要辨寒、热、虚、实，遣方用药是否要辨证（治疗阳明病的方剂有适用于经证的白虎汤、竹叶石膏汤，适用于腑证的调胃承气汤、小承气汤、大承气汤等之不同）？是否不分疾病可以一方以贯之？是困扰临床医生的问题，需要思辨。个人认为，遣方用药不能脱离方药的寒热属性，不能不辨虚实。本案患者日晡发热，口渴喜饮，大便燥结，属肠热腑实，可辨证时忽略了舌淡暗苔薄白、乏力、小便短赤等气虚津亏之象，单用通腑泻热疗效不佳，改滋阴泻热、兼以健脾益气方而发热止，表明临证诊疗要区分虚实并兼顾二者之主次。

增液汤出自《温病条辨》，由玄参、麦冬、生地黄组成，具有滋阴增液、润肠通便之功。增液承气汤也出自《温病条辨》，由增液汤加大黄、芒硝而成，具有滋阴增液、泻热通便之功，增液汤尚属扶正类方剂范畴，增液承气汤则属于扶正祛邪类方剂范畴。本案患者虚实夹杂，标实本虚，燥热兼有脾气亏虚，故遣方时加入了人参、山药、砂仁之类。

增液汤证的核心病机为津液亏虚、津亏失润；核心主症为口渴喜饮、夜间尤甚，或日晡发热或大便燥结，舌红或暗红苔薄少，脉细或沉。

（祁新琴　整理）

第十五节　上热下寒证

案．上热下寒证 - 自主神经功能紊乱 - 交泰丸、白术附子汤

洪某，女，77 岁，退休干部，无锡市人。

初诊（2009 年 6 月 2 日）：患者以“上半身出火感、下半身冰冷 3 个月”就诊。患者头面、上半身出火感，汗出，喜凉，牙痛，腰以下冰冷，大便黏溏不畅、数日一行，纳可，寐安，否认糖尿病、高血压病史。查其舌红苔白，脉弦。此为上热下寒，寒热不济，法当清上温下，交通心肾，方拟交泰丸加味。

处方：黄连 9g，肉桂 6g（后下），肉苁蓉 30g，枳实 15g。水煎服，每日 1 剂，煎 2 次，共 400ml，分 2 次口服，5 剂。

二诊（6 月 9 日）：服药后上半身热，牙痛，面部出火感明显减轻，下半身凉如前，便仍不爽，数日一行，溏黏难下。查其舌暗红苔白灰，脉沉细。此乃上焦之热渐清，下焦之寒未得其温，且有中焦湿浊阻滞之象，故宜温阳健脾化湿，兼清上热，方拟白术附子汤加味。

处方：制附子 3g，生白术 24g，炙甘草 6g，厚朴 12g，荷叶 12g，黄连 9g，生姜 3 片，大枣 4 枚。水煎服，每日 1 剂，煎 2 次，共 400ml，分 2 次口服，7 剂。

三诊（6 月 16 日）：服药后烘热汗出已除，头面出火感、牙痛基本消除，仍下半身凉，以小腿以下为甚，足心如冷风吹，大便已通，仍不畅，无便意，

矢气多，口干口臭，纳差。查其舌红苔白灰而干厚，脉沉。此乃上热得清，脾气渐运，湿浊中阻，腑气不通，故宜温阳通腑化湿，守白术附子汤合小承气汤加味。

处方：制附子6g，白术18g，炙甘草6g，厚朴12g，枳实18g，大黄9g(后下)，荷叶12g，竹叶12g。水煎服，每日1剂，煎2次，共400ml，分2次口服，7剂。

四诊(6月23日)：服药后头面出现微微出火感，又出现牙痛，下半身发凉、足心冷减轻，便如水泻，夹有不消化之物，仍口臭。查其舌红苔灰白而干厚，脉沉。此乃脾肾之阳得补，腑气已通，但有温燥太过，湿浊化热之象，故宜温通化湿之法，方拟《本事方》温脾汤加味。

处方：制附子6g，干姜6g，炙甘草6g，厚朴12g，肉桂6g(后下)，大黄3g(后下)，藿香12g，豆蔻9g。水煎服，每日1剂，煎2次，共400ml，分2次口服，5剂。

五诊(7月2日)：药进一剂即牙痛甚，全身出火感，再进减轻，下肢冷、足出冷气明显改善，便不畅而溏。查其舌暗红苔白灰厚腻而干，脉弦细。此乃脾肾之阳得温，而清泄上焦火热不足，中州气机不畅，故宜健脾化湿通阳，兼清上热，方拟白术附子汤将附子减量、加化湿清热之品。

处方：制附子3g，白术18g，炙甘草6g，厚朴12g，荷叶15g，黄连9g，豆蔻9g，滑石12g。水煎服，每日1剂，煎2次，共400ml，分2次口服，4剂。

六诊(7月7日)：服药后上半身出火感消除，药后有身热感，随后消失，下肢冷及足出冷气消除，便仍不畅而溏，甚则完谷不化，小便黄，口干减轻，夜间口干口渴饮水未见，牙已不痛。查其舌暗红苔白灰厚腻，左侧减薄白，脉滑。此乃上热得清，下寒得温，唯中州枢机不利，嘱其服用参苓白术丸、藿香正气丸善后。

按：上热下寒既是病机也是临床证候群。此证往往症状复杂，但突出的症状还是上半身出火感、下半身冰冷之类。不易归纳为中医的什么病，如内伤发热、牙痛、自汗、泄泻、虚病等，这些病名都难以概括上热下寒证的内涵。有的患者被西医诊断为患有某种疾病，有的并无基础疾病，仅为自主神经功能紊乱。上热下寒证的病机并非单是上热、下寒那么简单，临证需辨清病机方可对症下药。本病上热轻而下寒重，故热易彻而寒难祛，温阳稍过就有助火之嫌。本案患者一直见大便溏滞不爽，甚则完谷不化，苔白、灰、厚腻等，是中焦运化不健、枢机不利之象，温阳太过即见湿邪化热之征，口臭、苔灰厚而干，清泄太过即见脾阳被伤之征，水泻、完谷不化。因本病病机是寒热互结，上热下寒，中焦运化不健，湿浊中阻，热少寒多，以脾肾阳虚为主，故始终固守温补脾肾，而下寒症状逐步得以缓解，同时化湿行气，畅脾快枢也极为重要。本病虽寒热症状已除，但湿浊中阻仍未解，故以藿香正气等以善其后。

回顾当时的辨证思路，存在辨证不够精当之处。本案患者的核心病机应为湿浊困脾、中州不运，但当时辨证并未完全看清，处方时将清热温下融为一炉，虽然也运用白术附子汤健脾化湿等以收功，但几次易方颇费周章，若以芳香化湿、兼以清热化湿为法，兴许收效更快，也未必出现温阳助火、泻热伤脾之弊。湿去热无以依附、湿去寒无以碍脾。

上热下寒证的治法总体是清上温下，化湿运脾则不循此道。清上温下遣方用药亦差别很大，交泰丸是其常用方剂之一。交泰丸出自《万病回春》，由黄连、肉桂组成，用于治疗心肾不交之失眠。交泰丸方精药简，组方精妙，后人广泛用于心火独亢于上，肾阳亏虚于下，黄连清心、肉桂温肾，两脏阴阳平衡则可水火既济而否极泰来，常用于失眠、口疮等病症的治疗，但因其药味简洁，作用略显单薄。

第二首方剂是乌梅丸，其组成寒凉药少辛热药多，故适应证必然要以下寒甚为主，且寒凝于下，脾阳受伤应见下利，便秘者不可应用，上热可见头面或上半身出火感，心烦，失眠，口疮，口苦等，下寒可见便溏泄泻，腹冷，腹痛，足冷或下肢冷或下半身冷(包含腰和臀)。乌梅丸治疗病种广泛，不一而足，以药测证，当为肝热脾寒，寒为主、热为次。

第三首方剂是全真一气汤，出自《冯氏锦囊秘录》，由附子、白术、人参、熟地黄、麦冬、牛膝、五味子组成，具有温补肾之阴阳的作用，用治肾精亏虚，虚阳外越的头面出火感，或发热，口渴不喜饮，下肢畏寒喜暖，倦怠神疲、腰膝酸软等上热下寒证。有别于乌梅丸之细辛、川椒等辛散，全真一气汤滋补多、散寒少，故以虚证多见者为宜。本案患者上热下寒，极似乌梅丸证，只因大便秘结而不符(脾)阳虚寒凝的病机，而改用交泰丸加温运之品。可见清上温下也得从细处入手。

白术附子汤出自《金匮要略》，由白术、附子、炙甘草、生姜、大枣组成，具有祛风除湿之功，用治风湿相搏，身体疼烦之证。笔者沿袭门纯德先生的经验，用于脾肾阳虚诸症，认为白术附子汤具有温阳除湿之功，多用于腹胀、便溏或便结，带下色白、量多无味，下肢冷（痛）、易生冻疮等症。本案患者大便秘结，故首用白术附子汤时白术取生品，炒白术健脾燥湿，生白术燥性偏小、油脂含量高，兼有润肠之功。但白术补性大，祛湿力弱，故易口干口苦，若湿重自当加芳香化湿之品才可收功。

交泰丸证的核心病机为心火亢而肾水寒；核心主症为头面或上半身出火感、心烦、入睡困难，下肢冷或足冷，小便频数，舌红或暗红苔薄白或薄黄，脉沉寸大。

第十六节 自 汗

案 1. 自汗 - 红斑狼疮后自主神经功能紊乱 - 桂枝加黄芪汤

王某，女，41 岁，家庭妇女，连云港人。

初诊（2010 年 7 月 6 日）：患者以“汗出恶风半年”就诊。患者时时汗出、纳谷或动则尤甚，汗出恶风，畏寒喜暖，纳可，寐差。有系统性红斑狼疮病史。诊其舌暗红苔白灰，脉沉。此乃营卫不和证之证，法当调和营卫，方拟桂枝加黄芪汤。

处方：桂枝 12g，生白芍 12g，炙甘草 6g，生黄芪 12g，生姜 3 片，大枣 4 枚。水煎服，每日 1 剂，煎 2 次，每次煎 30min，共煎 400ml，分 2 次口服，7 剂。

二诊（7 月 13 日）：服药后汗出明显减少，恶风，畏寒喜暖，寐差，腹痛隐隐。诊其舌淡红苔白、已不灰，脉沉。此乃卫气渐固，湿阻脾虚，法当调和营卫，化湿健脾，方拟桂枝加黄芪汤加术。

处方：桂枝 12g，生白芍 12g，炙甘草 6g，生黄芪 12g，炒白术 15g，生姜 3 片，大枣 4 枚。水煎服，每日 1 剂，煎 2 次，每次煎 30min，共煎 400ml，分 2 次口服，7 剂。

三诊（7 月 20 日）：服药后汗出恶风进一步减少，畏寒喜暖感轻，夜寐转安，腹已不痛，又见眼干，脱发。诊其舌暗红苔白，脉沉细。此乃营卫已和，湿气已化，略有伤阴，法当继以调和营卫，兼以补肾，方拟桂枝加黄芪汤加味。

处方：桂枝 12g，生白芍 12g，炙甘草 6g，生黄芪 12g，菟丝子 18g，枸杞子 12g，生姜 3 片，大枣 4 枚。水煎服，每日 1 剂，煎 2 次，每次煎 30min，共煎 400ml，分 2 次口服，7 剂。

四诊(7 月 27 日):服药后汗出恶风基本消除,仍怕空调、喜暖,眼干轻,仍脱发。诊其舌暗红苔白,脉沉细。此乃营卫已和,肾得滋补,法当继以调和营卫,兼以补肾,继守前方巩固。

处方:桂枝 12g,生白芍 12g,炙甘草 6g,生黄芪 12g,菟丝子 18g,枸杞子 12g,生姜 3 片,大枣 4 枚。水煎服,每日 1 剂,煎 2 次,每次煎 30min,共煎 400ml,分 2 次口服,14 剂。

按:自汗是指由于阴阳失调、腠理不固而致白昼汗液外泄失常,动辄尤甚的一种病症。自汗貌似简单易治,实则不然,长期自汗又容易伤风感寒之体治疗尤为困难。本案患者为有系统性红斑狼疮病史之体虚不复者,汗出恶风,畏寒喜暖,为营卫不和,气虚表卫不固,故益气固表,调和营卫。桂枝加黄芪汤为益气固表、调和营卫之要方,因久病体虚,脾肾俱虚,但当前最苦之症是汗出恶风,故施治当以此为主线,其间出现腹痛绵绵加白术实脾,出现眼干、脱发则以菟丝子、枸杞子补肾而又不滋腻碍脾,以治脱发、眼干。

桂枝加黄芪汤出自《金匮要略》,由桂枝汤加黄芪组成,具有调和营卫,益气固表之力,用治黄汗、自汗、身痛、身重等症。本案患者时时自汗,汗出恶风,纳谷、活动则汗出,表卫不固益甚,故桂枝汤止汗之力显弱,宜桂枝汤加黄芪汤固卫实表。黄芪质疏、补而不滞,可用于表卫不固之自汗、气虚之水停等因虚致实之症。桂枝加黄芪汤证的核心病机为营卫不和,表卫不固;核心主症为时时自汗,动则汗出,汗出恶风,身重倦怠,舌淡红苔薄白,脉浮而无力或沉弱。

案 2. 自汗 - 更年期综合征 - 桂枝加龙骨牡蛎汤

杜某,女,53 岁,农民,甘肃人。

初诊(2009 年 7 月 6 日):患者以“汗出恶风 3 年”就诊。患者烘热汗出,汗出恶风,手足心热,夜寐不安,自觉从口、胃脘部、肛门进冷风,纳差,绝经 3 年,经常服附子理中丸。查其舌红苔白,脉弦。此为营卫不和,阴阳失调,法当调和营卫、调和阴阳,方拟桂枝加龙骨牡蛎汤。

处方:桂枝 12g,生白芍 12g,炙甘草 6g,生龙骨 30g,生牡蛎 30g,生姜 3 片,大枣 4 枚。水煎服,每日 1 剂,煎 2 次,每次煎 40min,共煎 400ml,分 2

次口服，7剂。

二诊（7月23日）：服药后烘热汗出、汗出恶风、手足心热、夜寐不安均减轻，汗出少，恶风轻，自觉从口、胃脘部、肛门进冷风改善，手臂部挽起袖子而不觉冷。查其舌淡红苔白，脉沉。此乃阳得通，阴得敛，营卫得和，故表和热去汗敛，其阳热亢之舌脉亦得缓解，方已中病，效不更法，仍守前方。

处方：桂枝12g，生白芍12g，炙甘草6g，生龙骨30g，生牡蛎30g，生姜3片，大枣4枚。水煎服，每日1剂，煎2次，每次煎40min，共煎400ml，分2次口服，7剂。

三诊（7月30日）：服药后汗出已愈，已不恶风，出冷气、潮热感也基本消除。查其舌淡红苔白，脉沉。此为营卫已调，阴阳调和，故不再拟方，嘱其适寒温，多吃豆制品，山药、莲子煮粥常吃以调养善后。

按：自汗是临床常见病症，汗出恶风多见于表虚不固，若兼有烘热则有虚热阳动之象，既不能单固表，也不能单滋阴降火。本患者平素阳虚气弱，见畏寒怕冷之象，又遇更年期脏躁，阴血不足，虚火上炎而见烘热，手足心热，夜寐不安，舌红脉弦之象，故法当调阴和阳，调和营卫，宜桂枝加龙骨牡蛎汤。

阴阳失调的临床表现各有不同，有发病即寒热错杂、阴虚夹有寒凝或阳虚兼有虚热者；有素体虚寒，又因各种因素（如过食辛辣、补剂、遇更年期）导致阴虚内热之阴阳失调或素体热甚，过用寒凉而致阴阳失调者。更年期女性，无论其体质如何，均会见到阴虚内热（或火旺）之象，素体虚寒者也会出现烘热汗出、身热喜凉，或者烘热汗出而又汗出恶风之既有热又有寒之象。本案患者即是素体虚寒恰遇绝经而见寒热错杂之症。此类寒热错杂也有偏寒偏热之别，烘热汗出、身热喜凉者则无需理会其素体虚寒，只需滋阴降火；若烘热汗出而又汗出恶风，畏寒喜暖者则以平调阴阳为法，且应偏重护阳，桂枝加龙骨牡蛎汤是不二选择。

桂枝加龙骨牡蛎汤出自《金匮要略》，由桂枝汤加龙骨、牡蛎而成，具有燮理阴阳、潜镇摄纳之功。桂枝加龙骨牡蛎汤证首先要具备桂枝汤证营卫不和的病理基础，又出现虚阳偏亢、兴奋之象，其中桂枝汤调和营卫，龙骨甘寒潜镇虚阳，牡蛎咸寒摄纳虚阳，以平抑阴阳失调、虚阳失敛之亢越诸象。

桂枝加龙骨牡蛎汤证的核心病机为阴阳失调，虚阳失敛；核心主症为自汗恶风，紧张激动时尤甚，惊悸失眠，或遗精早泄，舌淡红或暗红苔薄白，脉虚或沉。

案3. 自汗-自主神经功能紊乱-当归六黄汤

孙某，男，21岁，自由职业，连云港人。

初诊（2010年2月23日）：患者以“自汗1年”就诊。症见自汗出，以手足心、腋下出汗尤重，热则甚，皮肤有刺感，手足心热，纳可，寐安，便调，有乙肝“小三阳”病史。查其舌淡红苔薄白，脉弦滑。此乃阴虚火旺，邪热为盛，法当清热泻火，兼以敛汗，方拟当归六黄汤加减，虑熟地黄黏腻助热，故去之。

处方：生黄芪12g，黄芩15g，黄连6g，黄柏12g，生地黄18g，当归12g，煅牡蛎30g，浮小麦30g。水煎服，每日1剂，煎2次，每次煎30min，共煎400ml，分2次口服，7剂。

二诊（3月3日）：服药后汗出基本消除，停药后又见自汗，汗出时皮肤已无明显刺痛感，脱发，耳鸣。素嗜辣，食辣后则觉身热，纳可，寐安。查其舌淡红苔薄黄，脉弦。此乃热清汗敛之象，而热邪未尽，素嗜食辛辣壅结而成，法当清热泻火，滋阴降火，方拟当归六黄汤加减，在上方基础上将黄连、生地黄加量，嘱其戒辣。

处方：生黄芪12g，黄芩15g，黄连9g，黄柏12g，生地黄30g，当归12g，煅牡蛎30g，浮小麦30g。水煎服，每日1剂，煎2次，每次煎40min，共煎400ml，分2次口服，7剂。

三诊（3月12日）：服药后汗出止，停药后未见复发，皮肤亦无刺痛感，脱发减少，已不耳鸣，纳可，寐安。查其舌淡红苔薄白，脉弦。此乃肾中相火被清，热邪解、汗自敛之象，法当仍守前法，方拟当归六黄汤加减。

处方：生黄芪12g，黄芩15g，黄连9g，黄柏12g，生地黄30g，当归12g，煅牡蛎30g，浮小麦30g。水煎服，每日1剂，煎2次，每次煎40min，共煎400ml，分2次口服，7剂。

按：汗证乃因机体阴阳失调，营卫不和，腠理开阖失乖所致。自汗是指在清醒状态下汗出之象。本案患者汗出甚，以手足心、腋下为重，喜凉，热则汗出甚，手足心热，乃因嗜食辛辣，壅而化火，伤及阴分，但未见大便秘结、口臭胃热之象，而以阴虚火旺为甚，二诊又见脱发、耳鸣更为昭示，遂以当归六黄汤去熟地黄，加煅牡蛎、浮小麦固涩、敛汗而收功，脱发、耳鸣之阴虚证亦得到改善。

自汗分为虚证、实证，虚证多见表虚证、表卫不顾。实证多见实热证或湿热证。前面两例为虚证，本例为实证，以阳热亢盛为主，未见明显湿热互结之象，清泻实热的方剂有黄连解毒汤、当归六黄汤、龙胆泻肝汤等，三方各有侧重。黄连解毒汤证汗出伴有恶热不怕冷、汗出喜凉、贪凉等热证；当归六黄汤证属于阴虚火旺，虚中夹实、以实为主；龙胆泻肝汤证清热兼有利湿，虽然实热证、湿热证均在其治疗范围，但以热兼夹湿为最适宜病机，故当见汗出黏、小便短赤、大便黏滞不畅等表现。

当归六黄汤出自《兰室秘藏》，由当归、黄连、黄芩、黄柏、生地黄、熟地黄、生黄芪组成，具有滋阴降火、固表止汗之功，常用治盗汗，是固表止汗之良方，既滋阴降火，又虚实兼顾。冉雪峰认为："此方养阴清热实表，和气血，虚实兼顾""黄连、黄芩、黄柏又均清血，全方整个侧重血虚血热，是黄芪不过引诸药达表，以助成其止汗退热之目的。"本方不仅用于盗汗，亦用于自汗。笔者认为，阴血亏虚不甚之自汗盗汗者，宜去除熟地黄，防其滋腻，热甚者黄芪当减量或去除。

当归六黄汤证的核心病机为阴血亏虚，实火炽盛；核心主症为自汗或盗汗，身热喜凉，口渴喜饮，手足心烦热，舌红或暗红苔黄，脉洪或滑。

案 4. 自汗 - 自主神经功能紊乱 - 乌头桂枝汤

潘某，女，64 岁，退休工人，连云港人。

初诊（2010 年 5 月 18 日）：患者以"自汗 1 年"就诊。患者自汗，汗出如雨，遇热则汗出，遇冷身痛，思睡喜卧，倦怠乏力，纳可，寐安。诊其舌暗红苔薄白，舌有瘀点，脉沉弱。此乃气虚血瘀，法当益气活血，兼以止汗，方拟补阳还五汤合桂枝加龙骨牡蛎汤加浮小麦。

处方：生黄芪 18g，桂枝 12g，生白芍 12g，炙甘草 6g，桃仁 9g，红花 9g，当归 12g，川芎 6g，生龙骨 18g，生牡蛎 18g，浮小麦 18g，生姜 3 片，大枣 4 枚。水煎服，每日 1 剂，煎 2 次，每次煎 30min，共煎 400ml，分 2 次口服，7 剂。

二诊（6月1日）：服药后自汗如前，又出现急躁，躁则汗出，乏力减轻，仍多寐，醒来的瞬间则汗出，遇凉则身痛。诊其舌红苔黄，舌尖有瘀点，脉弦。此乃药有补气助阳、肝旺化热之象，法当和解少阳，调和营卫，方拟柴胡桂枝汤加生龙骨、生牡蛎。

处方：柴胡15g，黄芩12g，法半夏12g，党参12g，炙甘草6g，桂枝12g，生白芍12g，生龙骨30g，生牡蛎30g，生姜3片，大枣4枚。水煎服，每日1剂，煎2次，每次煎30min，共煎400ml，分2次口服，7剂。

三诊（6月8日）：药后汗出未减，急躁减轻，凉则身痛。诊其舌淡红苔薄黄，脉沉弱。此乃阳热肝亢得减，法当和解少阳，调和营卫，方拟柴胡桂枝汤加浮小麦。

处方：柴胡12g，黄芩12g，法半夏12g，党参12g，炙甘草6g，桂枝15g，生白芍15g，浮小麦30g，生姜3片，大枣4枚。水煎服，每日1剂，煎2次，每次煎30min，共煎400ml，分2次口服，7剂。

四诊（10月12日）：服药后汗出减少，停药数月。近来汗出如雨，大汗淋漓，畏寒喜暖，喜着厚衣被，纳差，嗳气，身痛。诊其舌淡红苔薄白，脉细。此乃阳虚不固，法当温阳固表，方拟乌头桂枝汤加祛湿之二术。

处方：制川乌6g（先煎），桂枝12g，生白芍12g，炙甘草6g，炒白术15g，苍术12g，蜂蜜50g，生姜3片，大枣4枚。先以水、蜜共煎川乌30min，再入余药煎30min，每日1剂，煎2次，共煎400ml，分2次口服，5剂。

五诊（10月27日）：药后汗出减少，畏寒减轻，每遇闷热或天热则汗出，纳佳，嗳气少，身痛轻，寐安，精神佳、已不喜卧。诊其舌淡红苔薄白，脉沉弱。此乃表阳得固，脾气得健，法当温阳固表、健脾，方拟乌头桂枝汤加白术。

处方：制川乌6g（蜜先煎），桂枝12g，生白芍12g，炙甘草6g，炒白术18g，蜂蜜50g，生姜3片，大枣4枚。先以水、蜜共煎川乌30min，再入余药煎30min，每日1剂，煎2次，共煎400ml，分2次口服，7剂。

六诊（11月9日）：药后汗出明显减少，停药后又反复，畏寒减轻，仍喜暖，纳佳。诊其舌淡红苔薄白，脉细。此乃阳气得助，表虚得固，法当燮理阴阳，调和营卫，方拟桂枝加龙骨牡蛎汤。

处方：桂枝12g，生白芍12g，炙甘草6g，生龙骨30g，生牡蛎30g，生姜3片，大枣4枚。水煎服，每日1剂，煎2次，每次煎30min，共煎400ml，分2

次口服,7剂。

七诊(11月23日):药后汗出基本消除,畏寒喜暖明显减轻,纳佳,寐安。诊其舌淡红苔薄白,脉弱。此乃阴阳调和,营卫调和,法当调和阴阳,方拟桂枝加龙骨牡蛎汤。

处方:桂枝15g,生白芍15g,炙甘草6g,生龙骨30g,生牡蛎30g,生姜3片,大枣4枚。水煎服,每日1剂,煎2次,每次煎30min,共煎400ml,分2次口服,7剂。

八诊(11月30日):药后汗已不出,热则易汗出,喜暖感觉减轻,全身不畏寒,关节怕冷。诊其舌淡红苔薄白,脉沉弱。此乃营卫调和,素体脾虚湿胜仍在,法当调和营卫,健脾利湿,考虑久病服药多有伤胃,不再拟方,嘱其常吃山药、薏苡仁,注意保暖,防止感冒。

按:汗证是因腠理开合失常,引起汗液外泄的病症,常见自汗、盗汗等。本病案患者为自汗,素体脾虚湿胜,因起居不慎导致自汗不止,甚至大汗淋漓,初诊见舌暗有瘀点,又见喜卧思睡,误认为气虚血瘀,拟益气活血,不仅不效反见肝亢之象,因烦躁、恶风见太少两感之象,拟和解少阳、调和营卫之法,与柴胡桂枝汤加龙骨牡蛎,疗效不尽如人意,遇夏天天热患者停药,秋天再度加重,畏寒甚,遂温补阳气,与乌头桂枝汤,因素有脾虚故加用二术护脾祛湿,数剂后自汗明显减少,畏寒减轻,遂改用燮理阴阳之桂枝加龙骨牡蛎汤善后而自汗愈。

本患者为素体脾虚,乃寒湿之体,因饮食、起居、药物不慎,或有化热,或有瘀滞,或有寒湿,但自汗总为阴阳失常、营卫失和,纠偏不可太过,病情稍有转机即应回归调和阴阳之本上,不可不测。要观其脉证,随证治之,辨证思路要灵活,方随法出,法随(病)机立。回顾治疗过程,本案乃营卫不和,阴阳失调,虚阳外越,虽夹有虚象、瘀象,但不宜补气、活血,虽遇热汗出,但又遇冷身痛、喜暖,病之根本是营卫不和,故予柴胡桂枝汤加龙牡疗效亦不理想,反见怕冷喜暖。《伤寒论》曰:“太阳病,发汗,遂漏不止……桂枝加附子汤主之。”表阳亏虚之自汗盗汗甚伴畏寒喜暖者则宜调和营卫、温阳固表,乌头桂枝汤之温阳之力强于桂枝加附子汤,药后自汗果然得到明显缓解。

乌头桂枝汤出自《金匮要略》:“寒疝腹中痛,逆冷,手足不仁,若身疼痛，灸刺诸药不能治，抵当乌头桂枝汤主之。”由桂枝汤加川乌组成，川乌散寒止痛之力强于附子，且要用制川乌，以蜂蜜 50g 加水先煎半小时以减少毒性。

桂枝加龙骨牡蛎汤和柴胡加龙骨牡蛎汤均可用于自汗、盗汗，二者的区别在于桂枝加龙骨牡蛎汤的汗出是遇事或醒来的瞬间汗出，汗出时先热、后恶风或畏寒喜暖，而柴胡加龙骨牡蛎汤之汗出是烦躁而汗出，身热、喜凉或不喜凉但无恶风喜暖。本案患者烦躁但恶风喜暖，故运用柴胡桂枝汤加龙骨、牡蛎后汗出减轻不明显，但烦躁明显减轻。针对汗出恶风又遇热则汗出，还有一首桂枝加龙骨牡蛎汤加减方最为适合，即二加龙骨牡蛎汤，出自《外台秘要》引《小品方》，即桂枝加龙骨牡蛎汤去桂枝加附子、白薇而成。

乌头桂枝汤证的核心病机为营卫不和，阳虚寒凝；核心主症为有汗或汗出，畏寒喜暖，身痛或腹痛，舌淡红苔薄白或白而水滑，脉沉或弱。

案 5. 自汗 - 自主神经功能紊乱 - 越鞠丸、拯阴理劳汤

刘某，女，70 岁，家庭妇女，连云港市人。

初诊（2011 年 11 月 22 日）：患者以“自汗、盗汗 1 年”就诊。患者自汗、盗汗，眼干涩痛，心悸胸闷，后背发凉，纳可寐差。有糖尿病病史、冠心病冠脉支架置入史。诊其舌淡红，苔薄白，脉缓。此乃阴阳失调，法当调和阴阳，方拟桂枝加龙骨牡蛎汤。

处方：桂枝 12g，生白芍 12g，炙甘草 6g，生龙骨 30g，生牡蛎 30g。水煎服，每日 1 剂，煎 2 次，每次煎 30min，共煎 400ml，分 2 次口服，7 剂。

二诊（11 月 29 日）：药后自汗加重，盗汗从凌晨 3:00 延迟至 5:00，汗出则身凉，凉则肢体疼痛，皮肤瘙痒，头晕，胃胀满，矢气频多，大便次多。诊其舌淡红，苔厚而干，脉沉。此乃湿郁化热，中州不畅，肺卫失宣，法当化湿清热，宣畅中焦，方拟越鞠丸合三仁汤加减。

处方：苍术 12g，栀子 12g，神曲 15g，香附 12g，杏仁 9g，白豆蔻 9g，生薏苡仁 30g，厚朴 12g，淡豆豉 12g，竹茹 12g，枳壳 18g。水煎服，每日 1 剂，煎 2 次，每次煎 30min，共煎 400ml，分 2 次口服，7 剂。

三诊（12 月 6 日）：药后自汗、盗汗减半，夜寐转安，紧张则汗出，后背凉减轻，胃胀减轻，便已调，不喜饮。诊其舌红苔白已不厚，脉沉弱。此乃湿

热得宣，气机渐畅，法当化湿宣脾，方拟守上方去杏仁、枳壳。

处方：苍术12g，栀子12g，神曲15g，香附12g，白豆蔻9g，生薏苡仁30g，厚朴12g，淡豆豉12g，竹茹12g。水煎服，每日1剂，煎2次，每次煎30min，共煎400ml，分2次口服，7剂。

四诊（12月17日）：服药后自汗、盗汗进一步减轻，情绪激动时则汗出，夜寐欠安，头晕，口干，眼干涩，后背凉，胃胀。诊其舌红苔白，脉缓。此乃湿热渐化，气阴两虚，法当益气养阴，方拟拯阴理劳汤加减。

处方：西洋参12g，麦冬18g，五味子9g，白术12g，当归12g，生薏苡仁18g，赤芍15g，牡丹皮12g，丹参15g，桂枝9g，藿香12g。水煎服，每日1剂，煎2次，每次煎30min，共煎400ml，分2次口服，7剂。

五诊（12月24日）：服药后自汗、盗汗未再出现，紧张、恼怒时亦未汗出，夜寐安，头晕、口干、眼干涩基本消除，后背凉、胃胀减轻。诊其舌红苔白，脉缓。此乃气阴得补，湿邪渐化，法当益气养阴，仍守上方并将藿香减量。

处方：西洋参12g，麦冬18g，五味子9g，白术12g，当归12g，生薏苡仁18g，赤芍15g，牡丹皮12g，丹参15g，桂枝9g，藿香9g。水煎服，每日1剂，煎2次，每次煎30min，共煎400ml，分2次口服，7剂。

按：汗证是不正常出汗，清醒而汗谓之自汗，入睡后汗出谓之盗汗。亦有自汗、盗汗并见之时。汗出之病机多为实热内蕴，或气虚不固，或阴虚火旺，亦有营卫不和等。年老久病之体往往虚实夹杂，寒热错杂，当详察细辨。

本病案患者自汗、盗汗，心悸胸闷，背恶寒，貌似营卫不和，阴阳不调，予桂枝加龙骨牡蛎汤未见轻而反重，胃胀、身凉，便泻苔厚，为龙骨、牡蛎重坠伤胃之故，临证时虽验舌见淡红舌薄白苔，但未能辨出其脾虚湿盛，服桂枝加龙骨牡蛎汤后则胃胀、下利（大便次数多、矢气多），苔白厚而干，当是介类重坠伤及脾阳，脾失建运、湿邪郁而化热，中焦枢机不利，气机运行失乖，肺卫失宣，以越鞠丸合三仁汤加减化湿清热运脾，数剂后自汗、盗汗大减，又见口干、头晕，眼干一直未减轻，为气阴两虚之证。气虚为脾气虚，脾不健运，阴虚为肝胃阴虚，当健脾益气，甘寒养阴，以拯阴理劳汤治之，自汗、盗汗痊愈，而诸症亦逐步消除。

越鞠丸出自《丹溪心法》，由香附、川芎、苍术、神曲、栀子组成。越鞠丸治六郁，但其适应证的核心病机是气郁，故本方突出解郁行气，兼清胸膈之积热，所治疗疾病范围十分广泛。拯阴理劳汤出自《医宗必读》，由人参、麦冬、五味子、当归、白芍、生地黄、龟甲、女贞子、薏苡仁、橘红、牡丹皮、莲子、百合、甘草组成，以养阴药为主，益气健脾药仅占少数，以滋阴、补益为主，故适应证以气阴两虚、偏于阴虚为主，与东垣清暑益气汤之以益气为主，兼以化湿生津不同。

越鞠丸证的核心病机为脾胃气郁，食浊化热，胸脘郁滞；核心主症为胸脘痞闷，心烦或失眠，口苦或口干，舌红或暗红苔白，脉弦或滑。拯阴理劳汤证的核心病机为肺肾阴亏，脾虚不健；核心主症为倦怠乏力，手足心热，口干喜饮或不喜饮，或眼干或皮肤干燥，舌红或暗红苔薄少，脉细或沉。

案 6. 自汗 - 焦虑症 - 黄连阿胶汤

商某，男，46 岁，干部，泰州市人。

初诊（2022 年 1 月 24 日）：患者以“躁热、自汗时作 3 年”就诊。患者 3 年来时时躁热、自汗，刺热心烦难耐，汗出如雨，以头面为甚，尤其在讲话时，豆大汗珠从头面滚下，苦不堪言，眼胀干涩，夜寐不安，凌晨 2:00—3:00 易醒、醒后入睡不沉，口疮频作、痛甚，口渴不喜饮，足冷，腹胀便溏，倦怠乏力，但讲话声音高亢。3 年来在本市、国内一线城市多家医院就医，中、西药均有尝试，如抗焦虑药、维生素类；中药鳖甲、玄参、生地黄滋阴清热；或龙胆草、苦参、黄柏清热利湿；或玉屏风加味益气固表，均未收效而成思想负担，特别惧怕开会讲话，躁热汗出难以控制。有高血压病史，血压居高不下，波动范围 160~175/90~110mmHg，口服两联降压药，血压难以回落。诊其舌红苔偏黄而黏、水滑，脉洪大。此乃阴虚火旺，症候复杂，寒热错杂，但阳热亢盛为主，法当滋阴降火，方拟黄连阿胶汤。

处方：黄连 9g，黄芩 12g，生白芍 18g，阿胶 6g（烊化）。水煎服，每日 1 剂，煎 2 次，每次煎 30min，共煎 400ml，分 2 次口服，5 剂。

二诊（1 月 29 日）：药后躁热、时时自汗减半，心烦程度明显减轻，刺热不适已不明显，讲话时或有不汗出时，夜寐转安，易醒时间推后至凌晨 4:00—5:00，口不渴，口疮彼伏此起，下午傍晚眼胀干涩不减，腹胀、便溏、咽喉不利，血压如前。诊其舌红苔根部偏黏、水滑，脉已不洪大，弦而有力。此乃心肝之火有消，肝热胃寒凸显，热有去而中阳寒显现，法当清热温中。方拟柴胡桂枝干姜汤化裁，恐干姜温性太过，以良姜易之，以肉桂易桂枝，合黄连阿胶汤、半夏厚朴汤之义。

处方：柴胡 12g，黄芩 12g，高良姜 6g，煅牡蛎 20g，肉桂 6g(后下)，黄连 6g，生白芍 18g，厚朴 6g，紫苏梗 12g，竹叶 10g。水煎服，每日 1 剂，煎 2 次，每次煎 30min，共煎 400ml，分 2 次口服，7 剂。

柴龙解郁丹 40 粒，每次 6g，每日 3 次。

三诊（2 月 8 日）：药后咽喉不利减轻，口疮已愈，足冷未减，自汗等余症未见进退。诊其舌红苔根部偏黏、水滑，脉已不洪大，弦而有力。此乃寒热错杂（上热下寒），法当清上温下，方拟乌梅丸加味。

处方：乌梅 15g，黄连 6g，黄柏 10g，细辛 3g，花椒 6g，当归 10g，干姜 6g，制附子 6g，肉桂 5g(后下)，桂枝 5g，人参 6g，防已 10g，茯苓 15g。水煎服，每日 1 剂，煎 2 次，每次煎 30min，共煎 400ml，分 2 次口服，5 剂。

四诊（2 月 18 日）：药后咽喉不利已无，眼胀减轻，腹胀、便溏、乏力已无，足冷减轻，口舌又生新疮，但溃烂面小、不痛，仍时作自汗但程度轻、伴见躁热，口不渴。诊其舌红苔微黄黏而水滑，脉弦有力，血压 140/85mmHg，此乃寒热错杂得调，仍寒热不调、虚阳上浮，法当滋阴涵阳，引火归原，方拟全真一气汤加味。

处方：制附子 6g，白术 15g，生地黄 15g，怀牛膝 12g，五味子 6g，肉桂 10g(后下)，石膏 30g，菊花 10g，茯苓 30g，生龙骨 30g，炙甘草 6g。水煎服，每日 1 剂，煎 2 次，每次煎 30min，共煎 400ml，分 2 次口服，7 剂。

五诊（2 月 25 日）：药后躁热、自汗如前，足冷减轻，口疮增多，眼胀加重，血压波动不大。诊其舌红苔微黄黏、水滑，脉弦有力。此乃寒热错杂（上热下寒）、以热为主，法当清上温下，以清为主，方拟乌梅丸加味，重用黄连，轻用肉桂、制附子。

处方：乌梅 20g，黄连 9g，黄柏 9g，细辛 3g，花椒 6g，当归 10g，干姜 3g，制附子 3g，肉桂 6g(后下)，生龙骨 30g，生牡蛎 30g。水煎服，每日 1 剂，煎 2 次，每次煎 30min，共煎 400ml，分 2 次口服，7 剂。

六诊（2 月 27 日）：药进 2 剂，躁热、自汗加重，开会讲话时尤甚，刺热心烦又见，夜寐不安、凌晨 3:00 后易醒，口疮、足冷如前，血压波动不大。诊其舌红苔微黄黏，脉洪大。此乃阴虚火旺为甚，服用助阳之品从阳化火，法当滋阴降火，方拟黄连阿胶汤。

处方：黄连 9g，黄芩 12g，生白芍 30g，阿胶 6g（烊化）。水煎服，每日 1 剂，煎 2 次，每次煎 30min，共煎 400ml，分 2 次口服，3 剂。

柴龙解郁丹 40 粒，每次 6g，每日 3 次。

七诊（3 月 1 日）：药后躁热、自汗大减，夜寐改善，已不易醒，眼胀减轻，余症如前。诊其舌红苔薄白，脉已不洪大。血压 130/75mmHg，在服厄贝沙坦氢氯噻嗪片。此乃阴虚火旺得减，未见夹有寒象，法当继守滋阴降火之法，仍守上方。

处方：黄连 9g，黄芩 12g，生白芍 30g，阿胶 6g（烊化）。水煎服，每日 1 剂，煎 2 次，每次煎 30min，共煎 400ml，分 2 次口服，7 剂。

柴龙解郁丹 40 粒，每次 6g，每日 3 次。

八诊（3 月 6 日）：药后躁热、自汗十去其九，其间因应酬饮白酒 8 两而未见影响，夜寐安，眼胀明显减轻，口疮消退，未见咽喉不利，不腹胀、便调，足已不冷，血压 130/75mmHg 左右，未见大幅波动。诊其舌红苔薄白，脉弦缓。此乃阴虚火旺明显减轻，未见夹有寒象，法当继守滋阴降火之法，方拟黄连阿胶汤加知母。

处方：黄连 9g，黄芩 12g，生白芍 30g，阿胶 6g（烊化），知母 10g。水煎服，每日 1 剂，煎 2 次，每次煎 30min，共煎 400ml，分 2 次口服，7 剂。

柴龙解郁丹 40 粒，每次 6g，每日 3 次。

九诊（3 月 11 日）：药后躁热、自汗已无，眼胀不明显，口疮仍发但数量少、创面小。诊其舌红苔薄白，脉弦缓，血压在 124/73mmHg 左右，仍只服一种降压药。此乃阴虚火旺得解，法当继守前法，方拟黄连阿胶汤加竹叶、栀子以清上焦之热，加生龙骨、肉桂以收纳虚火浮阳。

处方：黄连 9g，黄芩 12g，生白芍 30g，阿胶 10g（烊化），竹叶 12g，栀子 12g，生龙骨 30g，肉桂 2g（后下）。水煎服，每日 1 剂，煎 2 次，每次煎 30min，共煎 400ml，分 2 次口服，7 剂。

按：自汗是指因未用发汗药及气候炎热、衣被过厚、剧烈运动等而出现时时汗出不止的临床表现。本案患者自汗，汗出如雨，见躁热，失眠，眼胀，舌红脉洪大，血压升高，当属阴虚阳亢，足冷为上实下虚、上热下寒，服药过久，甘寒滋腻、苦寒直折损伤脾阳，见腹胀、便溏，倦怠乏力。因此，其病机应以阳热亢盛，阴虚火旺为主，治疗当滋阴降火，直平其亢阳。阴虚火旺之汗证，当归六黄汤为其正治，而兼躁热、失眠则黄连阿胶汤最为妥帖，5剂后自汗躁热减半。因兼有腹胀、便溏，倦怠乏力，口不渴、不喜饮之脾阳亏虚，改为调寒热错杂，与柴胡桂枝干姜汤高良姜易干姜，因不渴故去天花粉、甘草，加黄连、白芍（黄连阿胶汤之意），加厚朴、紫苏梗（半夏厚朴汤之意），除咽喉不利改善外未收寸功，遂改为乌梅丸清其热温其寒，及全真一气汤引火归原，先予之获效，躁热、自汗、腹胀、便溏、口疮有改善，后显现助火太甚，阳热亢甚又见，遂回归当初之法，滋阴降火，予黄连阿胶汤原方，重用白芍，2剂而诸症大减，守方数剂而告愈。事后推演，倘一直沿用黄连阿胶法如何，会提前痊愈否？未必。因首次服黄连阿胶汤腹胀便溏、眼胀、咽喉不利未见改善，而经乌梅丸、全真一气后再与黄连阿胶汤，腹胀便溏、咽喉不利未见反复，可见中阳亏虚存在，助其中阳有利于促进其清火，只因口疮缠绵难愈，而口疮创面大反而不红不痛意为虚火上炎，故欲守乌梅丸以清上温下，虽连、柏量大，姜、附、椒量小，仍助火明显，可见阴虚火旺、阳热亢甚始终是本，贯穿始终，不可不测。本案患者血压较高，服用两联降压药效不理想，随着躁热汗出得到控制，阴虚火旺得以平息而血压也随之降至正常。

《伤寒论》云："心中烦，不得卧，黄连阿胶汤主之。"经典已指明黄连阿胶汤治疗失眠伴夜间发烦之证。本案笔者以其治疗躁热自汗而大获全胜，此乃因抓住核心病机，故无问何病，均可投之。

第十七节　盗　汗

案1. 盗汗-自主神经功能紊乱-桂枝剂、甘草附子汤

谌某，女，44岁，个体创业者，贵州人。

初诊（2009年4月16日）：患者以"自汗、盗汗10年，加重3年"就诊。患者自汗、盗汗甚，逐年加重，伤风受凉后盗汗尤甚，夜间需换2~3次衬衣，头皮湿透，夏天汗出少，近3年加重，天冷则汗出增多、冬天不能出户，倦怠乏力，畏寒喜暖，短气，纳可，寐安。查其舌淡红苔白，脉沉。此为营卫不和，腠理不固，法当调和营卫，固表止汗。方拟桂枝加黄芪汤。

处方：生黄芪 12g，桂枝 12g，生白芍 12g，炙甘草 6g，生姜 3 片，大枣 4 枚。水煎服，每日 1 剂，煎 2 次，每次煎 30min，共煎 400ml，分 2 次口服，7 剂。

二诊（4 月 23 日）：服药后已不自汗，前半夜已不盗汗出，后半夜汗出减少，受寒后四肢水肿，疼痛，恶风。查其舌淡红苔白，脉沉。此乃营卫不和，寒湿留滞，前方奏效，守方继进，佐加祛风胜湿止痛之品。

处方：生黄芪 12g，桂枝 12g，生白芍 12g，炙甘草 6g，生姜 3 片，大枣 4 枚，防风 12g，威灵仙 12g。水煎服，每日 1 剂，煎 2 次，每次煎 30min，共煎 400ml，分 2 次口服，7 剂。

三诊（4 月 30 日）：服药后受凉则四肢水肿、疼痛之症消除，盗汗见于晨 4:00—5:00，感觉身体发凉时随即汗出如雨，受凉后盗汗多，畏寒喜暖，形寒肢冷。查其舌暗红苔白，脉细。此乃阳虚漏汗并表卫不和，法当调和营卫，温阳疏表，方拟桂枝加附子汤，与麻黄附子细辛汤交替服用。

处方：

1 号方：制附子 9g（先煎），桂枝 12g，生白芍 12g，炙甘草 6g，生姜 3 片，大枣 4 枚。4 剂。

2 号方：麻黄 6g，制附子 12g（先煎），细辛 3g。3 剂。

1 号方、2 号方交替轮服，水煎服，每日 1 剂，煎 2 次，每次煎 30min，共煎 400ml，分 2 次口服。

四诊（5 月 9 日）：服药后盗汗如前，受凉后盗汗甚，纳食则汗，畏寒喜暖，形寒肢冷，纳可。查其舌淡红苔白，脉细。此乃阳虚不固，寒湿浸渍，法当温阳益气，散寒除湿。方拟防己黄芪汤，与附子汤交替服用。

处方：

1 号方：防己 12g，生黄芪 18g，白术 12g，炙甘草 6g，生姜 3 片，大枣 4 枚。4 剂。

2 号方：制附子 9g（先煎），红参 9g，炒白术 15g，茯苓 12g，生白芍 12g。3 剂。

1 号方、2 号方交替轮服，水煎服，每日 1 剂，煎 2 次，每次煎 30min，共煎 400ml，分 2 次口服。

五诊（5 月 16 日）：服药后盗汗见于后半夜，多集中在凌晨 4:00—5:00，汗出程度改善，畏寒喜暖、形寒肢冷减轻，气温上升、季节变暖时盗汗会减轻，短气、倦怠亦减轻，纳可。查其舌红苔白黏，脉沉细。此乃阳虚得补，寒湿渐去，凌晨盗汗乃营卫不和，卫气发越而致，法当调和营卫，燮理阴阳，镇摄浮阳，方拟桂枝加龙骨牡蛎汤。

处方：桂枝 12g，生白芍 12g，炙甘草 6g，生龙骨 30g，生牡蛎 30g，生姜 3 片，大枣 4 枚。水煎服，每日 1 剂，煎 2 次，每次煎 30min，共煎 400ml，分 2 次口服，7 剂。

六诊（5 月 23 日）：服药后有一个晚上见身暖，不畏寒，不需电热毯等保暖仍很舒适，昨日夜间受凉后，又畏寒甚，盗汗多，腰痛怕凉，纳可。查其舌红苔白黏，脉沉。此乃营卫渐和、阴阳渐调，仍以阳虚为本，法当温补脾肾，兼顾调和阴阳，方拟甘草附子汤，与桂枝加龙骨牡蛎汤交替服用。

处方：

1 号方：炙甘草 6g，制附子 9g（先煎），炒白术 15g，桂枝 12g。3 剂。

2 号方：桂枝 12g，生白芍 12g，炙甘草 6g，生龙骨 30g，生牡蛎 30g，生姜 3 片，大枣 4 枚。4 剂。

1 号方、2 号方交替轮服，水煎服，每日 1 剂，煎 2 次，每次煎 30min，共煎 400ml，分 2 次口服。

七诊（6 月 1 日）：服药后腰痛怕凉除，盗汗减轻，偶有一晚不盗汗，仍畏寒，喜盖衣被，得衣被后则舒，四肢水肿减轻，纳可，便调。查其舌红苔黄，脉沉弱。此乃阳气渐复，阴阳渐调，湿气未尽复又有化热之象，法当温阳调营卫，又兼顾补肾化气，方拟桂枝加附子汤，同时加服金匮肾气丸。

处方：桂枝 12g，生白芍 12g，炙甘草 6g，制附子 9g（先煎），生姜 3 片，大枣 4 枚。水煎服，每日 1 剂，煎 400ml，分 2 次口服，7 剂。

金匮肾气丸 200 粒 ×1 瓶，每次 8 粒，每日 3 次。

八诊（6 月 8 日）：服药后盗汗减轻，夜里只换一次衬衣，或有不盗汗时，仍畏寒喜着衣被，穿衣多，四肢水肿，静坐阴冷房间即水肿。查其舌红苔黄，脉沉弱。此乃阳气渐复，营卫渐调，而湿气不解，法当继守前法，方拟桂枝加附子汤加防己，金匮肾气丸继服。

处方：桂枝 12g，生白芍 12g，炙甘草 6g，制附子 6g，防己 12g，生姜 3 片，大枣 4 枚。水煎服，每日 1 剂，煎 2 次，每次煎 30min，共煎 400ml，分 2 次口服，7 剂。

金匮肾气丸，每次 8 粒，每日 3 次。

九诊（6 月 15 日）：服药后盗汗明显减轻，衣被减，畏寒水肿轻，近两日因降温后再受凉又见畏寒盗汗，下肢水肿。查其舌淡红苔黄白而干，脉沉。

此乃阳气渐复,而仍肾气不固,法当继守前法,仍投前方。

处方:桂枝12g,生白芍12g,炙甘草6g,制附子6g,防己12g,生姜3片,大枣4枚。水煎服,每日1剂,煎2次,每次煎30min,共煎400ml,分2次口服,7剂。

金匮肾气丸,每次8粒,每日3次。

十诊(6月23日):服药后盗汗明显减轻,夜里已不需换衬衣,畏寒水肿减轻,仍喜暖。查其舌淡红苔白根黄,脉沉。此乃阳气渐复之象,营卫渐调,而固摄不足,法当调和营卫,益气固涩,方拟桂枝加黄芪汤加金樱子,金匮肾气丸继服。

处方:生黄芪12g,桂枝12g,生白芍12g,炙甘草6g,金樱子12g,生姜3片,大枣4枚。水煎服,每日1剂,煎2次,每次煎30min,共煎400ml,分2次口服,7剂。

金匮肾气丸,每次8粒,每日3次。

五倍子70g,每次取10g,研末醋调敷肚脐,每日1次。

十一诊(7月1日):服药后盗汗未再出现,畏寒水肿基本消除,仍喜暖,纳可,寐安,易疲劳。查其舌淡红苔白,脉沉。此乃阳气已复,营卫已调,法当继守前法,方拟桂枝加黄芪汤加樱子,金匮肾气丸继服。

处方:生黄芪12g,桂枝12g,生白芍12g,炙甘草6g,金樱子12g,生姜3片,大枣4枚。水煎服,每日1剂,煎2次,每次煎30min,共煎400ml,分2次口服,7剂。

金匮肾气丸,每次8粒,每日3次。

五倍子70g,每次取10g,研末醋调敷肚脐,每日1次。

1周后患者家属前来告知,再未盗汗,因不愿再服中药而未再巩固。

按:盗汗是指寐中汗出,醒来自止。朱震亨(号丹溪)在《丹溪心法·盗汗》中论述道:“盗汗属血虚、阴虚”。这种观点一直被中医界普遍接受,张景岳在《景岳全书·汗证》中也阐述为自汗属阳虚,盗汗属阴虚,但是他同时认为:“自汗、盗汗亦各有阴阳之证,不得谓自汗必属阳虚,盗汗必属阴虚也。”景岳所言极是,本证盗汗如浴,夜里多次被汗水渍醒而更换衣服,头发亦被湿透,而畏寒喜暖,喜着衣被,受凉则甚,故宜温阳为要,与麻黄附子细辛汤、附子汤、甘草附子汤温阳补虚,而汗总为卫气司主,多汗又必耗伤津液，因此，以桂枝剂调和营卫，补卫敛营，根据症情或黄芪桂枝汤，或桂枝加龙骨牡蛎汤，或桂枝加附子汤。汗出有所缓解，又见阴冷则水肿，舌白黄黏为有湿气，施以防己黄芪汤，或桂枝汤加辛温祛湿之品，汗出减少后又见舌转红且伴水肿，有阴阳两虚偏于阳虚之证、肾之气化不利之证，故以肾气丸阴中求阳、阴阳双补并以丸药缓图，治本又当治标，在正渐复、邪不甚时加金樱子内服，五倍子外用敛汗而终获佳效。金樱子、五倍子之收敛是否在增效？看似发挥作用，是否不用也能收效不得而知，只因难治，想尽快取胜而运用该二药。

从临证中看，本案患者病机为表阳虚（汗出恶风）兼里阳虚（畏寒喜暖、喜着衣被），有太少两感之象，但给予麻黄附子细辛汤后盗汗未减，可见，汗出仍当慎用麻黄剂。桂枝加黄芪汤可固表实卫，但不能解决里阳亏虚之证，故虽服用有效也不能守方，桂枝加龙骨牡蛎汤敛汗力强，但有咸寒之牡蛎，久服里阳益亏，亦不能久服，桂枝加附子汤可以兼顾表里之阳，但仍然偏于走表，故收效平平。遂改变思路以温补脾肾之阳，与附子汤、甘草附子汤则畏寒喜暖、盗汗均有所控制，待里阳得回后继调和营卫，兼以温阳化湿而汗出逐渐平息，诸症得到改善。服用甘草附子汤后，患者盗汗、水肿减轻，本该继续守方，因见到舌转红苔见黄而担心化热，故改弦更张，回顾来看似有不妥，若继守该方则无需改用防己黄芪汤。

桂枝加附子汤出自《伤寒论》，由桂枝汤加附子组成，具有调和营卫、温阳固表之功，桂枝加附子汤常用于阳虚、营卫不和之汗出诸症，有良好的疗效。桂枝加附子汤证的核心病机为营卫不和，表阳亏虚；核心主症为自汗盗汗，汗出恶风，畏寒喜暖或喜着衣被，或见身痛，不渴不喜饮，舌淡红苔薄白，脉浮或沉弱。

甘草附子汤出自《伤寒论》，由甘草、附子、白术、桂枝组成，主治风湿相搏，骨节烦疼之汗出恶风、身体水肿等症。甘草附子汤证的核心病机为表里阳虚，风湿在表；核心主症为汗出恶风，身痛水肿，喜着衣被，舌淡红苔薄白水滑，脉沉。

案 2. 盗汗 - 更年期综合征 - 黄连阿胶汤

杜某，女，57 岁，无职业，连云港人。

初诊（2010 年 7 月 10 日）：患者以“盗汗 2 年”就诊。患者近 2 年盗汗自汗，烘热汗出，冬天亦然，夜寐不安，已绝经2年。诊其舌淡红苔薄少，脉沉。此乃阴虚火旺之证，法当滋阴清热为主，兼以敛汗，方拟百合地黄汤合牡蛎散加减。

处方：百合30g，生地黄30g，牡丹皮12g，煅牡蛎30g，浮小麦30g，黄柏12g，知母12g。水煎服，每日1剂，煎2次，每次煎30min，共煎400ml，分2次口服，7剂。

二诊（10月16日）：服药后诸症如前，心烦喜凉，夜不能寐。诊其舌淡红苔薄少，脉沉。此乃心火偏旺为主，而非阴虚为主，法当清热泻火，方拟黄连阿胶汤。

处方：黄连9g，黄芩15g，生白芍18g，阿胶10g（烊化），鸡子黄1枚（冲）。水煎服，每日1剂，煎2次，每次煎30min，共煎400ml，烊化阿胶，冲入鸡子黄，分2次口服，7剂。

三诊（12月4日）：药后盗汗自汗，烘热汗出减轻，夜寐较安，入眠佳，易醒次数减少、醒时缩短，心已不烦，仍喜凉，停药后诸症又反复。诊其舌淡红苔白，脉弱。此乃心火得清，症情好转，法当滋阴泻火，方拟黄连阿胶汤。

处方：黄连9g，黄芩15g，生白芍18g，阿胶10g（烊化），鸡子黄1枚（冲）。水煎服，每日1剂，煎2次，每次煎30min，共煎400ml，烊化阿胶，冲入鸡子黄，分2次口服，7剂。

四诊（12月11日）：药后入睡佳，醒后即刻入睡，不自汗，潮热盗汗减轻，胃中灼热，喜凉，纳可。诊其舌淡红苔薄白，脉细。此乃心火得清，胃火未降，法当清心火、降胃火，方拟黄连阿胶汤合清胃散加减。

处方：黄连9g，黄芩15g，生白芍15g，阿胶9g（烊化），鸡子黄1枚（冲），生石膏30g，牡丹皮12g，煅牡蛎30g。水煎服，每日1剂，煎2次，每次煎30min，共煎400ml，烊化阿胶，冲入鸡子黄，分2次口服，7剂。

五诊（12月18日）：药后夜寐已安，胃中灼热、喜凉已无，潮热汗出未作，纳可。诊其舌淡红苔薄白，脉细。此乃火得清，血得凉，阴得滋，病已向愈，嘱其服天王补心丸善后。

按：盗汗是指寐中汗出，醒来自止，自汗是指清醒常态下汗出。本案患者既有自汗也有盗汗，而以盗汗为主。经云：阴虚盗汗，阳虚自汗。本案患者见盗汗自汗，烘热汗出，夜寐不安，为心肾阴虚，相火妄动，当滋阴降火，兼以敛汗，更年期见潮热汗出多以阴虚内热为主，淡红舌、舌苔薄少，脉沉似阴虚之象，遂以百合地黄汤合牡蛎散加减治之而未果。进一步问诊知其身热喜凉明显，乃心火偏亢为主，遂改为清心火力强之黄连阿胶汤取效。而症状又反复，见胃中灼热、喜凉之象，遂加生石膏清热、牡丹皮凉血而诸症悉除，病已向愈，故以天王补心丸善后。

本案的启示是盗汗（含自汗）伴潮热当分清阴虚内热还是阴虚火旺，阴虚内热以阴亏为主，阴虚火旺则突出火旺，前者以虚证为主，后者以实证为主，治疗前者以滋阴兼清热，后者以泻火兼护阴，有较大区别。辨证时需厘清二者之侧重，本案患者因为舌脉俱见虚象，又于绝经后伴发而辨为阴虚内热，因百合地黄汤未收寸功遂改为滋阴降火之法。因此，临证时要动态辨证，思路灵活，不可拘泥呆板，从舌脉而言，黄连阿胶汤证也未必就定见红舌、滑大脉。黄连阿胶汤药性苦寒，易伤中阳，本案患者初见薄白苔，服用黄连阿胶汤后虽未见纳差、腹胀，但舌苔增厚，还是有伤阳之虞，故取效后不可久服。

第十八节 郁　病

案．郁病－抑郁症－四逆散

寇某，男，39岁，教师，连云港人。

初诊（2009年11月10日）：患者以“情绪低落伴失眠2年”就诊。患者长期闷闷不乐，对外界事物缺乏兴趣，性格内向，入睡困难，烦躁不宁，倦怠懒动，心悸，头重胀而痛，纳可，二便调。查其舌淡红苔薄白，脉沉弦。西医诊断为抑郁症、紧张性头痛。此为郁病，肝郁气结，法当疏肝解郁，方拟柴胡疏肝散加夜交藤。

处方：柴胡15g，生白芍12g，枳壳18g，炙甘草6g，香附12g，川芎6g，陈皮12g，夜交藤15g。水煎服，每日1剂，煎2次，每次煎30min，共煎400ml，分2次口服，7剂。

二诊（11月17日）：服药后情绪低落、头痛失眠减轻，烦躁、心悸改善，仍倦怠乏力。查其舌红苔根白，脉弦。此乃肝郁气滞有减，效不更方，继守前法，方拟柴胡疏肝散加味。

处方：柴胡 15g，生白芍 12g，枳壳 18g，炙甘草 6g，香附 12g，川芎 6g，陈皮 12g，夜交藤 15g。水煎服，每日 1 剂，煎 2 次，每次煎 30min，共煎 400ml，分 2 次口服，7 剂。

三诊（11 月 24 日）：服药后夜寐安，情绪佳，仍有头痛，坐卧不安，心中不宁，胸闷心悸。查其舌红苔黄白，脉弦。此乃肝郁虽疏，但已有肝郁夹痰，扰动心神之象。《经》云：肝欲散，急食辛以散之，用辛补之。法当疏肝理气，化痰平肝，方拟四逆散加辛散之白芷、藁本，化痰平肝之天麻、石菖蒲。

处方：柴胡 12g，生白芍 15g，枳壳 18g，炙甘草 6g，白芷 12g，天麻 12g，石菖蒲 9g，藁本 9g，川芎 9g。水煎服，每日 1 剂，煎 2 次，每次煎 30min，共煎 400ml，分 2 次口服，7 剂。

四诊（12 月 3 日）：服药后情绪低落、失眠、烦躁不安、胸闷心悸诸症已消除，头痛基本不显，纳可，便调。查其舌淡红苔薄白，脉细。此乃肝亢扰心得解，舌已不红，苔已薄白，法当继守疏肝理气，化痰平肝，方拟前方巩固疗效。

处方：柴胡 12g，生白芍 15g，枳壳 18g，炙甘草 6g，白芷 12g，天麻 12g，石菖蒲 9g，藁本 9g，川芎 9g。水煎服，每日 1 剂，煎 2 次，每次煎 30min，共煎 400ml，分 2 次口服，7 剂。

按：郁病是临床常见情志疾病之一，症见情绪低落，或见烦躁不宁，多有失眠难寐。本案患者见情绪低落，无欲少趣，倦怠懒动，入睡困难，烦躁不宁，心悸，头重发胀，为肝气不疏，情志失畅，病机并不复杂，予柴胡疏肝散加减后情志畅达而获效，然柴胡疏肝散中的香附、陈皮属辛燥之品，易化燥伤阴而引致肝亢，肝热扰动心神又见坐卧不安、胸闷心悸、头痛等，舌红苔微黄，遂还原至四逆散加化痰息风平肝之天麻、石菖蒲，及辛散之白芷、藁本、川芎而诸症消除。临证再次验证《内经》所云："肝欲散，急食辛以散之，用辛补之"之理。四逆散出自《伤寒论》，由柴胡、白芍、枳壳、甘草组成，主治阳郁厥逆诸症。四逆散证的核心病机为肝郁气滞，阳郁不达；核心主症为情绪不畅，胸胁胀满，手足不温，或腹痛或头痛，舌淡红或红、苔白或薄白，脉弦或细。

第十九节 惊恐症

案1. 惊恐症-焦虑症-柴胡疏肝散

陈某,女,57岁,公务员,连云港市人。

初诊(2009年10月27日):患者以“心神不宁,心烦易怒6个月”就诊。患者因心事不遂,出现心神不宁,心烦易怒,五心烦热,自觉手足心出火感,手足不温,夜寐不安、易醒,口干喜饮,头晕健忘,食纳尚可,二便自调,已绝经5年。查其舌红苔薄白,脉弦。此为肝气郁结,气郁化火,法当疏肝理气,降火安神,方拟柴胡疏肝散加减。

处方:柴胡15g,生白芍30g,枳壳18g,炙甘草3g,香附12g,川芎6g,知母12g,郁金18g,百合30g,远志9g,夜交藤15g。水煎服,每日1剂,煎2次,每次煎30min,共煎400ml,分2次口服,7剂。

二诊(11月3日):服药后手足心冒火感已除,心烦易怒大减,夜寐转安,口干喜饮、头晕健忘明显减轻,仍多梦,胸脘满闷,善太息,手足不温。查其舌淡红苔薄白,脉弦。此乃肝气郁结得疏,郁火渐消,神志得安,热象已解,舌质亦转淡红,仍有气滞夹痰,故宜疏肝理气,豁痰开郁,方拟柴胡疏肝散加味。

处方:柴胡12g,生白芍15g,枳壳18g,炙甘草6g,香附15g,川芎6g,陈皮12g,全瓜蒌18g。水煎服,每日1剂,煎2次,每次煎30min,共煎400ml,分2次口服,7剂。

三诊(2010年4月20日):服药后患者五心烦热未再出现,夜寐安,梦少,心烦易怒、胸脘痞满、善太息、头晕消除,仍手足不温,健忘。查其舌淡红苔薄白,脉细。此乃气郁痰结得解,病已得解,不再拟方,嘱其戒怒,戒辛辣。

按:惊恐症(焦虑症)多由情志不遂,气机郁滞而致,或见烦躁不宁,或见紧张不安,胸闷不畅。本案患者伴见五心烦热,夜寐不安,口干喜饮一派阴虚火旺之象,细测症见心烦易怒,苔薄白,脉弦,应属肝郁气滞,肝郁化火,故应疏肝理气,兼以清热,而施以疏肝理气,兼以养心(阴)安神。因火旺故去辛燥之陈皮,重用生白芍滋补肝阴、柔肝解郁,加郁金疏肝理气、清热除烦、清心安神,知母、百合之滋阴清热而诸症大减。二诊又见气郁痰结之症，故守原方加全瓜蒌豁痰开郁而诸症悉除。本案患者虽阴虚火旺之象明显，而治以疏肝理气为主，此为“见痰休治痰，见血休治血”之理，乃审证求因，治病求本之意。

柴胡疏肝散出自《医学统旨》，由四逆散加香附、川芎、陈皮而成，具有疏肝理气、活血止痛之功。疏肝理气之品多为辛燥之品，如香附、佛手、木香、青皮等，肝火甚时不宜运用。寒凉者仅有川楝子、郁金、柴胡、枳壳等，适合于肝火偏盛。郁金行气解郁，清心凉血，在本案中加入最为妥帖，其疏肝行气之力强、解心烦易怒之力优于其余三味，又兼凉血清心，对五心烦热、夜寐不安亦为正治。柴胡疏肝散理气之力强于逍遥散与四逆散，适合于肝郁气滞甚者，或兼肝郁化火之症者。

柴胡疏肝散证的核心病机为肝郁气滞，气机不畅；核心主症为心烦易怒，手足不温，自觉身热或胸胁胀痛，舌淡红或红，苔薄白或薄黄，脉弦有力。

案 2. 惊恐症 - 焦虑症 - 黄连温胆汤、归脾汤

胡某，男，59 岁，工人，连云港人。

初诊（2011 年 2 月 17 日）：患者“心神不宁 6 个月”就诊。患者因操心太过，出现心神不宁，惊恐、紧张不安，入睡困难，夜间仅能寐 1 小时，纳差，便调。诊其舌红苔黄厚，脉滑，诊为焦虑症。此乃惊恐症，痰热内扰，法当清热化痰，解郁安神，方拟黄连温胆汤加郁金等。

处方：黄连 9g，法半夏 15g，陈皮 12g，茯苓 15g，枳实 18g，竹茹 12g，胆南星 9g，合欢皮 12g，郁金 30g。水煎服，每日 1 剂，煎 2 次，每次煎 30min，共煎 400ml，分 2 次口服，7 剂。

二诊（2 月 24 日）：服用 2 剂后心烦意乱、紧张不安即减轻，惊恐等明显减轻，但仍夜寐不安，不服艾司唑仑只能寐 1 小时，多汗、动则尤甚，畏寒喜暖，纳差，便调。诊其舌淡红苔白厚，脉弦硬有力。此乃痰热得化，苦寒伤气，心脾两虚，法当化痰安神，方拟温胆汤去枳实合归脾汤加减。

处方：法半夏 18g，陈皮 15g，茯苓 18g，炙甘草 6g，竹茹 12g，党参 12g，炒白术 15g，炒枣仁 30g，远志 9g，合欢皮 12g，浮小麦 30g。水煎服，每日 1 剂，煎 2 次，每次煎 30min，共煎 400ml，分 2 次口服，7 剂。

三诊（3 月 3 日）：服药后心神不宁、紧张不安明显减轻，惊恐已不明显，夜寐转安，未服艾司唑仑能寐 5 小时，已不汗出，畏寒喜暖减轻，食欲增，便

调。诊其舌淡红苔白，脉弦。此乃痰得化，气得补，唯心脾两虚之象明显，法当健脾安神，方拟归脾汤加减。

处方：党参12g，炒白术15g，茯苓18g，炙甘草6g，木香9g，远志9g，炒枣仁30g，合欢皮12g。水煎服，每日1剂，煎2次，每次煎30min，共煎400ml，分2次口服，7剂。

四诊（3月10日）：服药后心神不宁、紧张不安基本消除，已不惊恐，夜寐安，畏寒喜暖轻，食纳佳，便调。诊其舌淡红苔薄白，脉弦。此乃痰已化，虚得补，法当健脾安神，继守前方。

处方：党参12g，炒白术15g，茯苓18g，炙甘草6g，木香9g，远志9g，炒枣仁30g，合欢皮12g。水煎服，每日1剂，煎2次，每次煎30min，共煎400ml，分2次口服，7剂。

按：焦虑症又称焦虑性神经症，以广泛和持续性焦虑或反复发作的惊恐不安为主要特征。常伴有头晕、心悸、胸闷、呼吸急促、口干、出汗，及肌肉紧张等。中医无焦虑症之名，当属中医情志病范畴，与“郁证”“惊证”“恐证”等相关，笔者认为应称为“惊恐症”（具体内容参见《医论发微》中的《从肝论治焦虑症之我见》一文）。《素问·举痛论》云：“惊则心无所依，神无所归，虑无所定”，与肝郁、生痰、心虚有关。初诊见舌红苔黄，脉滑，诊为痰热内扰，当清热化痰，解郁安神，方拟黄连温胆汤加郁金、合欢皮，心神不宁、紧张不安明显减轻而失眠未减，且舌淡红苔白厚，脉弦硬有力，又见畏寒喜暖，为黄连量偏大，特别是郁金量大苦寒伤气，易致心脾两虚，遂改为温胆汤去枳实合归脾汤加减，化痰健脾养心，症情进一步改善，痰气郁结渐化，后期痰浊去，唯留心脾两虚之象，仅以归脾汤健脾养心而收功。

归脾汤出自《济生方》，由人参、白术、茯苓、甘草、黄芪、当归、龙眼肉、远志、木香、炒枣仁组成，加生姜、大枣，具有健脾养心之功，用治心脾两虚或脾不统血诸症。归脾汤仅适合于纯虚证，有夹热夹湿夹郁等时应用极容易导致患者上火，见身热喜凉、口渴、失眠、口疮或粉刺等症状，不可不防。其中，龙眼肉和大枣容易上火，黄芪、木香也容易化燥助火，故在本案患者痰浊尚未清解时合用归脾汤并进行了化裁，后期虚象明显时亦担心其助火，故去黄芪、当归、龙眼肉。

归脾汤证的核心病机为脾失建运，心血亏虚；核心主症为心悸，失眠，乏力,舌淡红苔薄白或白,脉沉或细。

案3. 惊恐症-焦虑症-柴龙解郁汤

唐某,女,40岁,工人,连云港市人。

初诊(2011年8月23日):患者以“心神不宁3年”就诊。患者心神不安,紧张焦虑,头痛头重,口苦咽干,咽塞如梗、吐之不出,多梦。诊其舌淡红苔白厚,脉弦。诊为焦虑症。此乃肝郁肝亢,法当解郁平亢,方拟柴龙解郁汤。

处方:柴胡15g,黄芩12g,法半夏15g,党参12g,炙甘草6g,生龙骨30g,生牡蛎30g,珍珠母30g。水煎服,每日1剂,煎2次,每次煎30min,共煎400ml,分2次口服,7剂。

二诊(9月1日):服药后心神不安、紧张、焦虑明显减轻,仍咽塞,多梦,晨起口苦。诊其舌淡红苔白,脉弦。此乃肝郁肝亢得减,法当继守解郁平亢,仍守上方。

处方:柴胡15g,黄芩12g,法半夏15g,党参12g,炙甘草6g,生龙骨30g,生牡蛎30g,珍珠母30g。水煎服,每日1剂,煎2次,每次煎30min,共煎400ml,分2次口服,7剂。

三诊(9月8日):服药后心神不安、紧张、焦虑、咽塞基本消除,停药后因心事不遂诸症又作,多梦、多思善虑、紧张、易怒、面部出火感,口唇发红,口干口苦,便调。诊其舌红苔薄黄,脉弦。患者病机有变,此乃阴虚火旺为主,法当滋阴降火,方拟黄连阿胶汤加郁金。

处方:黄连6g,黄芩12g,生白芍18g,阿胶9g(烊化),鸡子黄1枚(冲),郁金18g。水煎服,每日1剂,煎2次,每次煎30min,共煎400ml,分2次口服,7剂。

四诊(9月15日):服药后心神不安、紧张、焦虑、咽塞未作,易怒、面部出火感、口唇发红、口干口苦消除。诊其舌淡,苔薄白,脉弦细。此乃阴虚火旺已降,苦寒之品不可过剂,法当以中成药柴龙解郁丹以善其后。

按:焦虑症包括广泛性焦虑和惊恐发作,中医无此病名,归属于“郁证”“惊悸”等范畴,笔者认为当属“惊恐症”,与肝、脾、心、肾关系密切,主要责之于肝,以肝气郁结、气郁痰阻为主。

本案患者心神不宁、紧张、咽塞如窒,失眠多梦,属惊恐症,症情所见以肝郁肝亢为主,予柴龙解郁汤后症状得到显著改善。后因心事不遂而肝火引动心火，见口干口苦、舌红苔黄，当滋阴降火，黄连阿胶汤主之，加郁金清心除烦、解郁清火。苦寒之剂多败胃，故效则止剂。

柴龙解郁汤是笔者的自拟方(具体内容详见自拟方部分)，已开发为院内制剂，临床辨证后多直接开具成药给予患者。因本案患者症状重而改为汤剂。

案 4. 惊恐症 - 恐惧症 - 桂枝加龙骨牡蛎汤

罗某，男，56 岁，广告策划，连云港人。

初诊(2011 年 2 月 10 日)：患者以“紧张不安伴惊恐噩梦 30 年，再发 1 周”就诊。患者紧张不安如捕状，惊恐噩梦，担心发生不良事件，失眠，甚则彻夜难寐，急躁易怒，畏寒喜暖，双腿发冷，纳佳。诊其舌暗紫苔薄白，脉沉。此乃阴阳失调之证，法当调和阴阳，方拟桂枝加龙骨牡蛎汤。

处方：桂枝 12g，生白芍 12g，炙甘草 6g，生龙骨 30g，生牡蛎 30g，生姜 3 片，大枣 4 枚。水煎服，每日 1 剂，煎 2 次，每次煎 30min，共煎 400ml，分 2 次口服，7 剂。

二诊(2 月 17 日)：服药后紧张不安、惊悸、担心恐惧事件发生、急躁易怒等症十去其八，白天已如常，夜间独处时仍恐惧，夜寐转安，仍畏寒喜暖，双腿发冷。诊其舌暗红苔薄白，脉沉。此乃阴阳已调和，仍肾阳亏虚，法当调和阴阳，兼以温补肾阳，方拟桂枝加龙骨牡蛎汤加附子、肉桂。

处方：桂枝 12g，生白芍 12g，炙甘草 6g，生龙骨 30g，生牡蛎 30g，制附子 9g，肉桂 6g(后下)，生姜 3 片，大枣 6 枚。水煎服，每日 1 剂，煎 2 次，每次煎 30min，共煎 400ml，分 2 次口服，7 剂。

三诊(2 月 24 日)：服药后紧张不安、担心发生不良事件、惊悸、急躁易怒等症基本消除，夜间起夜后仍会联想曾经发生的负面事件，夜寐安，畏寒喜暖、双腿发冷改善。诊其舌暗红苔薄白，脉沉。此乃阴阳调和，肾阳仍亏，法当调和阴阳，兼以温阳安神，方拟桂枝加龙骨牡蛎汤加肉桂、远志。

处方：桂枝 12g，生白芍 12g，炙甘草 6g，生龙骨 30g，生牡蛎 30g，远志 9g，肉桂 6g(后下)，生姜 3 片，大枣 10 枚。水煎服，每日 1 剂，煎 2 次，每次煎 30min，共煎 400ml，分 2 次口服，7 剂。

随访 4 个月，诸症未发。

按：恐惧症临床表现为内心有一种说不出的紧张、恐惧和难以忍受的不适感，伴有烦躁不安及睡眠障碍。恐惧症与焦虑症均属于中医惊恐症范畴，《内经》云肾“在志为恐”，肾虚则恐惧不安，与心、肝、肾关系密切。本病案患者恐惧、紧张、经常幻想恐惧的负面情景，失眠甚，双腿发冷，为阴阳不调，心肾不交，肾阳亏虚，当先调和阴阳，交通心肾，后温补肾阳。桂枝加龙骨牡蛎汤为调阴和阳之良方，药进数剂即恐惧、紧张、失眠大减，后在原方基础上加温补肾阳之附子、肉桂，而后畏寒喜暖、下肢不温改善。患者不喜服药，还未完全缓解即停药，后随访4个月未发。

恐惧症有虚有实，以虚证偏多，以心胆气虚、心脾两虚、肾气亏虚等为多见，亦有阴阳失调，心肾不交者，本案即是。恐惧症有肝阳偏亢者，有虚阳亢越者，同是阳亢但一实一虚，前者以柴胡加龙骨牡蛎汤或者笔者自拟方柴龙解郁汤为宜，后者以桂枝加龙骨牡蛎汤为宜。前者未必有热证但有阳亢证如心烦、遇事恼怒，大便干或口干口苦喜饮，无畏寒喜暖感，后者则有遇紧张或激动则汗出，汗出后则恶风，或畏寒喜暖等虚阳偏亢之象。柴胡加龙骨牡蛎汤是小柴胡汤去甘草加龙骨、牡蛎、肉桂、大黄、茯苓，柴龙解郁汤是小柴胡汤加龙骨、牡蛎、珍珠母，是在苦寒药占半数的基础上去潜阳，桂枝加龙骨牡蛎汤是在温补的基础上去潜阳，所以，其寒热虚实自成两个阵营，在临床中需当细辨，不可误用。

第二十节 脏　躁

案．脏躁－更年期综合征－甘麦大枣汤

朱某，女，56岁，农民，连云港市人。

初诊（2011年5月10日）：患者以“潮热汗出3个月”就诊。患者潮热汗出，热甚心烦，夜间盗汗，口干口苦，食欲不振，情绪低落，手足发冷，喜悲伤欲哭，夜寐安。诊其舌淡红苔薄白，脉沉。此乃心脾两虚，法当养心安神，方拟甘麦大枣汤加减。

处方：浮小麦30g，炙甘草9g，大枣30g，生牡蛎18g，砂仁9g（后下），白术12g。水煎服，每日1剂，煎2次，每次煎30min，共煎400ml，分2次口服，7剂。

二诊（5月17日）：服药后口干、口苦消除，食欲大增，潮热汗出仅见于凌晨四时，盗汗明显减少，已不喜哭，腰中寒冷，夜寐安。诊其舌淡红苔薄

白，脉沉。此乃脾气得健，心神得安，寒湿困滞显现，法当补益心脾，温化寒湿，方拟甘麦大枣汤合肾着汤加减。

处方：浮小麦30g，炙甘草9g，大枣30g，干姜6g，茯苓15g，白术12g，生牡蛎18g。水煎服，每日1剂，煎2次，每次煎30min，共煎400ml，分2次口服，7剂。

三诊（12月4日）：药后潮热汗出消除，盗汗未作，食欲增，纳佳，口已不干不苦，寐安，腰仍冷痛，舌淡红苔薄白，脉沉。此乃脏躁得愈，现以腰痛为主，乃寒湿困脾，法当温化寒湿，方拟肾着汤。

处方：炙甘草6g，干姜9g，茯苓30g，白术15g。水煎服，每日1剂，煎2次，每次煎30min，共煎400ml，分2次口服，7剂。

四诊（12月11日）：药后腰冷痛显著改善，潮热汗出，口干口苦未见反复，舌淡红苔薄白，脉沉。此乃寒湿得化，法当继以温化寒湿，恐有化燥之嫌，原方减半以巩固。

处方：炙甘草3g，干姜3g，茯苓15g，白术9g。水煎服，每日1剂，煎2次，每次煎30min，共煎400ml，分2次口服，7剂。

按：凡妇人精神忧郁，情志烦乱，喜悲伤欲哭，谓之脏躁。从临床看，脏躁总属心脾两虚，化源不足，脏阴亏虚，精血不足，五志之火内动，扰动心神，故亦可见到潮热汗出、心烦、夜寐不安等症。有两首方剂适用于心脾两虚证，一首是归脾汤，一首是甘麦大枣汤。归脾汤补益力强，善治心脾两虚之心悸、失眠、乏力，或脾不统血之各类出血，甘麦大枣汤补益力逊于归脾汤，但益精血之力强，善治血不养心之脏躁，见哈欠频作、喜悲伤欲哭、心烦、盗汗等，应根据辨证所见而区别运用。

本案患者见潮热盗汗，心烦，情绪低落，喜悲伤欲哭，食欲不振，舌淡红苔薄白，脉沉，为脏躁心脾两虚之证，以甘麦大枣汤为主加敛汗宁神之牡蛎，健脾之白术、砂仁，数剂诸症悉除。后又见腰冷痛，结合舌脉当属寒湿困脾，在甘麦大枣汤中加肾着汤，后予肾着汤而腰冷痛大减。脏躁（更年期综合征）总属阴虚内热，因素体寒热之不同而应对有别。素体内热或者非虚寒体质，更年期多见（阴虚）火旺或阴虚（内热），偏实偏虚及内热程度上有差别。火旺为主者可予以黄连阿胶汤等，阴虚为主者可予以百合地黄汤等。素体虚寒者更年期亦见阴虚内热，只是程度轻，或寒热错杂，故治疗时滋阴清热不可重剂过剂，待潮热汗出之热证得解后方可应对虚寒之躯。本案患者虽见潮热汗出、心烦，但手足不温、食欲不振、舌淡红苔薄白、脉沉，属心脾亏虚之症，则宜补益心脾，予甘麦大枣汤，而未施百合地黄汤养阴清热，属于小众之证。

甘麦大枣汤出自《金匮要略》妇人篇，由炙甘草、淮小麦、大枣组成，用治“妇人脏躁，喜悲伤欲哭，象如神灵所作，数欠伸”，三药甘润平补，养心安神，和中润燥，为治心脾两虚之脏躁的良方。若见自汗、盗汗明显者，以浮小麦易淮小麦加牡蛎为佳；若汗出少，应使用淮小麦，因淮小麦养心之力优于浮小麦；若阴虚内热明显可以合百合地黄汤。

甘麦大枣汤证的核心病机为心阴血不足，脾气亏虚，血不养心；核心主症为哈欠频作（懒倦少神之意），喜悲伤欲哭，心烦或失眠或自汗、盗汗，舌淡红苔薄白，脉细或沉。

肾着汤又名甘姜苓术汤，出自《金匮要略》，由甘草、干姜、茯苓、白术组成。肾着汤证的核心病机为寒湿困脾，浸渍肌肉；核心主症为腰酸腰痛，身重辗转不利，遇湿冷尤甚，舌淡红苔白或薄白水润，脉沉。

第二十一节 狂 证

案．狂证-阿尔茨海默病伴精神分裂-黄连温胆汤

李某，男，86岁，离休干部，连云港人。

初诊（2011年2月12日）：患者以“狂躁、胡言伴幻觉3个月”就诊。患者患有阿尔茨海默病3年，近事遗忘，生活不能自理，多疑。近3个月因心事不遂而出现狂躁，打人骂人，胡言，幻觉，纳差，寐安，小便不利，大便干结。查头颅CT未见明显异常，诊其舌红苔薄白，脉滑有力。此乃痰热扰神之证，法当清热化痰，方拟黄连温胆汤加味。

处方：黄连9g，法半夏15g，陈皮12g，茯苓15g，枳实18g，竹茹15g，胆南星9g，郁金30g。水煎服，每日1剂，煎2次，每次煎30min，共煎400ml，分2次口服，7剂。

二诊（2月24日）：服药后狂躁胡言、幻觉明显好转，注意力、记忆力、反应力改善，大便通畅。诊其舌红苔薄白，脉滑。此乃痰得清，热得化，法当继以清热化痰，方拟黄连温胆汤加味。

处方：黄连 9g，法半夏 15g，陈皮 12g，茯苓 15g，枳实 18g，竹茹 15g，胆南星 9g，郁金 30g，石菖蒲 9g。水煎服，每日 1 剂，煎 2 次，每次煎 30min，共煎 400ml，分 2 次口服，7 剂。

三诊（3 月 4 日）：服药后狂躁胡言再未发作，偶有幻觉，已能和人正常交流，生活自理。诊其舌红苔薄白，脉弦。此乃痰热已清，法当继以清热化痰，方拟黄连温胆汤加味，然不可攻伐过度，故郁金、石菖蒲减量，以巩固疗效。

处方：黄连 9g，法半夏 15g，陈皮 12g，茯苓 15g，枳实 18g，竹茹 15g，胆南星 9g，郁金 18g，石菖蒲 6g。水煎服，每日 1 剂，煎 2 次，每次煎 30min，共煎 400ml，分 2 次口服，7 剂。

按：狂病以精神亢奋、狂躁不安、喧扰不宁等为特征，本病初期多以邪实为主，因火郁、痰壅、瘀热等所致，治当理气解郁，豁痰泻火，活血通窍。本案患者属阿尔茨海默病伴发精神分裂，因老年感情不遂而诱发，气郁化火成痰，痰热扰神，神明失乖而狂躁、胡言、幻觉，舌红、脉滑有力为痰热之象，苔薄白为化热不深，数剂取效也为佐证，证属痰热扰神，故予清热化痰之黄连温胆汤加味，加郁金、石菖蒲加强化痰清心之力。老年人胃气多虚，攻伐不宜过剂，郁金 30g 已经属于大剂，待取效后减至 18g。

本案病情较重，加之患者年事已高，初诊时看似复杂，实则病机简单，以痰热扰神入手，予黄连温胆汤后很快取效。本案患者舌苔不厚，痰浊不甚，而舌红属心火偏亢，故重用黄连、郁金、胆南星泻心火。

第二十二节 健 忘

案 1. 健忘 - 阿尔茨海默病 - 麦味地黄汤、知柏地黄汤

陈某，女，63 岁，自由职业者，连云港市人。

初诊（2011 年 11 月 17 日）：患者以“健忘 3 年”就诊。3 年来近事遗忘、逐年加重，思睡、打盹，夜寐不安，易怒怕热，头胀耳鸣，口干口苦，纳可便调。诊其舌淡红苔薄白，脉沉。此乃肝肾阴虚，肝阳亢逆，法当滋补肝肾，平肝降逆，方拟麦味地黄汤加味。

处方：生地黄 30g，山茱萸 18g，生山药 12g，茯苓 12g，泽泻 15g，牡丹

皮12g，五味子9g，麦冬18g，石斛15g，桑椹子18g，磁石30g(先煎)，菊花12g，石菖蒲6g，钩藤15g(后下)。水煎服，每日1剂，煎2次，每次煎30min，共煎400ml，分2次口服，7剂。

二诊（11月24日）：服药后健忘改善，头脑清醒，口干口苦消除，夜寐转安，仍耳鸣。诊其舌红苔薄白，脉沉缓。此乃肝肾得补，肝阳得平，法当继以滋补肝肾，酌以潜降，方拟守上方去石菖蒲、钩藤。

处方：生地黄30g，山茱萸18g，生山药12g，茯苓12g，泽泻15g，牡丹皮12g，五味子9g，麦冬18g，石斛15g，桑椹子18g，磁石30g(先煎)，菊花12g。水煎服，每日1剂，煎2次，每次煎30min，共煎400ml，分2次口服，7剂。

三诊（12月1日）：服药后怕热、健忘改善明显，夜寐佳，仍耳鸣。诊其舌红苔薄白，脉沉。此乃肝肾不足，阴虚火旺，法当滋阴兼以降火，仍守上方稍事加减，去桑椹子加知母。

处方：生地黄30g，山茱萸18g，生山药12g，茯苓12g，泽泻15g，牡丹皮12g，五味子9g，麦冬18g，石斛15g，磁石30g(先煎)，菊花12g，知母12g。水煎服，每日1剂，煎2次，每次煎30min，共煎400ml，分2次口服，7剂。

四诊（12月8日）：服药后健忘明显改善，遗忘之事多能回想起来，耳鸣减轻，仍怕热，汗出。诊其舌红苔薄白，脉沉弱。此乃肝肾之阴渐补，而君相之火仍旺，法当滋阴清火，方拟知柏地黄汤加黄连等。

处方：生地黄30g，山茱萸18g，生山药12g，茯苓12g，泽泻15g，牡丹皮12g，知母12g，黄柏12g，黄连9g，石斛15g，磁石30g(先煎)，菊花12g。水煎服，每日1剂，煎2次，每次煎30min，共煎400ml，分2次口服，7剂。

五诊（12月20日）：服药后健忘基本消除，头昏感消除，近事基本不忘，忘记亦能忆起，怕热消除，耳鸣明显减轻，仍性急。诊其舌淡红，苔薄白，脉沉弱。此乃肝肾得补，君相之火得清，仍有肝亢之趋势，当继守上法，拟继守上方去菊花，加郁金。

处方：生地黄30g，山茱萸18g，生山药12g，茯苓12g，泽泻15g，牡丹皮12g，知母12g，黄柏12g，黄连9g，石斛15g，磁石30g(先煎)，郁金15g。水煎服，每日1剂，煎2次，每次煎30min，共煎400ml，分2次口服，7剂。

按：健忘又称“喜忘”“善忘”，是遇事容易忘记的一种病症，多与心、脾、肾亏虚，或与痰、瘀阻滞有关。本病案患者近事遗忘，夜寐不安，白天思睡，易怒恶热，为阴虚阳亢，兼有痰阻，宜滋补肝肾，平肝降逆，以麦味地黄汤加息风之品治之，健忘减轻而怕热、耳鸣明显，当以知柏地黄汤加息风之品，或加黄连，或加郁金，补肝肾兼清君相之火，健忘、不寐、怕热等诸症渐消。

健忘为脑髓亏虚之症，脑为髓海，老年之健忘总与肝肾精亏有关，当补肾填精，故加用石斛、桑椹子等，兼阴虚火旺者加知母、黄柏，肝亢者加磁石、钩藤、石菖蒲等，心火旺者加黄连、郁金等，总之当随证加减，以法治之。

麦味地黄汤出自《疡科心得集》，由六味地黄汤加麦冬、五味子而成。麦味地黄汤证的核心病机为肾阴亏虚，肺金失润；麦味地黄汤的核心症状为腰酸耳鸣，手足心热，口干气短，舌红或暗红苔薄白或白，脉沉或细。知柏地黄汤出自《医宗金鉴》，由六味地黄汤加知母、黄柏而成。知柏地黄汤证核心病机为肾阴亏虚，相火妄动；核心主症为夜间身热盗汗或五心烦热，腰酸耳鸣，小便短赤，舌红或暗红苔薄白，脉沉或细数。上述两张地黄剂虽然不专治健忘，然其病机符合肝肾不足，阴虚内热，故在其方上加减补益平肝、泻热之品而收效甚佳。

案 2. 健忘 - 普拉德 - 威利综合征 - 犀角地黄汤

杨某，女，15 岁，学生，连云港市人。

初诊（2019 年 5 月 10 日）：患者以“思睡、健忘 2 年”就诊。患者因记忆力差，学习成绩差，体重偏重，身材矮小于北京某三甲医院被诊断为普拉德 - 威利综合征。患者身高 1.45m，体重 67kg，臀部过度肥大，体重指数 31.9kg/m^2，思睡、健忘，皮肤瘙痒，食纳旺盛，大便干结，烦躁易怒，情绪冲动，夜间身热喜凉，夜寐不安。诊得舌红苔薄少而干，脉细。头颅磁共振未见明显异常。此乃健忘，属阴虚血热，法当滋阴凉血，方拟犀角地黄汤。

处方：水牛角 15g（先煎），生地黄 15g，赤芍 12g，牡丹皮 12g，知母 10g，玄参 15g，紫草 10g，麦冬 15g，大黄 5g（后下），郁金 12g，石菖蒲 6g。水煎服，每日 1 剂，煎 2 次，每次煎 30min，共煎 400ml，分 2 次口服，7 剂。

二诊（5 月 17 日）：服药后患者思睡明显改善，健忘减轻，夜寐转安，夜间身热改善，皮肤瘙痒大减。诊得舌红苔薄白，脉细软。此乃热得泻、阴得滋，法当继以滋阴凉血，效不更方，上方去石菖蒲加石斛，水牛角增量。

处方：水牛角 20g（先煎），生地黄 15g，赤芍 12g，牡丹皮 12g，知母 10g，玄参 15g，紫草 10g，麦冬 15g，大黄 5g(后下)，郁金 12g，石斛 12g。水煎服，每日 1 剂，煎 2 次，每次煎 30min，共煎 400ml，分 2 次口服，14 剂。

三诊(5 月 31 日)：服药后患者皮肤瘙痒基本消除。白天已不思睡，近事已不遗忘，身热减轻，体重不减，仍食纳旺盛，服药后出现腹痛、泄泻，舌红苔薄白而干，脉细软。此乃内热进一步减轻、清热凉血伤及中阳，法当继以滋阴凉血，效不更方，仍守上方去紫草，酌减寒凉药味之量，加白术、炒麦芽护中。

处方：水牛角 12g(先煎)，生地黄 12g，赤芍 10g，牡丹皮 6g，知母 6g，玄参 10g，麦冬 12g，生白术 10g，炒麦芽 15g。水煎服，每日 1 剂，煎 2 次，每次煎 30min，共煎 400ml，分 2 次口服，14 剂。

四诊(6 月 13 日)：近事遗忘反复，走神，反应迟钝，思睡，出现幻觉，纳旺，便调，体重未减。诊得舌红苔薄白，脉细。此乃表里俱热，法当通泻表里，方拟防风通圣散加减。

处方：防风 6g，大黄 4g(后下)，芒硝 3g(后下)，连翘 10g，栀子 8g，石膏 15g，当归 8g，薄荷 3g，麻黄 6g，赤芍 12g，黄芩 8g，灵芝 15g，郁金 10g，石菖蒲 3g。水煎服，每日 1 剂，煎 2 次，每次煎 30min，共煎 400ml，分 2 次口服，7 剂。

五诊(6 月 19 日)：服药后诸症如前，思睡，反应缓慢，生活和学习不能正常自理，纳旺，身热喜冷，喜冷饮。诊得舌鲜红苔薄白而少偏干，脉细。此乃解表辛温之品伤津助热，气阴两虚，法当养阴益气，方拟拯阴理劳汤。

处方：人参 6g，麦冬 15g，生白芍 12g，当归 10g，生地黄 12g，女贞子 10g，牡丹皮 10g，莲子 10g，百合 20g，石菖蒲 6g，黄连 4g，茯苓 10g，郁金 8g，麝香 0.1g(冲)。水煎服，每日 1 剂，煎 2 次，每次煎 30min，共煎 400ml，分 2 次口服，7 剂。

六诊(8 月 19 日)：服药后思睡、反应缓慢已无，生活和学习能正常自理，疲劳乏力感消失，学习困难未再出现，纳旺善饥，身热喜凉，多汗。诊得舌鲜红苔薄少而干，脉细有力。睡眠脑电图未见异常。此乃气阴亏虚得补，而阴虚血热为盛，法当滋阴降火，方拟清瘟败毒饮加减。

处方：石膏 30g，知母 10g，牡丹皮 10g，生地黄 15g，黄连 6g，郁金 12g，生牡蛎 15g，玄参 15g。水煎服，每日 1 剂，煎 2 次，每次煎 30min，共煎 400ml，分 2 次口服，14 剂。

七诊(9 月 7 日)：服药后记忆力、注意力佳，仍身热喜凉，饥饿，1 周体重增长 2kg,急躁易怒。诊得舌红苔薄白而黏,脉细有力。此乃肝郁化火,法当解郁清火,方拟丹栀逍遥散加郁金、玄参、黄连。

处方:柴胡 15g,生白芍 15g,当归 12g,炒白术 12g,茯苓 12g,牡丹皮 12g,栀子 12g,郁金 15g,玄参 15g,黄连 6g。水煎服,每日 1 剂,煎 2 次,每次煎 30min,共煎 400ml,分 2 次口服,14 剂。

八诊(9 月 21 日):患者皮肤瘙痒,起红色丘疹,抓之益甚,易怒,饥饿,多食。诊得舌红薄白,脉细。此乃血热所致肝火偏旺而非肝郁化火,法当滋阴凉血,方拟犀角地黄汤加减。

处方:水牛角 30g(先煎),生地黄 20g,生白芍 15g,牡丹皮 12g,蝉蜕 6g,紫草 10g,知母 10g,天花粉 6g,桑叶 10g,玄参 12g。水煎服,每日 1 剂,煎 2 次,每次煎 30min,共煎 400ml,分 2 次口服,16 剂。

九诊(10 月 18 日):服药后皮肤瘙痒已除,注意力、作业完成情况均良好,易与同学发生口角,食欲旺明显减轻。大便每日 3~4 次,体重下降 1kg,急躁易怒未见。诊得舌尖红苔薄白润,脉细。此乃阴得滋、血热得清,证候当属阴虚血热,法当滋阴凉血,效不更方。因大便泄泻故上方去生地黄、天花粉,水牛角减量,桑叶易紫草,加莲子、灵芝、茯苓、石菖蒲安神益智。

处方:水牛角 15g(先煎),生白芍 15g,牡丹皮 12g,蝉蜕 6g,黄连 6g,知母 10g,莲子 10g,灵芝 15g,桑叶 10g,茯苓 12g,石菖蒲 6g。水煎服,每日 1 剂,煎 2 次,每次煎 30min,共煎 400ml,分 2 次口服,14 剂。

十诊(11 月 11 日):服药后皮肤瘙痒未再作,急躁易怒未见,情绪佳,注意力欠集中,作业完成情况良好,食欲明显控制,大便每日 1~2 次。体重未增未减,诊得舌红苔薄白润,脉细。此乃症情改善,证候未变,法当继守前法,上方去蝉蜕、桑叶,加蜜远志。

处方:水牛角 15g(先煎),生白芍 18g,牡丹皮 12g,黄连 6g,知母 10g,莲子 10g,灵芝 15g,茯苓 12g,石菖蒲 6g,蜜远志 10g。水煎服,每日 1 剂,水煎 400ml,分早晚温服,14 剂。

十一诊(11 月 23 日):服药后记忆力、注意力佳,学习成绩良好,英语考试成绩 86 分,急躁易怒偶作,食欲能自我控制,体重增加 1kg 至 69kg,仍身热喜凉。诊得舌红苔薄白水润,脉细,证候未变,治法方药如前,上方水牛角加大剂量,加郁金。

处方:水牛角 30g(先煎),生白芍 18g,牡丹皮 12g,黄连 6g,知母 12g,莲子

10g，灵芝15g，茯苓12g，石菖蒲9g，蜜远志10g，郁金15g。水煎服，每日1剂，水煎400ml，分早晚温服，14剂。

十二诊（12月7日）：服药后记忆力、注意力佳，学习成绩良好，仍身热喜凉，急躁易怒偶作，食欲能自我控制，体重未增减。诊得舌偏红苔薄白而黏，脉沉滑有力，效不更方，上方去远志，加柴胡疏肝解郁。

处方：水牛角30g（先煎），生白芍18g，牡丹皮12g，黄连6g，知母12g，莲子8g，灵芝15g，茯苓12g，石菖蒲10g，郁金15g，柴胡12g。水煎服，每日1剂，水煎400ml，分早晚温服，4剂。

十三诊（2020年1月4日）：服药后诸症稳定，食欲控制能力强，记忆力、注意力佳，头皮瘙痒，夜寐安，身热，便干，舌偏红苔薄白，脉沉略滑，仍守上方，因大便已干结故恢复生地黄运用。

处方：水牛角20g（先煎），生白芍18g，牡丹皮12g，黄连6g，知母12g，灵芝15g，茯苓12g，石菖蒲8g，郁金15g，生地黄12g。水煎服，每日1剂，水煎400ml，分早晚温服，14剂。

十四诊（1月21日）：药后学习认真程度及记忆力、注意力均有所改善，年终考试成绩进步，食欲控制好，体重未增长，近来减轻1kg，身热减轻，无手足心热及喜凉，头皮未见瘙痒，大便成形、日1~2次。诊得舌鲜红苔薄白而少、水润，脉沉细、寸大。此乃血热得到明显改善，法当继守滋阴凉血之法，去寒凉之水牛角。

处方：白芍20g，牡丹皮12g，黄连6g，知母12g，灵芝15g，茯苓12g，石菖蒲6g，郁金15g，生地黄12g。水煎服，每日1剂，水煎400ml，分早晚温服，14剂。

按：健忘是指记忆减退，遇事易忘的一种病证，记忆力减退程度有轻有重，严重记忆力减退则可以归属于痴呆范畴。本案患者被诊断为普拉德-威利综合征，是一种罕见的遗传性疾病。新生儿期主要特征为严重肌张力低下、喂养困难、外生殖器发育不良；婴幼儿期表现为食欲亢进、肥胖、学习障碍及脾气暴躁，饮食控制、生长激素等治疗有助于改善预后。普拉德-威利综合征的主要特点是持续的饥饿感，通常从2岁左右开始出现，由于没有吃饱的感觉（食欲过盛），普拉德-威利综合征患者因不停地进食而导致很难控制体重，因此很多并发症是由肥胖所引起。本案患者除记忆力差，注意力不集中、学习困难、成绩差外，还表现为烦躁易怒，情绪冲动，食欲旺盛，体重肥胖，思睡多寐，身热喜凉，皮肤瘙痒，舌红苔薄白，脉沉细，当属阴虚血热，予犀角地黄汤凉血清热，诸症悉减，而中途因症情变化改用防风通圣散、丹栀逍遥散、清瘟败毒散等效果均不理想，予拯阴理劳汤刻下症状改善明显，但身热贪凉、烦躁易怒终究不可太过补益。患者虽纳旺，但舌苔一直不厚不腻不黄，大便秘结但不耐受寒凉之清泻，故中焦偏虚，在运用犀角地黄汤滋阴凉血时常常受到限制，大便日数行时则要减少水牛角的剂量，或者减(去)生地黄来调节清泻的分量，这也是运用清瘟败毒饮效果欠佳之因，表明其病机为热毒不盛而以血热为主。患者还出现皮肤瘙痒，故随症加用紫草、蝉蜕、桑叶之类，加用清心泻火之黄连、郁金对改善健忘及烦躁易怒、提高注意力作用显著。灵芝补气安神、石菖蒲化痰开窍均可适应于健忘，加茯苓、莲子则安神益智又可护脾。经过8个多月的治疗，患者各种症状都得到明显的改善和控制。3年后随访，其学习、生活、体重均尚正常。

犀角临床不用，通常以水牛角替代，疗效尚满意，但用量宜大，煎药时应增加水量。现代药理研究表明，水牛角的有效成分至少需要煎煮3个小时才能溶出。笔者在临证中只强调后下，不强调先煎，先煎中药有效成分溶出量不显著，反而增加了患者煎药的繁琐程度，使患者的依从性降低，而对水牛角则不然，先不先煎影响药效明显，必须先煎。

犀角地黄汤出自《外台秘要》，由犀角(水牛角)、生地黄、牡丹皮、赤芍组成，具有清热解毒、凉血散瘀之功，用治热入血分动血诸症。清瘟败毒饮出自《疫疹一得》，由生地黄、黄连、黄芩、牡丹皮、石膏、栀子、甘草、竹叶、玄参、犀角、连翘、芍药、知母、桔梗组成，具有清热解毒、凉血泻火之功。清瘟败毒饮由白虎汤、犀角地黄汤、黄连解毒汤加减而成，虽包含了犀角地黄汤，但其以清热解毒为主，有别于犀角地黄汤之凉血清热，故本案用清瘟败毒饮效差而用犀角地黄汤效佳。

犀角地黄汤证的核心病机为热入营血，阴虚血热；核心主症为阴虚血热诸症，身热喜凉，烦躁失眠，或肌衄或皮肤红疹瘙痒、或纳旺，舌红绛苔薄少，脉数或细或弦。清瘟败毒饮证的核心病机为邪热炽盛，气血两燔；核心主症为发热，甚至高热，身热喜凉，口渴喜饮，或神昏，或发斑，舌红或绛苔薄黄而干，脉数，或洪大。

第二十三节 痿 病

案1. 痿病-腓总神经损伤-当归补血汤、芍药钩藤木耳汤

陈某,男,39岁。工人,连云港市人。

初诊(2010年2月25日):患者以"左腿外伤后无力麻木3个月"就诊。患者因左大腿骨折引起腓总神经损伤,其左腿骨折后行内固定治疗,神经电生理检查提示左腓总神经支配呈失神经支配(接近完全性)状态。症见:左腿抬举不能、扶杖拖行、麻木无力,左足及足趾不能背屈,头晕,纳可,寐差。诊其舌嫩红苔薄少,脉弦。此乃痿病,气血不足,络脉受损,法当补气养血,通络舒筋,方拟当归补血汤加通络舒筋之品。

处方:生黄芪30g,当归15g,威灵仙15g,全蝎3g(冲)(中药配方颗粒),蜈蚣1g(冲)(中药配方颗粒),乌梢蛇12g,独活12g,天麻15g,川芎6g。水煎服,每日1剂,煎2次,每次煎30min,共煎400ml,分2次口服,7剂。

二诊(3月9日):服药后左足除跗趾外均能上翘,跗趾不能活动,左腿抬举亦改善,麻木如前,头晕,纳可,寐已安。诊其舌红苔薄少有裂纹,脉弦细。此乃气血得补,经络渐通,而舌脉显示精血不足,法当养血通络,方拟当归补血汤加熟地黄及通络之品。

处方:生黄芪30g,当归15g,熟地黄15g,威灵仙15g,全蝎3g(冲)(中药配方颗粒),蜈蚣1g(冲)(中药配方颗粒),乌梢蛇12g,天麻15g,川芎6g。水煎服,每日1剂,煎2次,每次煎30min,共煎400ml,分2次口服,7剂。

三诊(3月18日):服药后左跗趾亦能活动,其他四趾活动基本自如,左腿抬举明显改善,行走已不拖地,头晕减轻,纳可,寐安,麻木未减。查其舌嫩红苔少有裂纹,脉沉细。此乃精血得补、经脉得养,而筋仍失濡养,法当柔肝养筋通络,方拟芍药钩藤木耳汤加独活。

处方:生白芍30g,炙甘草9g,钩藤18g(后下),僵蚕12g,全蝎3g(冲)(中药配方颗粒),蜈蚣1g(冲)(中药配方颗粒),天麻12g,独活12g,黑木耳15g。水煎服,每日1剂,煎2次,每次煎30min,共煎400ml,分2次口服,7剂。

四诊(3月25日):服药后左足及足趾均能背屈活动,左腿抬举进一步改善,可以拄单拐行走,头晕除,纳可,寐安,麻木减轻。诊其舌嫩红苔少有裂纹,脉沉细。此乃气血得补,筋脉得养,仍需巩固,法当继以柔肝养筋通

络，仍守上方。

处方：生白芍 30g，炙甘草 9g，钩藤 18g（后下），僵蚕 12g，全蝎 3g（冲）（中药配方颗粒），蜈蚣 1g（冲）（中药配方颗粒），天麻 12g，独活 12g，黑木耳 15g。水煎服，每日 1 剂，煎 2 次，每次煎 30min，共煎 400ml，分 2 次口服，15 剂。

按：本案患者由于左腿骨折引起腓总神经损伤，而致左腿抬举受限，麻木无力，与中医学所述之“痿病”类似，故按痿病论治。痿病的病机有肺热津伤、湿热浸淫、脾胃虚弱、肝肾亏损、脉络瘀阻。四诊合参，本案患者属气血亏虚，血行涩滞，经脉失养。“气为血之帅，气行则血行”，气虚无力推动血行，经脉瘀阻。故处以当归补血汤补气养血，因血虚生风，故肢体麻木、头晕。虫类药物善于通络，故以全蝎、蜈蚣、乌梢蛇、僵蚕搜风剔络，天麻、独活、威灵仙祛风通络而左腿痿软不用明显缓解，继以芍药钩藤木耳汤柔肝养筋而基本治愈。

当归补血汤出自《内外伤辨惑论》，由黄芪、当归组成，用于治疗血虚阳浮发热证。临床上常用于治疗气血亏虚证。本案患者以气血亏虚为本，经脉不畅为标，尚未觅得更合适方剂，故以当归补血汤加通络之品治之。

当归补血汤证的核心病机为气虚血亏，气虚生血乏力；核心主症为身倦乏力，劳则身热而又喜暖，面色萎黄，舌淡白苔薄白，脉虚大无力。

芍药钩藤木耳汤出自《名方广用》，系山西名老中医门纯德的自拟经验方，由芍药甘草汤加味而来，由生白芍、炙甘草、钩藤、僵蚕、全蝎、天麻、郁李仁、白芷子、黑木耳组成，本方柔肝缓筋，补而不腻，通而不燥，对神经损伤、筋脉失养最为合适，其中白芷子因药房常缺货可以不用。本案患者经芍药钩藤木耳汤治疗后，左腿痿软不任进一步得到改善而病情基本痊愈。

芍药钩藤木耳汤证的核心病机为肝阴（血）不足，筋脉失养；核心主症为局部阵发性疼痛，或筋脉弛缓，舌红或嫩红苔薄白或薄少，脉沉或沉细。本方不适用于虚寒证或湿阻证。

案 2. 痿病 - 重症肌无力 - 补中益气汤

苏某，男，53 岁，银行职员，连云港市人。

初诊（2014 年 1 月 9 日）：患者以“双眼睑下垂 3 年，加重伴四肢无力半月”就诊。患者于 3 年前出现疲劳后视物成双、模糊，双眼睑下垂，无明显晨轻暮重，无吞咽困难、饮水呛咳、肢体无力，有抬头困难、全身乏力，症状逐渐加重，被诊为重症肌无力，在服溴吡斯的明，每日 3~4 片。半个月前饮水呛咳、进食困难、呼吸无力，无晨轻暮重，有进食困难且随进食时间延长而逐渐加重、进食后好转现象，双眼睑下垂（遇劳时出现），纳可，喜饮，寐安，便溏。查其双眼睑下垂，视物需要抬头眼裂才能略睁开，口腔溃疡，舌暗红苔薄白，脉沉弱。此乃痿病，属脾气亏虚，清气不升，法当补中益气，升阳举陷，方拟补中益气汤。

处方：生黄芪 30g，党参 12g，白术 15g，炙甘草 6g，陈皮 10g，当归 12g，升麻 6g，柴胡 6g，葛根 15g，竹叶 12g。水煎服，每日 1 剂，煎 2 次，每次煎 30min，共煎 400ml，分 2 次口服，7 剂。

二诊（1 月 16 日）：服药后双眼睑已不下垂，疲劳感基本消除，呛咳、进食困难、呼吸无力未见，口中溃疡已愈，能正常骑自行车上班。查其舌暗红苔薄白，脉弱，此乃脾气得健、清气得升，法当补中益气，仍守上方。

处方：生黄芪 30g，党参 12g，白术 15g，炙甘草 6g，陈皮 10g，当归 12g，升麻 6g，柴胡 6g，葛根 15g，竹叶 12g。水煎服，每日 1 剂，煎 2 次，每次煎 30min，共煎 400ml，分 2 次口服，14 剂。

三诊（2 月 7 日）：服药后出现眼睑下垂，咀嚼力差，硬食物难咽，喜饮。查其舌暗红苔薄白，脉弱。此乃气阴两虚，法当益气养阴，方拟补中益气汤合生脉散加减。

处方：生黄芪 15g，人参 12g，当归 12g，升麻 6g，柴胡 6g，麦冬 30g，五味子 6g。水煎服，每日 1 剂，煎 2 次，每次煎 30min，共煎 400ml，分 2 次口服，7 剂。

四诊（2 月 14 日）：服药后眼睑下垂消失，面部表情转丰富、谈笑自如，仍有复视，咀嚼力明显改善，进食基本正常，饮水减少。查其舌暗红苔白，脉沉弱。此乃气阴得补，清阳实肌肉，阴液滋脏腑，法当益气养阴，仍守上方加葛根，生黄芪加量。

处方：生黄芪 30g，人参 12g，麦冬 30g，五味子 6g，当归 12g，升麻 6g，柴胡 6g，葛根 15g。水煎服，每日 1 剂，煎 2 次，每次煎 30min，共煎 400ml，分 2 次口服，14 剂。

五诊（2 月 28 日）：服药后视力清晰，眼睑下垂明显改善，右眼仍有复视但程度为轻，咀嚼自如、进食正常，双臂抬举有力，已不口渴喜饮，自汗，易疲劳。查其舌淡红苔白，脉沉。此乃阴得滋，气得补，仍以清气不升为主，法当补中益气，升阳举陷，方拟补中益气汤加附子。

处方：生黄芪 30g，人参 12g，白术 15g，炙甘草 6g，陈皮 6g，当归 12g，升麻 6g，柴胡 6g，制附子 6g。水煎服，每日 1 剂，煎 2 次，每次煎 30min，共煎 400ml，分 2 次口服，7 剂。

六诊（3 月 14 日）：服药后视力清晰，眼睑下垂不明显，纳佳、进食正常，能骑自行车 10 公里锻炼无不适，夜寐安。查其舌淡红苔白，脉沉。此乃脾肾两虚，清气不升为主，法当补中益气，兼以补肾，仍守上方以巩固。

处方：生黄芪 30g，人参 12g，白术 15g，炙甘草 6g，陈皮 6g，当归 12g，升麻 6g，柴胡 6g，制附子 6g。水煎服，每日 1 剂，煎 2 次，每次煎 30min，共煎 400ml，分 2 次口服，14 剂。

七诊（6 月 7 日）：今日患者前来复查，诸症稳定。患者自述间断自行于药店守上方服用数月，病情良好无不适，遂未就诊。患者属于银行中层负责人，经常加班，但未见疲劳及眼睑下垂。舌偏暗红苔白水滑，脉沉。继以前方，嘱其若口疮、口渴、便秘则去附子。

按：痿病是指肢体筋脉弛缓，软弱无力，甚至日久不用，引起肌肉萎缩或瘫痪的一种病证。重症肌无力属于中医痿病范畴，是一种由神经 - 肌肉接头处传递功能障碍所引起的自身免疫性疾病，主要表现为部分或全身骨骼肌无力和易疲劳，活动后症状加重，经休息后症状减轻的病症。分为Ⅰ型（眼肌型）、ⅡA 型（轻度全身型）、ⅡB 型（中度全身型，主要为四肢肌群受累，常伴眼肌受累、假性球麻痹、呼吸困难等）及其他多种类型。本案患者应属于ⅡB 型，既有眼肌症状，又有呛咳、假性球麻痹、乏力四肢型等症状，中医辨证并不复杂，四诊所见当属清气不升，予补中益气汤效果明显。患者伴有口渴喜饮、口疮、舌暗红夹有阴虚胃热之象，先于补中益气汤中加竹叶、葛根，结果肌无力症状改善后又有反复，考虑可能是补气太过伤及津液，遂以生脉散合补中益气汤去温燥之白术、陈皮、炙甘草后口渴喜饮消除，口疮未再发生，舌质转淡，仅以脾虚不升为主时，继以补中益气汤收功。患者虽不见阳虚征象，但痿病已 3 年、遇劳加重，当振奋阳气，遂加用附子，服用补中益气加附子汤后效果明显，患者可以骑自行车 10 余公里无碍。此乃脾气根于肾，补中益气时兼以补肾助阳则可事半功倍，或加附子或加菟丝子或加鹿茸均可。现代药理研究发现,附子有良好的改善重症肌无力的作用。

笔者运用补中益气治疗数十例重症肌无力患者,均有显著疗效,可以撤去甲泼尼龙,减少溴吡斯的明的用量。本案患者3个月后溴吡斯的明用量由每天4片减至每日3片,半年后减至每日2片。唯遇到阴虚内热或者更年期时,病机为清气不升夹有内热或阴虚,妨碍补中益气的运用,遣方用药颇费思量,需益气养阴或益气清热共用。

补中益气汤出自《内外伤辨惑论》,由黄芪、人参、白术、陈皮、升麻、柴胡、甘草、当归组成,具有补中益气、升阳举陷之功效。补中益气汤在临证中被广泛运用,适应证较多,疗效显著。补中益气汤的核心病机为脾气亏虚,升举无力;核心主症为疲倦肢软,脏器脱垂或眼睑下垂,或发热、遇劳则甚,舌淡红苔白,脉沉或虚。

第二十四节 蛇串疮疼痛

案. 蛇串疮疼痛 - 带状疱疹后神经痛 - 小柴胡汤、三仁汤、桂枝加黄芪汤

刘某,男,90岁,退休教师,浙江人。

初诊(2009年5月30日):患者以“右手臂阵发性疼痛1年”就诊。患者2008年6月右手臂疱疹成片,从肩部蔓延到手指,疱疹发红出火感,于连云港市某医院皮肤科被诊断为:带状疱疹,经阿昔洛韦治疗后疱疹逐渐消退,遗有手臂疼痛,或灼热疼痛,或麻木难忍,时作时休,食欲不振,夜寐不安,二便自调,经卡马西平片、甲钴胺片、维生素 B_1 片及中药治疗仍疼痛不减。查其右手臂不红不肿,手臂略有暗红,诊其舌淡红苔黄厚,脉细。此为热毒之邪未尽,留滞经络,络脉不和,法当清热祛邪,通络止痛,方拟小柴胡汤加味。

处方:柴胡12g,黄芩12g,法半夏12g,太子参10g,炙甘草6g,桑枝10g,丝瓜络10g,川芎6g,全蝎6g,蜈蚣2g,乌梢蛇10g。每日1剂,中药配方颗粒水冲400ml,分早晚2服,7剂。

二诊(6月6日):服药后右手臂灼热明显减轻,疼痛、麻木程度减轻,持续时间缩短,夜寐转安,仍食欲不振。查其手臂暗红减轻,舌淡红苔黄厚腻,脉沉。此乃热毒之邪得清，经络阻滞渐畅通，而食欲缺乏，苔黄厚腻仍未减示湿热阻滞，法当清利湿热，方拟三仁汤加减。

处方：杏仁 10g，豆蔻 6g，生薏苡仁 30g，竹叶 10g，荷叶 12g，藿香 10g，通草 6g，丝瓜络 10g，桑枝 12g。每日 1 剂，中药配方颗粒水冲 400ml，分早晚 2 服，7 剂。

三诊（6 月 16 日）：服药后疼痛、麻木进一步减轻，痛则麻，麻痛并见，变天或变天前则疼痛，喜暖，热敷得舒，食欲不振。查其右手臂暗红轻，舌淡红苔薄黄，脉沉。此为湿热阻滞化解，热毒余邪渐清，正虚显现，故仍当清利湿热，兼以辛温通络，仍守上方去竹叶、通草，加羌活。

处方：杏仁 10g，豆蔻 6g，生薏苡仁 30g，荷叶 12g，藿香 10g，丝瓜络 10g，桑枝 12g，羌活 12g。每日 1 剂，中药配方颗粒水冲 400ml，分早晚 2 服，7 剂。

四诊（11 月 5 日）：服药后右手臂疼痛、麻木极轻，仅以手明显，臂已不痛麻，再未服药，变天时略有反复。近几天寒潮来临，又觉右手臂疼痛，尤其是手疼，不麻，有痒感，得热则舒，食欲佳。查其右手臂略暗红，舌淡红苔中根部白黄而厚，脉沉滑。此为气虚湿滞，寒凝经脉，法当温阳补气，化湿通络，方拟桂枝加黄芪汤加减。

处方：桂枝 12g，生白芍 12g，炙甘草 6g，黄芪 10g，荆芥 10g，防风 6g，羌活 6g，草果 6g，荷叶 10g。每日 1 剂，中药配方颗粒水冲 400ml，分早晚 2 服，7 剂。

五诊（11 月 15 日）：服药后右手臂麻木、疼痛未再出现，右手臂喜暖，夜寐安，食纳佳。查其右手臂肤色正常，舌淡红苔中根部白黄而厚，脉沉。此乃寒湿阻滞经脉已解，营卫调和，故不再拟方，嘱其适寒温，多吃丝瓜，常用山药、薏苡仁煮粥以调养善后。

按：蛇串疮是由水痘-带状疱疹病毒引起的同时侵犯神经的急性炎性皮肤病。该病毒长期潜伏寄居于脊髓后神经节，当免疫功能降低或机体抵抗力下降后，病毒活动繁殖而发为带状疱疹。中医认为本病是由于内伤七情，肝郁气结，久而化火生毒，循经外发；或饮食不节，脾失健运，湿热内生，泛溢肌肤而成。本例为 90 岁的高龄老人，正气不足，湿毒蕴热，壅遏肌肤，正虚邪恋，经络失疏，气血滞瘀，故致疼痛不休。初期邪毒未尽，留滞经络，少阳不和，宜清热祛邪、通络止痛，故予小柴胡汤清解透邪，加虫类通络之品通络止痛，得效之后，着重清利湿热，以三仁汤化湿滞之邪，辅以辛通走络之品，至正虚渐现，以桂枝加黄芪汤加荆防收功。

带状疱疹后神经痛发病率高，缠绵难愈，中医药治疗有明显优势，但常会遇到难治迁延的棘手病例，因其症状复杂、病机多变，依然需要细斟酌费思量，才能有所明晰。

三仁汤出自《温病条辨》，由杏仁、豆蔻、薏苡仁、竹叶、滑石、通草、厚朴、半夏组成，具有宣畅气机、利湿清热之功。三仁汤证的核心病机为湿阻气机、湿郁化热，三焦宣化不畅；核心主症为发热或者低热、日晡为主，身重懒动或肢麻，口干口苦，或不饥或小便短赤，舌淡红或红苔白(或黄)厚腻，脉濡或沉弱。

第二十五节　耳鸣、脑鸣

案1. 耳鸣 - 耳聋 - 东垣清暑益气汤

颜某，女，45岁，机械设计师，连云港人。

初诊(2010年7月6日)：患者以“耳鸣反复发作20年”就诊。患者耳鸣反复发作，伴耳聋耳塞，晨重暮轻，纳可，咽干口干，不喜饮。诊其舌淡红苔白，脉沉细。此乃中气不足，津亏湿困，清窍失养，法当健脾利湿，益气生津为主，方拟东垣清暑益气汤加减。

处方：生黄芪30g，炒白术15g，炙甘草6g，陈皮9g，当归12g，升麻6g，党参12g，麦冬15g，五味子9g，青皮6g，葛根30g，川芎6g。水煎服，每日1剂，煎2次，每次煎30min，共煎400ml，分2次口服，7剂。

二诊(7月13日)：服药后耳聋明显减轻，耳鸣改善，仍口干，夜间饮水，右半侧头及后项掣痛。诊其舌淡红苔白黄(染苔)，脉沉。此乃药已中病，清气得升，湿气渐化，津液上呈，法当继以健脾利湿，益气生津，仍守上方。

处方：生黄芪30g，炒白术15g，炙甘草6g，陈皮9g，当归12g，升麻6g，党参12g，麦冬15g，五味子9g，青皮6g，葛根30g，川芎6g。水煎服，每日1剂，煎2次，每次煎30min，共煎400ml，分2次口服，7剂。

三诊(7月20日)：服药后耳鸣、耳聋基本消除，纳可，寐差，夜间口干。诊其舌淡红苔薄黄，脉细数。此乃清气渐升，湿气已化，津液仍亏，法当益气生津,拟继守上方,加重生津之力。

处方:生黄芪 30g,炒白术 12g,炙甘草 6g,陈皮 9g,当归 12g,升麻 6g,太子参 12g,麦冬 18g,五味子 12g,青皮 9g,葛根 30g,蝉蜕 9g。水煎服,每日 1 剂,煎 2 次,每次煎 30min,共煎 400ml,分 2 次口服,7 剂。

四诊(7 月 27 日):服药后耳鸣、耳聋消除,纳可,寐转安,夜间口已不干。诊其舌淡红苔薄白,脉沉细。此乃清气渐升,津液得补,法当益气生津,嘱其以补中益气丸与生脉饮口服液巩固疗效。

按:耳鸣即指耳中鸣响,"耳中有声,或若蝉鸣,或若钟鸣"(《外科证治全书》)。耳鸣有实有虚,虚中或有气虚,或有血虚,或有肾虚。本案患者耳鸣年久,耳聋如塞,晨重暮轻,乃清气不升,气虚之征,故予升清之法,待耳鸣渐消而见夜间口干,为气得升,而津不济,遂增加生津之力,诸症渐消。

东垣清暑益气汤为补土派李东垣之方。本方是为素体脾气不健,夏月暑湿内郁,气津两伤而设,具有健脾利湿、益气生津之功。本案患者耳鸣晨重暮轻,口干不欲饮,舌淡红苔白均为脾气不健,湿困津亏,清窍失养之征,因湿气不重,食纳尚佳,故去泽泻、神曲、黄柏,加川芎、蝉蜕通络以通耳窍。

案 2. 脑鸣 - 耳鸣 - 知柏地黄汤

庄某,男,46 岁,银行职员,连云港人。

初诊(2011 年 6 月 11 日):患者以"脑鸣 3 年"就诊。患者非耳鸣,自觉脑中鸣响,逐年加重,饮酒后尤甚,脑鸣如蝉,纳可,夜寐不安,夜间恶热,手足心热,烦躁易怒,有高脂血症、神经性耳鸣病史,否认高血压、糖尿病病史。诊其舌淡红苔黄,脉沉弦。此乃阴虚火旺,肝阳上亢,法当滋阴降火,平肝息风,方拟知柏地黄汤加减。

处方:生地黄 18g,山茱萸 15g,牡丹皮 15g,知母 12g,黄柏 12g,丹参 15g,葛根 18g,菊花 12g,钩藤 15g。水煎服,每日 1 剂,煎 2 次,每次煎 30min,共煎 400ml,分 2 次口服,7 剂。

二诊(6 月 18 日):服药后脑鸣大减,夜间入眠前鸣响,白天已不鸣,烦躁易怒、手足心热减轻,夜寐不安、易醒。诊其舌淡红苔黄,脉弦。此乃阴虚阳亢得减,法当滋阴降火,平肝息风,兼以疏肝解郁,镇静安神,仍守上方,加柴龙解郁丹。

处方：生地黄18g，山茱萸15g，牡丹皮15g，知母12g，黄柏12g，丹参15g，葛根18g，菊花12g，钩藤15g。水煎服，每日1剂，煎2次，每次煎30min，共煎400ml，分2次口服，7剂。

柴龙解郁丹60g×2瓶，每次6g，每日3次。

三诊（6月25日）：服药后脑鸣基本消除，心情舒畅，夜寐较安，已不心烦易怒，夜间恶热、手足心热已除。诊其舌淡红苔薄白，脉沉。此乃阴得滋，火得降，肝得疏，神得安，法当滋阴息风，疏肝安神，为巩固疗效，继守上方。

处方：生地黄18g，山茱萸15g，生山药12g，泽泻12g，牡丹皮15g，知母12g，黄柏12g，菊花12g，钩藤15g。水煎服，每日1剂，煎2次，每次煎30min，共煎400ml，分2次口服，7剂。

柴龙解郁丹60g×2瓶，每次6g，每日3次。

四诊（7月2日）：服药后脑鸣未再出现，夜寐安，不心烦易怒，无五心烦热。诊其舌淡红苔薄白，脉沉。此乃阴得滋，火得降，肝得疏，神得安，法当滋阴息风，疏肝安神，方拟知柏地黄汤加菊花、钩藤。

处方：生地黄18g，山茱萸15g，生山药12g，茯苓12g，泽泻12g，牡丹皮15g，知母12g，黄柏12g，菊花12g，钩藤15g（后下）。水煎服，每日1剂，煎2次，每次煎30min，共煎400ml，分2次口服，7剂。

按：脑鸣是指延脑的耳蜗神经核至大脑皮质听觉中枢整个通道的任何部位病变所致的耳鸣，患者感觉在脑内鸣响。脑鸣在中医古籍中的记载，最早见于《医学纲目·肝胆部》中。中医认为脑鸣是指因脑髓空虚，或因火郁，痰湿阻滞所致，以自觉脑中鸣响为主要表现的病证。本病案患者心烦易怒，五心烦热，夜寐不安，苔黄，脉弦，为阴虚火旺，肝阳上亢之征，故施以滋阴降火，平肝息风之法，以知柏地黄汤去山药、茯苓、泽泻，加丹参、菊花、钩藤，诸症明显减轻，而心烦易怒、夜寐不安改善不著，遂加用柴龙解郁丹疏肝解郁，镇静安神，待脑鸣除，热象去，舌苔见白，脉沉，则恢复知柏地黄汤原方，并去苦寒之丹参、通络之葛根以善其后。

脑鸣属于临床常见疾病，鸣响甚者影响睡眠，亦容易导致情绪烦躁。脑鸣时轻时重，反复迁延，不易取效，贵在坚持。知柏地黄汤是临床常用方剂，补肾阴降相火对脑鸣之阴虚火旺者最为适合。

第二十六节 鼾　症

案．鼾症－睡眠呼吸暂停综合征－温胆汤合瓜蒌薤白半夏汤

周某，男，61岁，退休干部，连云港市人。

初诊（2009年5月9日）：患者以“头昏思睡，鼾声2年，加重半个月”就诊。患者头昏思睡、静坐时则打盹，懒动乏力，夜间鼾声大作、呼吸时时停止、时时被憋醒，夜寐不安，胸闷胸痛，纳佳，便调，多导睡眠图检查提示睡眠呼吸暂停综合征，最长呼吸暂停71s。患高血压、糖尿病、脑供血不足、脑动脉硬化症等疾病，经中西医治疗症状改善不明显。1年前因冠心病心肌梗死行冠状动脉搭桥术，有2型糖尿病、高血压、高脂血症病史，在规则服用降压、降糖及调脂药。查其面色灰暗，口唇暗紫，诊其舌淡红苔白，脉沉。诊断为鼾症，睡眠呼吸暂停综合征，证属痰浊痹阻，清阳不升，法当豁痰化浊、开痹醒脑，方拟温胆汤合瓜蒌薤白半夏汤加味。

处方：法半夏30g，陈皮18g，茯苓15g，炙甘草3g，枳实15g，竹茹12g，全瓜蒌30g，薤白9g，石菖蒲9g，胆南星9g，麝香0.1g（冲）。水煎服，每日1剂，煎2次，每次煎30min，共煎400ml，分2次口服，5剂。

二诊（5月14日）：服药后晨起头昏、思睡减轻，精神状态改善，自己已不觉在打鼾，他人感觉鼾声减轻，夜间憋气时间缩短，未再憋醒，胸闷减轻，胸痛未作。查其面色转红润，口唇仍紫暗，诊其舌红苔白，脉沉弦。此乃痰浊渐化，阳气得通，胸阳宣开，清气得升，方已中病，效不更法，仍守前方，枳实加量。

处方：法半夏30g，陈皮18g，茯苓15g，炙甘草3g，枳实18g，竹茹12g，全瓜蒌30g，薤白9g，石菖蒲9g，胆南星9g，麝香0.1g（冲）。水煎服，每日1剂，煎2次，每次煎30min，共煎400ml，分2次口服，7剂。

三诊（5月21日）：服药后诸症进一步减轻，头晕、头脑昏胀不清醒感明显减轻，静坐则入睡已不明显，打呼轻，仍憋气但无憋醒，胸闷胸痛未作，纳佳便调。查其面色转红润，口唇紫暗轻，舌淡红苔白，脉沉已不弦。此为痰浊渐开，阳气得展，气机渐畅，法当豁痰开痹，兼益气升阳，方拟温胆汤合瓜蒌薤白半夏汤加减。

处方：法半夏30g，陈皮18g，茯苓15g，炙甘草3g，枳实18g，竹茹12g，全瓜蒌30g，薤白9g，石菖蒲9g，麝香0.1g(冲)，白芷12g，生黄芪18g。水煎服，每日1剂，煎2次，每次煎30min，共煎400ml，分2次口服，7剂。

四诊(5月28日)：服药后头晕、头脑昏胀不清醒感已不明显，夜寐安，家人观察其睡眠，从晚10:30入睡至12:00，打鼾轻，憋气轻、停顿时间短，再无憋醒，上午精神佳，不再打盹，胸闷胸痛未作，纳佳便调。查其口唇略暗，舌淡红苔白厚，脉弦硬有力。此为痰浊渐开，阳气得展，气机渐畅，补气升阳有助邪之象，法当化痰降浊，醒脑利窍，方拟温胆汤合瓜蒌薤白半夏汤。

处方：法半夏30g，陈皮18g，茯苓15g，炙甘草3g，枳实18g，竹茹12g，全瓜蒌30g，薤白9g，石菖蒲9g，麝香0.1g(冲)。水煎服，每日1剂，煎2次，每次煎30min，共煎400ml，分2次口服，7剂。

五诊(6月4日)：服药后头晕一直再未出现，白天不再思睡、打盹，精神佳，打鼾轻，偶有憋气，偶作胸闷，口苦，便秘。查其口唇淡暗，舌淡红苔白厚水滑，脉沉弦。因麝香药房缺货而未服用。此为脾失健运，痰浊中阻，法当继守上法，继守上方去麝香。

处方：法半夏30g，陈皮18g，茯苓15g，炙甘草3g，枳实18g，竹茹12g，全瓜蒌30g，薤白9g，石菖蒲9g。水煎服，每日1剂，煎2次，每次煎30min，共煎400ml，分2次口服，14剂。

六诊(6月18日)：服药后头晕思睡消除，精神佳，胸不闷，仍有轻微憋气，打鼾轻，食欲佳，夜寐安，双腿酸软。诊其舌淡红苔白，脉沉。此乃脾气不健，痰浊渐化，清窍渐利，法当仍守化痰利窍，方拟温胆汤加减。

处方：法半夏18g，陈皮15g，茯苓18g，炙甘草6g，枳实15g，石菖蒲9g，生薏苡仁18g。水煎服，每日1剂，煎2次，每次煎30min，共煎400ml，分2次口服，7剂。

七诊(6月27日)：服药后夜间打鼾、憋气轻微，胸不闷，因夏季炎热，夜寐不安，倦怠乏力，食纳尚可。诊其舌淡红苔白，脉沉。此乃脾气不健，痰浊渐化，而暑热伤气，法当仍守化痰利窍，加益气之品，仍守上方加味。

处方：法半夏18g，陈皮15g，茯苓18g，炙甘草6g，枳实15g，石菖蒲9g，生薏苡仁18g，五味子6g，人参9g，葛根15g。水煎服，每日1剂，煎2次，每次煎30min，共煎400ml，分2次口服，7剂。

八诊(10月22日)：服药后夜间打鼾轻，憋气极少而轻微，不胸闷，精神佳,小便不利而涩痛,因夏季炎热停服中药而未见反复。本次因小便涩痛来诊,查其面色有泽,口唇淡红,舌淡红苔白,脉沉。此乃痰浊已化,清窍已利,病已稳定不再用药,嘱其多食荸荠、薏苡仁、山药,适量运动、节食,未再因呼吸暂停、头晕就诊。

按:睡眠呼吸暂停综合征包括阻塞型睡眠呼吸暂停低通气综合征、中枢型睡眠呼吸暂停综合征、混合性睡眠呼吸暂停等,主要表现为睡眠时打鼾并伴有呼吸暂停和呼吸表浅,夜间反复发生低氧血症、高碳酸血症和睡眠结构紊乱,导致白天嗜睡、心脑肺血管并发症乃至多脏器损害,严重影响患者的生活质量和寿命。

中医没有睡眠呼吸暂停综合征这一病名,但其症状可以归属于鼾症等。早在隋代巢元方在《诸病源候论·鼾眠候》就云:"鼾眠者,眠里喉咽间有声也。人喉咙,气上下也。气血若调,虽寤寐不妨宣畅;气有不和,则冲击喉咽而作声也。其有肥人眠作声者,但肥人气血沉厚,迫隘喉间,涩而不利,亦作声。"这里所述的打鼾与现在的鼾症相似,而鼾症多与痰瘀有关,如宋代王怀隐论述道:"胸膈多痰,脏腑壅滞,致使精神昏浊,昼夜耽眠"。

本案患者打鼾已多年,并发了严重的心血管病,但对打鼾没有足够重视,以高血压、冠心病、糖尿病治疗,临床症状改善不著。其清阳不升,以浊害清明显,见头昏思睡,倦怠乏力,鼾声频作而反复憋气,甚至憋醒,面色灰暗,口唇暗紫。诊其舌淡红苔白,脉沉等,故施以温胆汤合瓜蒌薤白半夏汤加减。温胆汤以二陈汤化痰健脾,枳实、竹茹行气清热化痰,为开心胸头脑之痰阻气滞之良方。瓜蒌薤白半夏汤通阳散结,豁痰开痹。麝香醒脑最为重要,是早期收功之功臣。白芷为辛散走上窍之品,有通阳利窍之力。现代药理研究表明其有兴奋呼吸中枢的作用,在符合证型属性的基础上可以加减运用。胆南星辛寒清化痰热,兼以通腑,又不苦燥,为痰热必用之品。半夏的剂量偏大效果尚好,但超出《药典》剂量则不安全。笔者之前用半夏剂量偏大,现在控制在不超过 15g 的范围内,疗效也不输 30g。

睡眠呼吸暂停综合征属于阻塞型者,多采用口咽部手术的方式缓解狭窄、改善低通气,或者采用佩戴呼吸机的方法改善。中医虽有鼾症的记载,临床中使用中医药参与治疗的案例偏少,多避而不治。笔者最初也认为无法采用中药解决阻塞问题,但为了救人疾苦,进而不断尝试,反复总结,后来常能得心应手，取得满意疗效。

第二十七节 心　悸

案1. 心悸-硬皮病-附子汤、附子理中汤合防己黄芪汤

吴某，女，77岁。退休工人，连云港市人。

初诊（2009年4月20日）：患者以“心悸、喘息气短，动则尤甚4年”就诊。患者患有硬皮病约15年，有雷诺病5年，因硬皮病心脏受累导致病态窦房结综合征，植入永久性起搏器5年，一直服用地高辛片0.125mg/d，螺内酯片20mg/d，胺碘酮片200mg/d。患者心悸，喘息气短，活动后明显，下肢浮肿，躯干部皮肤硬化结节数枚，手指发青、冰冷，食欲不振。诊其舌淡红苔白而干，脉微。此乃肾阳式微，心血瘀阻，痰浊留滞，法当温阳利水，通络活血，方拟附子汤加味。

处方：制附子12g（先煎），红参12g，炒白术18g，茯苓12g，生白芍12g，当归18g，桂枝12g，穿山甲6g（打碎），防己12g。水煎服，每日1剂，煎2次，每次煎30min，共煎400ml，分2次口服，10剂。

二诊（4月30日）：服药后心悸、喘息气短减轻，下肢浮肿改善，手指发青、冰冷减轻，得暖则能改善，食欲不振。诊其舌淡红苔白，脉沉弱。此乃阳虚得补，心血瘀阻得减，痰滞络阻未减，法当温中健脾，活血软坚散结，方拟附子理中汤合防己黄芪汤化裁。

处方：红参10g，干姜6g，炒白术18g，炙甘草6g，制附子12g（先煎），防己12g，生黄芪18g，川芎9g，当归15g，赤芍15g，穿山甲6g（打碎），煅牡蛎30g。水煎服，每日1剂，煎2次，每次煎30min，共煎400ml，分2次口服，10剂。

三诊（5月15日）：服药后心悸消除，喘息气短减轻，上楼心悸气喘明显减轻，下肢浮肿不显，手仍发青冰凉、得暖则解，食欲增，双臂皮肤硬结已消散2枚。诊其舌淡红苔白，脉沉弱。此乃脾阳得温，心血瘀阻渐减，痰滞络阻亦减，法当温中健脾，活血软坚散结，拟上方加皂角刺。

处方：红参10g，干姜6g，炒白术18g，炙甘草6g，制附子12g（先煎），防己12g，生黄芪18g，川芎9g，当归15g，赤芍15g，穿山甲6g（打碎），煅牡蛎30g，皂角刺9g。水煎服，每日1剂，煎2次，共400ml，分2次口服，10剂。

四诊（5月30日）：服药后心悸未作，喘息气短减轻，上楼心悸气喘明

显减轻，下肢浮肿略显，手仍发青但持续时间短、已不冰凉、略不温、得暖则解，食欲振、食量增，皮肤硬结变软变薄。诊其舌淡红苔白，脉沉弱。此乃心脾之阳得振，心血瘀阻、痰滞络阻渐减，继守前法，上方去川芎、赤芍、皂角刺、煅牡蛎，其余药味剂量略做调整，停服地高辛、螺内酯。

处方：红参 9g，炒白术 15g，干姜 6g，炙甘草 6g，制附子 6g（先煎），防己 12g，生黄芪 18g，当归 12g，穿山甲 6g（打碎）。水煎服，每日 1 剂，煎 2 次，共 400ml，分 2 次口服，15 剂。

五诊（6 月 15 日）：服药后生活自理，无心悸、气喘短气，上三层楼心悸气喘不明显，上四层即喘，下肢略肿，手或青或白极轻、已不凉，食欲正常，皮肤硬结未见再起。诊其舌淡红苔薄白，脉沉。此乃脾阳得振，痰瘀渐消，经络渐畅，而心阳需继以温壮，法当温阳通脉，拟四逆加参汤加味。

处方：制附子 12g（先煎），干姜 6g，炙甘草 6g，红参 12g，防己 12g，桂枝 12g，川芎 9g，薤白 6g。水煎服，每日 1 剂，煎 2 次，每次煎 30min，共煎 400ml，分 2 次口服，15 剂。

六诊（2010 年 1 月 13 日）：服药后停药半年来症状稳定，常规家务能自理，生活、做饭等已无心悸气喘，拿重东西或上楼仍有气喘，心悸不明显，食纳佳，手不青而暖，本次为防止冬天病情加重而来诊。诊其舌淡红苔薄白，脉沉细。此乃心阳未亏，痰瘀阻滞不显，法当温阳益气、散结通络，方拟附子汤化裁。

处方：制附子 12g（先煎），红参 12g，茯苓 15g，桂枝 12g，穿山甲 9g（打碎），煅牡蛎 30g。水煎服，每日 1 剂，煎 2 次，每次煎 30min，共煎 400ml，分 2 次口服，10 剂。

按：硬皮病是一种以局限性或弥漫性的皮肤增厚、纤维化为特征，可累及心、肺、肾、消化道等多个器官自身免疫性疾病，基本病理变化为结缔组织的纤维化、萎缩及血栓闭塞性血管炎等。本案患者除皮肤见硬结外，还累及心脏、消化道、血管等，出现病态窦房结综合征、消化不良、雷诺病等，中医没有硬皮病病名，根据累及脏器归属于心悸、喘证、水肿、胃痛等范畴。

本案患者的病证可归属心悸范畴。心悸是指患者自觉心中悸动，惊惕不安，不能自主的病证。本案患者表现为心悸气喘，动则尤甚，手紫发冷，食欲不振，水肿等，故为脾肾阳虚，痰瘀痹阻，络脉不畅，以附子汤、附子理中汤、四逆汤等温阳通脉，合防己黄芪汤通络行水，加软坚散结通络之穿山甲、煅牡蛎、皂角刺等而诸症渐平，疗效尚属十分满意。本案患者以脾肾阳虚为本，附子剂自当首选，故用附子贯彻始终以兴阳而且剂量偏大。笔者制附片常用 6~9g，运用 12g 而且时间持续这么长尚属第一次，可见硬皮病该属于陈寒痼冷，非附子不能驱散阴霾，而痰瘀阻络为标亦不可忽视，宜软坚化痰、活血通络并举，方可收效满意。其中运用穿山甲亦是贯穿始终，软坚通络建功非其莫属。另外，病情得到控制时遣方用药多用减法，药味能缩减就缩减，给机体自我恢复的机会。本案患者最后一次就诊时，用药改为附子汤去茯苓、白芍加软坚散结药仅 6 味药善后。该患者后来断断续续服用此类方剂又生存了 6 年，享年 83 岁。

附子汤出自《伤寒论》，由附子、人参、白术、茯苓、白芍组成，具有温补脾肾之功。附子汤证的核心病机为脾肾阳虚，兼有水湿气化失乖；核心主症为畏寒喜暖，手足不温，或水肿或纳差或心悸，舌淡红或暗红苔薄白水滑，脉沉或微弱。附子理中汤出自《三因极一病证方论》，由理中汤加附子组成，用治脾肾阳虚诸症。附子理中汤证的核心病机为脾肾阳虚，以脾阳亏虚为主，兼有寒凝；附子理中汤证的主症为形寒肢冷，手足逆冷，食欲不振或腹痛、或下利（泄泻），舌淡红苔薄白或白水滑，脉沉。附子汤偏于温补肾阳兼化气利水，故畏寒喜暖兼水肿者为宜，附子理中汤偏于温补脾阳兼散腹中寒凝，故形寒肢冷兼腹痛纳差泄泻者为宜，因附子理中汤无化气行水之力，故本案中运用附子理中汤改善硬皮病导致的食欲不振等胃肠蠕动差问题时，合用了防己黄芪汤以强心利水，弥补不能行水之不足。四逆汤偏于回阳救逆，这个“阳”是指心阳，在六经辨证里手少阴心与足少阴肾是不分的，都是少阴病，但临证中有侧重，或侧重于肾气化不利，或侧重于心阳衰微，故四逆汤是温补心阳之剂，三首附子剂各有侧重。

防己黄芪汤出自《金匮要略》，由防己、黄芪、白术、甘草、生姜、大枣组成，具有益气祛风，健脾利水之功，用治表虚风水相搏或表虚风湿在表之证。防己黄芪汤证的核心病机为气虚水停，泛溢肌腠；核心主症为水肿或身重，汗出恶风或喜暖，舌淡红苔白，脉濡。

案 2. 心悸 - 甲状腺功能亢进 - 小柴胡汤合消瘰丸

王某，女，25 岁，工人，连云港市人。

初诊（2010年1月21日）：患者以“心悸不宁伴乏力汗出1个月”就诊。患者心悸，多汗，易疲劳，纳旺，未见消瘦，寐尚安，大便日行4~5次。患者曾于苏州某医院就诊，查甲状腺彩超提示甲状腺右叶上下径66mm，前后径24mm，左右径25mm；左叶上下径68mm，前后径23mm，左右径26mm；峡部厚8mm；甲状腺切面形态尚正常，侧径增大，表面尚光滑，内部回声弥漫性紊乱，可见丰富的血流信号，血液显著加速，似“火海样”改变，提示甲状腺肿大，考虑毒性弥漫性甲状腺肿。查甲状腺功能示游离三碘甲状腺原氨酸61.3pmol/L，游离甲状腺素>77.2pmol/L，促甲状腺素<0.03mIU/L，甲状腺过氧化酶>1 000IU/ml，诊断为甲状腺功能亢进、桥本甲状腺炎。予甲巯咪唑片20mg，每日2次；益血生片2片，每日2次；盐酸普萘洛尔片10mg，每日4次；出现白细胞减少而停服甲巯咪唑片，白细胞计数3.0×10^9/L，查体示甲状腺Ⅲ度肿大，质地中等；心率120次/min，律不齐，偶闻及早搏；瘿肿、眼突，诊得舌淡红苔薄白，脉细疾。此为气阴两虚，痰气交阻，法当益气养阴，化痰散结。方拟生脉散合小柴胡汤加减。

处方：西洋参12g，麦冬30g，五味子12g，柴胡15g，黄芩12g，法半夏15g，珍珠母18g，煅牡蛎30g，黄药子6g，浮小麦30g。水煎服，每日1剂，煎2次，每次煎30min，共煎400ml，分2次口服，7剂。

二诊（1月28日）：服药后症状如前，心悸，震颤，多汗身热，喜凉，乏力，纳旺，大便日行4~5次，白细胞计数6.7×10^9/L，瘿肿、眼突。诊其舌淡红苔薄白，脉滑疾。此乃肝阳上亢，痰气交阻，阳热亢盛，法当疏肝行气，化痰散结清热，方拟小柴胡汤去半夏合消瘰丸加石膏等。

处方：柴胡15g，黄芩15g，太子参15g，炙甘草6g，玄参30g，煅牡蛎30g，浙贝母12g，夏枯草30g，珍珠母30g，黄药子9g，生石膏30g。水煎服，每日1剂，煎2次，每次煎30min，共煎400ml，分2次口服，7剂。

丙硫氧嘧啶片100mg，每日3次，盐酸普萘洛尔片10mg，每日3次，益血生片2片，每日2次。

三诊（2月4日）：服药后多汗乏力、心悸改善，纳旺减，大便仍日行4~5次，身热喜凉减轻，白细胞计数4.3×10^9/L，瘿肿、眼突。诊其舌淡红苔薄白，脉滑疾。此乃阳热亢盛有减，法当疏肝清热化痰散结，仍守上方并施以重剂。

处方：柴胡24g，黄芩30g，太子参18g，玄参30g，煅牡蛎60g，浙贝母

12g，夏枯草 60g，珍珠母 30g，黄药子 9g，丹参 18g。水煎服，每日 1 剂，煎 3 次，分 3 次服，每次煎 50min，共煎 300ml，7 剂。

丙硫氧嘧啶片 100mg，每日 3 次，盐酸普萘洛尔片减至 5mg，每日 3 次，益血生片 2 片，每日 2 次。

四诊（2 月 11 日）：服药后乏力、汗出、心悸进一步减轻，纳旺减，大便日行 3~4 次，身热喜凉不明显，查体示甲状腺Ⅱ度肿大，质地中等，心率 100 次 /min，律齐。复查甲状腺功能示游离三碘甲状腺原氨酸 8.23pg/ml，三碘甲状腺原氨酸 3.21ng/ml，游离甲状腺素 1.99ng/dl，甲状腺素 17.30μg/dl，促甲状腺素 0.03uIU/ml，白细胞计数 5.9×10^9/L，眼突颈肿。诊其舌淡红苔白，脉滑数。此乃阳热亢盛大减，气郁痰结渐消，法当继守前法仍守前方加减。

处方：柴胡 24g，黄芩 30g，太子参 18g，玄参 30g，煅牡蛎 60g，浙贝母 12g，夏枯草 60g，珍珠母 30g，黄药子 9g，丹参 18g，海藻 30g，炙甘草 6g，菊花 12g，黄连 9g。水煎服，每日 1 剂，煎 3 次，分 3 次服，每次煎 50min，共煎 300ml，7 剂。

五诊（2 月 20 日）：服药后心悸乏力已除，汗出少，大便日行 3 次，纳食正常。查体示心率 88 次 /min，律齐。甲状腺彩超提示甲状腺左叶大小约为 6.3cm × 3.0cm × 2.7cm，右叶大小约为 6.2cm × 3.1cm × 2.8cm，峡部厚约 0.9cm，甲状腺增大，回声增粗，分布不均匀，见线状强回声，彩色多普勒血流图示其内见丰富的血流信号。超声结果提示甲状腺增大伴血流信号丰富。白细胞计数 6.1×10^9/L，眼突颈肿。诊其舌淡红苔白，脉滑已不数。此乃肝亢热盛充斥三焦渐息，气郁痰结仍未清解，法当理气化痰，平肝泄热，拟仍守上方去珍珠母，黄药子减量。

处方：柴胡 24g，黄芩 30g，太子参 18g，玄参 30g，煅牡蛎 60g，浙贝母 12g，夏枯草 60g，黄药子 3g，丹参 18g，海藻 30g，炙甘草 6g，菊花 12g，黄连 9g。水煎服，每日 1 剂，煎 3 次分 3 次服，每次煎 50min，共煎 300ml，7 剂。

丙硫氧嘧啶片 100mg，每日 3 次；盐酸普萘洛尔片 5mg，每日 2 次；益血生片 2 片，每日 2 次。

六诊（2 月 27 日）：服药后无心悸，纳食明显减少，不再饥饿，震颤基本消除，汗出少，夜寐安，大便日行 3 次，查体示甲状腺Ⅱ度肿大，质软，心率 80 次 /min，律齐，瘿肿缩小，质地变软。诊其舌淡红苔白，脉滑。此乃阳亢得解，痰气渐化，法当解郁化痰为主，清热平肝为辅，方拟小柴胡汤合消瘰丸加味,剂量减小。

处方:柴胡 15g,黄芩 18g,法半夏 15g,党参 12g,炙甘草 6g,玄参 18g,浙贝母 15g,煅牡蛎 30g,黄药子 3g,蜂房 9g,当归 18g,夏枯草 30g,海藻 30g,生姜 3 片,大枣 4 枚。水煎服,每日 1 剂,煎 2 次,每次煎 30min,共煎 400ml,分 2 次口服,7 剂。

丙硫氧嘧啶片 100mg,每日 3 次;盐酸普萘洛尔片 5mg,每日 1 次;停益血生片。

七诊(3 月 6 日):服药后诸症俱消,精神佳,无不适,大便日行 1~2 次,查体示甲状腺 I 度肿大,质软,心率 80 次 /min,律齐,瘿肿小而软。诊其舌淡红苔白,脉滑。此乃痰气渐化,法当解郁化痰,拟继守上方 10 剂巩固疗效。

处方:柴胡 15g,黄芩 18g,法半夏 15g,党参 12g,炙甘草 6g,玄参 18g,浙贝母 15g,煅牡蛎 30g,黄药子 3g,蜂房 9g,当归 18g,夏枯草 30g,海藻 30g,生姜 3 片,大枣 4 枚。水煎服,每日 1 剂,煎 400ml,分 2 次口服,10 剂。

丙硫氧嘧啶片 100mg,每日 3 次;停盐酸普萘洛尔片。

按:甲状腺功能亢进是一种消耗性疾病,表现为代谢加快,涉及各个系统,中医无此病名,归属于心悸、自汗、消渴等病证范畴。本案患者以心悸为主要表现,应归属于心悸,又见乏力、汗出、喜凉、纳旺、便泻、瘿肿等,为热邪充斥三焦、痰气郁结之征,为肝阳亢奋扰动心神之故,宜疏肝清热、化痰散结,初诊因见乏力、汗出、心悸,有气阴两虚之象,故拟生脉散与小柴胡汤合方效不显,细思此乃邪热充斥,耗气伤津,为肝阳亢奋、邪盛为本,遂专以平亢泄热为法方获佳效。"壮火食气"亦会见虚象,因未能明确虚实而运用了生脉散,乃属误治,故临证当需辨清虚实,不可犯"虚虚实实"之误,应该立此存照。

小柴胡汤为和解表里之剂,既可以清热疏肝又可以扶正护脾,有开气枢转、解郁化痰之功,为和解少阳第一方。瘿肿病在颈项,为少阳经分布之处,治疗以小柴胡汤为最宜。瘿肿初期多实,以气滞、肝火、痰凝为主,随经流注,结于少阳胆经,循于颈部而成。本案所见阳热充斥、气滞、肝火明显,故初期或去半夏,或去党参,或去甘草,阳热渐平时又施原方。甲状腺功能亢进之实证为一派邪热消烁气津之象,亦可以清热泻火,苦寒直折,以黄连解毒汤合消瘰丸泻热软坚。笔者后来治疗几例甲状腺功能亢进的患者，以黄连解毒汤加味，显著改善了甲状腺功能亢进的所有症状和甲状腺功能指标，包括凸眼、甲状腺肿大。

消瘰丸又名消疬丸，出自《医学心悟》，由玄参、牡蛎、贝母(浙贝母、川贝母均可，因川贝母较昂贵故临证常采用浙贝母)组成。原方本意是治疗淋巴结核的，中医称“瘰疬”。门纯德先生多用于治疗各种肿瘤，笔者多用于治疗各种结节、甲状腺肿大和(或)甲状腺功能亢进，有较好疗效。消瘰丸是化痰软坚散结的名方，方中贝母清泄肝热、消肿散结，牡蛎、玄参滋阴生津、益阴退热、软坚化痰，又能敛汗，最为对证。或加夏枯草、珍珠母、黄药子、蜂房、海藻，均为化痰散结之用，阳亢痰热得以清解则心悸得平，余症俱消，瘿肿亦缩小。本病来势凶猛，虽方证相投，当难起效，遂加重药物剂量并增加药汁量及服用次数，一日三服方获显效。

消瘰丸加夏枯草治疗瘰疬的案例在《许履和外科医案医话集》中有记载，疗效甚佳。门纯德先生通常是牡、玄、贝、夏合用治疗肿瘤，笔者沿用门老的思路治疗瘿肿，运用大剂量夏枯草，有较好的消瘤散结功效。夏枯草剂量大，煎煮不便，可以熬成夏枯草膏服用，市场上有夏枯草膏成药但价格较贵。黄药子是治疗甲状腺功能亢进的要药，可以有效降低各项甲状腺功能指标，消散瘿肿，但需注意有肝功能损害之虞。丙硫氧嘧啶、甲巯咪唑等均会导致肝功能损害，故联用时要格外小心，定期监测肝功能，并告知患者黄药子可能有肝功能损害之不良反应。关于黄药子的运用剂量，朱良春先生治疗肿瘤时用 15g 起，笔者则比较谨慎，用量在 3~10g，通常在 6g，剂量越大，治疗甲状腺功能亢进的效果越好，同时肝功能损害可能也越大。据临床观察，是否出现肝功能损害亦因人而异，或 3g 即出现，或 10g 也未出现。珍珠母重镇降逆对甲状腺功能亢进之阳热亢盛之多汗、易怒、身热等最为适宜，临证时多加减运用。

案 3. 心悸 - 自主神经功能紊乱 - 乌梅丸

冯某，男，76 岁，退休干部，大同市人。

初诊(2020 年 3 月 2 日)：患者以“夜间心悸 2 个月”就诊。患者近 2 个月来每于凌晨 2:00—3:00 从睡梦中心悸而醒，因怀疑冠心病在心内科就诊，心电图、心脏彩超、心血管 CT 血管成像未见异常，治疗 1 个月效果不理想，改中医治疗。患者心悸心烦，伴腿软，有饥饿感，不反酸、胃无烧灼感，纳可，手足不温，便溏，寐尚安。查其舌暗红苔白黏，脉弦。有冠心病、高血压病史，有胆石症胆囊切除手术史，否认糖尿病及胃食管反流病史。此乃心悸，寒热错杂，法当清上温下，调和阴阳，方拟乌梅丸。

处方：乌梅 15g，黄连 6g，黄柏 6g，细辛 3g，干姜 6g，当归 12g，桂枝 12g，附子 6g，人参 6g，川椒 6g。水煎服，每日 1 剂，煎 2 次，每次 30min，取汁 400ml，分 2 次服，7 剂。

二诊（3 月 9 日）：药后饥饿感已无，凌晨 2:00—3:00 心悸未见再作，心烦、腿软、手足不温减轻，但夜间起夜有头晕，腿软时有时无，纳可，寐尚安，便溏，舌暗红苔白黄相兼（染苔）、边有齿痕，脉弦有力。此乃上焦邪热扰心得解、下焦寒气得温，效不更方。

处方：乌梅 18g，黄连 6g，黄柏 6g，细辛 3g，干姜 6g，当归 12g，桂枝 12g，附子 6g，人参 6g，川椒 6g。水煎服，每日 1 剂，煎 2 次，每次 30min，取汁 400ml，分 2 次服，7 剂。

三诊（5 月 4 日）：药后胃脘有烧灼感，但精力转佳，腿已不软，夜间未再发作心悸，饥饿感偶见，不心烦，夜寐安，便已成形。患者因事外出，停药一段时间，症状未见反复。查其舌红苔薄白、舌边齿痕轻，脉沉弦有力。此乃寒热错杂得调，脾寒胃热仍存在，以胃热为甚，仍当巩固，法当清热温中，仍守上方，乌梅、干姜、当归减量。

处方：乌梅 15g，黄连 6g，黄柏 6g，细辛 3g，干姜 3g，当归 10g，桂枝 12g，附子 6g，人参 6g，川椒 6g。水煎服，每日 1 剂，煎 2 次，每次 30min，取汁 400ml，分 2 次服，7 剂。

按：本案心悸出现于凌晨 2:00—3:00，白天不心悸、心率不快，而心脏各项检查已排除器质性病变，伴有饥饿感，可能是交感神经兴奋所致。交感神经一般在凌晨 2:00—3:00 兴奋，故本案患者之心悸可能是自主神经功能紊乱所致。本案所见，无明显的上热如头面出火感、汗出、喜凉，及下寒如下肢畏寒喜暖、泄泻等，而见心烦、饥饿感（中医称为嘈杂）、手足不温、便溏，符合乌梅丸寒热错杂的核心主症，加之患者凌晨 2:00—3:00 发病也符合厥阴病欲解时的时辰，予乌梅丸 7 剂，服药 2 剂后夜里心悸即未再发作，其余诸症随之逐步改善，药进 14 剂诸症悉除。

乌梅丸属于调寒热、调阴阳之剂，不易掌握，但只要辨证准确，常收奇效，本案即是。笔者擅用乌梅丸治疗临床诸疾，对寒热错杂之多汗、失眠、焦虑、泄泻等均收佳效。

乌梅丸出自《伤寒论》，由乌梅、黄连、黄柏、细辛、干姜、当归、桂枝、附子、人参、川椒组成，具有缓肝调中，清上温下之功，组方奇特，作用鲜明，其适应范围远不止祛蛔、止泻，而可调各种寒热、阴阳失调之症。对乌梅丸的把握诸多医者不尽相同。比如，有学者认为“杨桃皮、冰棍手、气球脉”是乌梅丸证辨证的抓手；有学者从运气学说出发，认为符合“厥阴病欲解时，从丑至卯上”，不分是什么疾病均可运用乌梅丸治疗。笔者的感悟是，抓主症还得抓病机，二者结合有利于对乌梅丸的把握。

乌梅丸证的核心病机为肝亢脾寒，即上焦肝风上扰，中下焦虚寒；核心主症为心烦，口干，厥逆（手足不温）或乍冷乍热，便泻，舌淡红或暗红苔白或白黄，脉弦而无力。

第二十八节　胸　　痹

案．胸痹 - 功能性食管疾病 - 逍遥散、香砂六君子汤

李某，女，43 岁，教师，连云港人。

初诊（2009 年 4 月 13 日）：患者以“夜间胸闷如窒 1 年”就诊。患者反复出现夜间从睡梦中胸闷如窒而醒，胸中似灼非痛，自觉心悸，但心率不快。发作时有恐慌濒死感，嗳气，欲吐欲泄，生气后多发，白天有心胸食管灼热感，纳差，便调，曾多次夜间急诊，以冠心病心绞痛多次住院治疗未见改善，查 4 次动态心电图未见异常，有胃溃疡病史。诊其舌淡红苔白，脉弦。诊断为反流性食管炎、胸痹病。此乃肝胃不和，胃气不降，气逆上冲，胸脘气结不通，法当疏肝和胃降逆，方拟逍遥散合左金丸加木香、厚朴、枳壳疏肝理气，丁香、肉豆蔻温胃降逆。

处方：柴胡 15g，生白芍 12g，当归 12g，炒白术 18g，茯苓 18g，炙甘草 6g，木香 12g，厚朴 12g，枳壳 18g，黄连 6g，吴茱萸 6g，丁香 6g，肉豆蔻 6g，生姜 3 片。水煎服，每日 1 剂煎 2 次，每次 30min，取汁 400ml 分 2 次服，7 剂。

二诊（4 月 20 日）：服药后患者白天心胸灼热感已除，夜间嗳气、欲泄感消失，仍有夜间胸正中部难受，已能入睡，纳食已增，便调。诊其舌淡白苔

薄白，脉沉弱。此乃肝胃不和已减，肝气犯胃消除，而脾气不健，胃气不和仍在，法当健脾行气，温中降逆，方拟香砂六君子汤去陈皮、茯苓，厚朴易砂仁，加干姜。

处方：党参 12g，炒白术 15g，炙甘草 6g，法半夏 18g，木香 9g，厚朴 12g，干姜 6g。水煎服，每日 1 剂，煎 2 次，每次 30min，取汁 400ml，分 2 次服，7 剂。

三诊（4 月 27 日）：服药后 7 天内夜间仅发作 1 次，程度轻，仅觉心悸、胸中难受，片刻缓解，无胸闷如窒，无濒死感，仍能入睡，嗳气缓解，食纳佳。诊其舌淡白苔薄白，脉沉弱。此乃脾健胃和，胃气上逆轻，胃已和故卧亦安，法当温中下气，效不更方，仍守上方，白术、木香、干姜剂量做适当调整。

处方：党参 12g，炒白术 18g，炙甘草 6g，法半夏 18g，木香 12g，厚朴 12g，干姜 9g。水煎服，每日 1 剂，煎 2 次，每次 30min，取汁 400ml，分 2 次服，7 剂。

四诊（5 月 4 日）：服药后每遇生气、疲劳即发，胸闷如窒轻，有濒死感，纳可，寐安。诊其舌红苔薄白，脉弦。此乃脾虚肝旺，每遇生气、劳累则肝郁、脾虚加重故易发，肝胃不和仍在，气逆上犯时作，法当温中理气，降逆化痰，仍守上方去半夏、甘草，加香附、旋覆花降气化痰。

处方：党参 12g，炒白术 18g，木香 12g，厚朴 12g，干姜 9g，香附 12g，旋覆花 12g。水煎服，每日 1 剂，煎 2 次，每次 30min，取汁 400ml，分 2 次服，7 剂。

五诊（7 月 9 日）：服药后再未发作，生气、劳累也未出现，故未就诊。近日因吃甜物又作一次，心下悸，发作时见头胀痛、反酸、嘈杂，纳可，便溏，寐安。诊其舌淡白苔白，脉细。此乃脾虚不健，湿邪困脾，法当燥湿健脾，方拟平胃散。

处方：苍术 12g，厚朴 12g，陈皮 15g，炙甘草 6g。水煎服，每日 1 剂，煎 2 次，每次 30min，取汁 400ml，分 2 次服，7 剂。

六诊（11 月 26 日）：服药后夜间再未发作，停药后劳累、生气或饮食不当时会出现夜间嘈杂，胸闷不适，片刻消除，不影响睡眠，食纳欠佳，便调，寐安。诊其舌淡红苔薄白，脉沉弱。此乃仍脾气不健，肝胃不和，脾虚肝克仍在，法当健脾行气，仍守香砂六君子汤加减。

处方：红参 9g，炒白术 15g，炙甘草 6g，法半夏 15g，木香 9g，厚朴 12g，干姜 6g。水煎服，每日 1 剂，煎 2 次，每次 30min，取汁 400ml，分 2 次服，7 剂。

患者服药后再未发作。

按：功能性食管疾病是以胸痛、烧心、吞咽困难等慢性食管症状为表现的疾病。亦有少数见胸闷如窒、发作欲死，或胸痛、心悸者，且易被误诊。本病一直被诊为冠心病心绞痛，而对症治疗无效，且多次心电图检查正常，初诊时夜间发作时并无反酸、嘈杂，或患者并未留意，易被误诊。笔者以胸闷只发于夜间，胸闷如窒而不胸痛，有濒死感非心绞痛之所见，遂诊为食管炎症。

中医没有功能性食管疾病这一名称，当归属于胸痹范畴。中医学属于证候学，诊断多以症状为特点，胸部病变之咳嗽、气喘就按症状命名，如少量胸腔积液而无喘息、咳唾就不宜诊断为悬饮。胸闷如窒又无咳嗽气喘只能归于胸痹。当今中医在临床上所谓的胸痹实际多是冠心病、心绞痛之类，但临床所见此类症状未必就是冠心病类，除了反流性食管炎，还有可能是焦虑症，这些疾病归属于胸痹或许有些牵强，但也无更好的诊断病名可用。这也提示中医应当传承精华、守正创新，尤其在病名诊断这一环节需要更多的深入研究，以提供切实可用的解决办法。

本案辨证紧扣临床所见之症，患者痰气上逆，胸脘如窒，故以疏肝和胃，降逆下气为法。初诊时因患者情绪急躁易怒，先予逍遥散合左金丸加行气和胃之品，取效后则改为健脾和胃兼以疏肝，故以香砂六君子汤为主加减。本病总以脾虚为本，当温中健脾，宽中化痰降气为要，病虽有反复而培土终收其功。理中者，理中焦也，西医学认为本病与胃动力不足有关，温中健脾、疏肝行气均可增加胃动力，且以人参易党参，效果尤佳。

第二十九节　喘　　病

案 1. 喘病 - 结核性胸膜炎 - 小柴胡汤、茯苓杏仁甘草汤

康某，男，38 岁，工人，连云港人。

初诊（2010 年 2 月 9 日）：患者以“气喘发热 1 个月”就诊。患者因咳嗽、气喘、发热于 2010 年 1 月 6 日在连云港市某医院就诊，经查胸部 X 线、胸部 CT 检查提示右上肺结核，右侧胸腔积液，入住某传染病医院，经抗痨治疗，发热、咳嗽得到控制，仍气喘，胸腔积液未减，前来我院寻求中医治疗，

症见气喘，动则甚，咳少，无恶寒，午后低热，纳可，寐安，不乏力，不胸痛。诊其舌淡红苔黄厚腻，脉弦数。此乃邪犯胸胁，痰热搏结，肺气失宣，法当清化痰热，泻肺平喘，方拟小柴胡汤合葶苈大枣泻肺汤。

处方：柴胡 15g，黄芩 18g，法半夏 12g，党参 12g，炙甘草 6g，葶苈子 15g，生姜 3 片，大枣 4 枚。水煎服，每日 1 剂，煎 2 次，每次 30min，取汁 400ml，分 2 次服，10 剂。

二诊（2 月 20 日）：服药后气喘减轻，活动后喘轻，午后低热时间短，偶干咳，胸中如物压，便溏，纳佳。诊其舌淡红苔白，脉细。此乃痰热有减，肺热得泻，饮邪犯肺不解，法当泻肺行水，方拟茯苓杏仁甘草汤合葶苈大枣泻肺汤加枳壳、桔梗。

处方：茯苓 18g，杏仁 9g，炙甘草 6g，葶苈子 15g，枳壳 18g，桔梗 3g，大枣 4 枚。水煎服，每日 1 剂，煎 2 次，每次 30min，取汁 400ml，分 2 次服，10 剂。

三诊（3 月 2 日）：服药后胸闷气短明显减轻，活动后气喘已不明显，干咳少，日晡仍有低热（36.8~37.3℃），便已成形，纳可。胸部 X 线正位片示较前右侧胸腔积液减少。诊其舌淡红苔白厚，脉细数。此乃饮邪得泻，而痰热未清，法当清热化痰，方拟小柴胡合消瘰丸加全瓜蒌。

处方：柴胡 15g，黄芩 18g，法半夏 12g，太子参 12g，炙甘草 6g，玄参 30g，煅牡蛎 30g，川贝母 12g，夏枯草 18g，全瓜蒌 30g。水煎服，每日 1 剂，煎 2 次，每次 30min，取汁 400ml，分 2 次服，7 剂。

四诊（3 月 9 日）：服药后气喘已平，活动微有喘息，仍偶作干咳、无痰，日晡仍觉低热（36.8~37.0℃），食欲不振，寐安。经胸部 X 线复查示右侧胸腔积液已吸收。诊其舌暗红苔黄厚腻，脉数。此乃痰热渐清而咸寒之品碍胃，脾不健运，法当清热化痰，兼以健脾利湿，方拟小柴胡合消瘰丸加茯苓。

处方：柴胡 15g，黄芩 18g，法半夏 12g，太子参 12g，炙甘草 6g，玄参 30g，川贝母 12g，煅牡蛎 30g，夏枯草 18g，茯苓 18g，生姜 3 片，大枣 4 枚。水煎服，每日 1 剂，煎 2 次，每次 30min，取汁 400ml，分 2 次服，10 剂。

五诊（3 月 19 日）：服药后喘平咳止，活动微有喘息，日晡已不低热，食欲振，寐安。诊其舌淡红苔薄黄，脉细。此乃痰热得清，脾气得健，法当继以清热化痰，健脾利湿，方拟小柴胡合消瘰丸加茯苓以善其后。

处方：柴胡 15g，黄芩 18g，法半夏 12g，太子参 12g，炙甘草 6g，玄参 30g，川贝母 12g，煅牡蛎 30g，夏枯草 18g，茯苓 18g，生姜 3 片，大枣 4 枚。

水煎服，每日1剂，煎2次，每次30min，取汁400ml，分2次服，7剂。

按：结核性胸膜炎根据胸腔积液之多少而症状不同。本案患者无喘息咳唾、咳引胸痛，故不属悬饮，而仅以气喘为主，故属喘病。患者低热、气喘、咳少，结合舌脉当属邪犯胸胁，痰热搏结，肺气失宣。胸胁乃少阳经所过之地，患者兼有日晡低热，虽喘乃枢机不利、饮邪犯肺之故，符合小柴胡汤核心主症中的发热及少阳经所过之处——胸胁（结合西医学检查示胸膜炎），故以小柴胡汤和解少阳、透转枢机，加葶苈子清泻肺热、攻逐水饮，待喘轻热减，改以泻肺逐饮，以茯苓杏仁甘草汤合葶苈大枣泻肺汤化饮泻肺平喘，饮邪见消，而阴虚内热有死灰复燃之征，日晡低热时间延长时以小柴胡汤合消瘰丸清化痰热，而热退、喘平咳止。

葶苈大枣泻肺汤出自《金匮要略》："肺痈，喘不得卧，葶苈大枣泻肺汤主之。"葶苈大枣泻肺汤证的核心病机为水饮上犯，肺失宣降；核心主症为喘不得卧，咳吐泡痰，胸胁胀满，或发热或不发热，或面目水肿，舌红或淡红苔白或微黄厚，脉弦有力或沉而有力。

茯苓杏仁甘草汤出自《金匮要略》："胸痹，胸中气塞，短气，茯苓杏仁甘草汤主之，橘枳姜汤亦主之。"茯苓杏仁甘草汤证的核心病机为饮邪上犯，宗气失宣；核心主症为胸中气塞，短气欲咳，便溏，或心悸，舌淡红苔薄白或白厚水滑，脉沉或细。

消瘰丸证的核心病机为阴虚内热、痰热搏结成核；核心主症为瘰疬或痰核或瘿瘤，口干，低热或手足心热，舌红苔薄白或薄黄，脉弦或滑或略数。本案也运用牡、玄、贝、夏之方。消瘰丸为程氏消痰核之方，为治疗结核病之要方，在西医诊断明确的基础上运用每每取效。其中，玄参具有清热凉血之功，对日晡发热退热疗效肯定；柴胡亦有退热之力，不过柴胡有耗阴之虞，久用对结核阴虚内热之体质不宜。玄参最为适合，本案重用玄参30g，在退热方面效果明显，但玄参滋腻容易碍脾出现纳呆便溏，不可不知。

纵观中医发展史可以发现，中医从来都是与时俱进的。当今在中医临床上，可以结合西医诊断，将西医的各项检查指标糅合在中医辨证之中，真正体现出中西医的融合，如此则可以弥补中医四诊无法深入体内微观世界之不足。真正的中医临床家，应不排斥西医，但需注意减少"两张皮"现象，即西医检查只用于西医诊断，中医辨证则与之无关的中西医结而不合现象。

案 2. 喘病 - 胸膜炎 - 小陷胸汤

刘某，女，45 岁，自由职业，连云港人。

初诊（2011 年 1 月 27 日）：患者以"胸闷气喘 10 年"就诊。患者胸闷气喘，盗汗，咽干，咳嗽，倦怠乏力，纳呆。经胸部 X 线正位检查未见异常，血常规未见异常。有结核性胸膜炎病史，否认冠心病病史。诊其舌红苔黄厚，脉沉。此乃痰热互结，法当豁痰清热，方拟小陷胸汤。

处方：全瓜蒌 30g，黄连 9g，法半夏 18g。水煎服，每日 1 剂，煎 2 次，每次煎 30min，共煎 400ml，分 2 次口服，5 剂。

二诊（2 月 10 日）：服药后胸闷气喘消除，服 1 剂后盗汗即未再出现，倦怠乏力大减，食欲增，夜寐转安，咽干减轻，咽中有痰，咳嗽，眼干涩，仍口干乏力。诊其舌淡红苔白，脉弱。此乃痰热互结已清，见肺阴亏虚、肺经有热，法当轻清肺经之热，兼滋养肺阴，方拟桑菊饮加减。

处方：桑叶 12g，菊花 12g，桔梗 9g，生甘草 9g，天冬 15g，牛蒡子 9g，生姜 3 片。水煎服，每日 1 剂，煎 2 次，每次煎 15min，共煎 400ml，分 2 次口服，5 剂。

三诊（2 月 15 日）：服药后胸闷气喘未再作，咽干有痰明显减轻，咳嗽轻，食欲增，夜寐转安，倦怠乏力轻，眼干涩。诊其舌淡红苔白，脉弱。此乃气阴两虚、肺经有热，法当益气养阴，清宣肺经之热，方拟生脉散合桑菊饮加减。

处方：西洋参 12g，麦冬 18g，五味子 9g，桑叶 12g，菊花 12g，桔梗 9g，生甘草 9g，牛蒡子 9g。水煎服，每日 1 剂，煎 2 次，每次煎 30min，共煎 400ml，分 2 次口服，7 剂。

按：喘病是指呼吸困难，甚则张口抬肩，鼻翼煽动，不能平卧等为主要临床表现的一种病证。本案患者胸闷气喘，且咳嗽、盗汗有 10 余年，有结核性胸膜炎病史，当属喘病，症见胸闷、舌红苔黄厚，脉沉，为痰热结胸，治当清热化痰。

小陷胸汤出自《伤寒论》，由黄连、半夏、瓜蒌组成，为小结胸证而设，

《伤寒论》谓小结胸者结于心下，即膈之上下，故见胸脘痞闷，按之则痛，或心胸闷痛等症，多见于胸膜炎、胰腺炎、胆囊炎等疾病。方中黄连清热，半夏化痰开结，辛开苦降，善治痰热内阻，瓜蒌荡热涤痰，宽胸散结。小陷胸汤证的核心病机为痰热互结于心下；核心主症为胸脘之处闷痛，气短息不畅，舌红苔黄厚(腻)，脉滑数。本案患者病程已久，正气已虚，邪气入里，故脉见沉，未见滑数之脉，然痰热实证无疑，不拘泥久病多虚之说。本案虽然病久却5剂获效，足见运用仲景经方，若辨证准确则效若桴鼓。后见咳嗽、咽干、乏力等，给予轻清肺热，兼以益气养阴之方药以善后，病症渐消。

案3. 喘病-肺不张-二陈汤合消瘰丸

王某，女，72岁，退休医生，四川绵阳市人。

初诊(2010年1月28日)：患者以“呼吸不畅，咳嗽1年”就诊。患者2009年12月28日因咳嗽气短在连云港市某医院行纤维支气管镜检查，结果示左肺隆突至左主支气管黏膜明显充血肿胀，管腔中度狭窄，左上下叶开口重度狭窄，钳夹时组织弹性差，易出血；右肺未见异常，考虑左上肺占位，纤刷物送检未见肿瘤细胞及抗酸杆菌。2010年1月4日在南京某医院查颈胸部CT提示：①左主支气管及左肺上叶支气管管壁增厚伴上叶肺不张，建议支气管镜检查排除肺癌可能；②右肺上叶炎性病变。2010年1月5日查电子支气管镜检查示左主支气管黏膜肥厚，见新生物突出于管腔，致管腔狭窄。纤维支气管镜无法通过，右主支气管及右上叶支气管黏膜肥厚，充血，未见管腔新生物，左主支气管活检及刷检结果示左支气管黏膜中度慢性炎症。经抗感染、激素等治疗后症状改善不明显，遂前来邀中医治疗，症见呼吸不畅，气塞如物堵，稍动则喘，咳嗽时作，咳轻痰少，纳可，寐安。查其平息时亦有哮鸣音，诊舌暗红苔薄白而干，脉沉。此咳而气塞，年老久咳为久病入络，痰瘀阻结，治以化痰活血，宽胸通络，方拟二陈汤加味，加活血化瘀之桃仁、当归，宽胸理气之全瓜蒌，通络之丝瓜络、细辛。

处方：法半夏15g，橘红12g，茯苓12g，炙甘草6g，全瓜蒌18g，桃仁12g，当归15g，赤芍15g，丝瓜络12g，细辛1g。水煎服，每日1剂，煎2次，每次30min，取汁400ml，分2次服，7剂。

二诊(2月4日)：服药后患者气塞感稍减轻，同时静脉滴注抗生素治疗，咳嗽减轻，无痰，稍动则喘，哮鸣有声，纳可，寐安。查其安静时哮鸣音如前,舌暗红苔薄白而干,脉沉。此乃痰瘀有减,肺气略宣,而痰瘀阻结,肺络不通,法当化痰散结,方拟消瘰丸合血府逐瘀汤、瓜蒌薤白半夏汤加减。

处方:煅牡蛎30g(先煎),浙贝母12g,夏枯草30g,全瓜蒌18g,法半夏18g,赤芍15g,当归15g,麻黄9g,枳壳15g,桔梗9g。水煎服,每日1剂,煎2次,每次30min,取汁400ml,分2次服,12剂。

三诊(2月23日):服药后症状稳定,已停用抗生素,活动后气短喘息,偶有哮鸣音,口不干,不喜饮,纳可,寐安。查其平息时哮鸣音轻,舌暗红苔白,脉沉。此乃肺络阻结,肺失宣降,法当化痰散结、活血消癥,仍守上方去夏枯草、半夏,加桃仁、穿山甲、皂角刺、麦冬。

处方:煅牡蛎30g(先煎),浙贝母12g,全瓜蒌30g,赤芍15g,当归18g,麻黄9g,枳壳18g,桔梗9g,桃仁12g,穿山甲9g,皂角刺9g,麦冬30g。水煎服,每日1剂,煎2次,每次30min,取汁400ml,分2次服,10剂。

四诊(3月15日):服药后自觉呼吸通畅,气短喘息感明显减轻,无痰,已不咳,口不渴,不喜饮,纳可,寐安。胸部CT示左上叶肺不张较2010年1月4日胸部CT检查所示明显缩小。活动后哮鸣音明显,安静时哮鸣音明显减轻,诊其舌暗红苔薄白,脉沉缓。此乃痰结瘀滞渐化,肺络渐通,肺气始利,法当化痰散结、活血消癥,方拟上方去麦冬,加山药。

处方:煅牡蛎30g(先煎),浙贝母12g,全瓜蒌30g,赤芍15g,当归18g,麻黄9g,枳壳18g,桔梗9g,桃仁12g,穿山甲9g,皂角刺9g,炒山药18g。水煎服,每日1剂,煎2次,每次30min,取汁400ml,分2次服,7剂。

五诊(3月24日):服药后呼吸已舒畅,原来只能吸一半即不畅,深吸即咳,现已能吸通亦不咳,气短喘息感明显减轻,上四楼喘亦不明显,不咳,口不渴,纳可,寐安。活动后哮鸣音轻,安静时哮鸣音已无。诊其舌暗红苔薄白,脉沉缓弱。此乃痰结瘀滞渐化,肺络渐通,肺气始利,法当化痰散结、活血消癥,守上方。

处方:煅牡蛎30g(先煎),浙贝母12g,全瓜蒌30g,赤芍15g,当归18g,麻黄9g,枳壳18g,桔梗9g,桃仁12g,穿山甲9g,皂角刺9g,炒山药18g。水煎服,每日1剂,煎2次,每次30min,取汁400ml,分2次服,10剂。

按:本案患者呼吸不畅,咳嗽1年,动则喘甚,多次检查提示排除肺部占位可能,病理诊断支持支气管慢性炎症并肺不张,年老久咳,本虚标实,而以痰结瘀阻为主，先以二陈汤为主健脾化痰而效不显著，复予化痰散结、活血消癥、宽胸利气方药消瘰丸合血府逐瘀汤、瓜蒌薤白半夏汤加减而痰结瘀滞渐消，肺气始降，经过治疗患者复查CT示肺不张明显缩小，咳嗽症状消失，喘息渐平。

本案运用消瘰丸治疗，因患者无阴虚且体质未见热象，故去玄参，以血府逐瘀汤加减活血化瘀及宣通肺气，加瓜蒌、麻黄以增其功，以穿山甲、皂角刺及半夏散结软坚，服用穿山甲、皂角刺后症状改善明显加快。因穿山甲为国家保护动物，笔者常以皂角刺代替，必要时方用。皂角刺有一定毒性，常用剂量在3~10g，笔者最大用至12g，用于治疗甲状腺结节、肺结节、子宫肌瘤、前列腺肥大等。夏枯草为消克痰结之品，重用有效，笔者常与消瘰丸合用而取效，夏枯草消而不伐，苦而不寒，为消结之平剂，但取效慢。本案因是支气管肿瘤生长阻塞气道出现肺不张，病情较急，故去夏枯草而改用穿山甲。

本案患者初期见舌暗红苔白而干，认为有肺阴亏虚，遂加用麦冬，服用后见不渴不喜饮后去掉麦冬。本证虽无明显脾虚，但脾为生痰之源，故后期加炒山药补益脾肺，杜绝痰生，此即扶正之所以祛邪。

第三十节 嗳　气

案．嗳气 - 浅表性胃炎 - 柴胡疏肝散、旋覆代赭汤

尹某，男，66岁，退休干部，连云港人。

初诊（2011年6月7日）：患者以“反复嗳气2年，加重1年”就诊。患者因经常恼怒生气致嗳气，每遇情绪不佳则嗳气频作，纳佳，嘈杂，难以入眠，易醒，易激动，易怒，便溏黏滞不爽，有浅表性胃炎、反流性食管炎病史。诊其舌淡红苔白，脉弦。此乃肝郁痰结，法当理气化痰，方拟柴胡疏肝散合旋覆代赭汤减味。

处方：柴胡18g，生白芍15g，枳壳30g，炙甘草6g，香附12g，川芎6g，旋覆花12g（包，先煎），代赭石15g，法半夏15g。水煎服，每日1剂，煎2次，每次煎30min，共煎400ml，分2次口服，7剂。

二诊（6月14日）：服药后嗳气大减，易怒生气改善，胃烧灼嘈杂感减轻，矢气畅，大便仍溏而次多。诊其舌淡红苔白，边有齿痕，脉沉弦。此乃

肝郁得减，痰气交阻为主，法当化痰降逆开结，方拟旋覆代赭汤加减。

处方：旋覆花 12g（包煎），代赭石 12g，法半夏 15g，党参 12g，炙甘草 6g，黄连 6g，干姜 6g。水煎服，每日 1 剂，煎 2 次，每次煎 30min，共煎 400ml，分 2 次口服，7 剂。

三诊（6 月 21 日）：服药后诸症进一步减轻，嗳气不显，不嘈杂，便渐调，仍易怒，耳鸣，夜寐不安。诊其舌淡红苔白，边有齿痕，脉沉弦。此乃痰气郁结中州渐开，法当继以化痰降逆开结，守上方，旋覆花加量，再加乌药。

处方：旋覆花 15g（包煎），代赭石 12g，法半夏 15g，党参 12g，炙甘草 6g，黄连 6g，干姜 6g，乌药 12g。水煎服，每日 1 剂，煎 2 次，每次煎 30min，共煎 400ml，分 2 次口服，7 剂。

柴龙解郁丹 60g×2 瓶，每次 6g，每天 3 次，饭后服。

四诊（6 月 28 日）：服药后嗳气消除，心情开朗，不易生气，夜寐转安，大便已调，服柴龙解郁丹则嘈杂偶作，偶有反酸。诊其舌淡红苔薄白，边有齿痕，脉弦。此乃痰气郁结，寒热错杂，柴龙解郁丹重坠伤脾，法当化痰降逆开结，守上方，黄连减量，加厚朴。

处方：旋覆花 15g（包煎），代赭石 12g，法半夏 15g，党参 12g，炙甘草 6g，黄连 3g，干姜 6g，厚朴 12g，乌药 12g。水煎服，每日 1 剂，煎 2 次，每次煎 30min，共煎 400ml，分 2 次口服，7 剂。

柴龙解郁丹 60g×2 瓶，每次 6g，每日 3 次，饭后服。

五诊（7 月 5 日）：服药后嗳气再未作，情绪佳，夜寐尚安，大便已调，嘈杂、反酸未作。诊其舌淡红苔薄白，边有齿痕，脉弦。此乃痰气郁结，寒热错杂，法当化痰降逆开结，守上方去厚朴。

处方：旋覆花 15g（包煎），代赭石 12g，法半夏 15g，党参 12g，炙甘草 6g，黄连 3g，干姜 6g，乌药 12g。水煎服，每日 1 剂，煎 2 次，每次煎 30min，共煎 400ml，分 2 次口服，7 剂。

柴龙解郁丹 60g×2 瓶，每次 6g，每日 3 次，饭后服。

按：嗳气是指胃中浊气上逆，经口而出，响声连连之病症。嗳气病因有多种，总与胃、脾、肝有关。朱丹溪认为本病是“胃中有痰火”，而张景岳则认为丹溪“此说未必皆然，盖嗳气多由滞逆，滞逆多由气不行，气逆不行者，多寒少热”，可见，嗳气既与胃中痰火有关，又与肝气上逆关系密切。本案患者每遇生气则嗳气，易怒、嘈杂、便溏，乃肝郁气滞，横逆犯胃，痰气郁结，胃气不降之象，当以疏肝理气为主，兼以化痰降逆，予柴胡疏肝散合旋覆代赭汤数剂而病情大减，易怒明显减轻，病家大喜过望，诉年久之顽疾松动。肝郁得解后以化痰降逆开结为法，予旋覆代赭汤加治寒热痞之药对干姜、黄连而嗳气消除。其间因夜寐不安而联用院内制剂柴龙解郁丹以解郁安神。

旋覆代赭汤出自《伤寒论》，由旋覆花、半夏、甘草、人参、代赭石、生姜、大枣组成，具有降逆和胃之功，用治胃虚气逆诸症。

旋覆代赭汤证的核心病机为胃气亏虚，痰气上逆；核心主症为嗳气或呃逆，恶心或呕吐，心下痞满，舌淡红苔白，脉缓。

第三十一节　嘈　　杂

案．嘈杂－功能性消化不良－半夏泻心汤、平胃散、逍遥散

王某，女，19岁，学生，连云港人。

初诊（2012年1月3日）：患者因“嘈杂短气1周”就诊。患者因饮食不节，症见嘈杂、短气，出冷汗，泛恶，便秘，口渴，喜热饮，易紧张。诊其舌淡红，苔黄而干，脉沉。此乃胃中寒热错杂、痞结中焦，法当辛开苦降，方拟半夏泻心汤。

处方：法半夏15g，黄芩12g，黄连6g，干姜6g，党参12g，炙甘草6g，红枣15g。水煎服，每日1剂，煎2次，每次煎30min，共煎400ml，分2次口服，5剂。

二诊（1月8日）：服药后嘈杂、口渴、喜热饮、短气减轻，纳增，诊其舌淡红苔薄白，已不干黄，脉细。此乃热去，痞结解，而以湿邪困脾为主，法当燥湿健脾和胃，方拟平胃散加木香。

处方：苍术15g，厚朴15g，陈皮15g，炙甘草6g，木香9g，生姜5片。水煎服，每日1剂，煎2次，每次煎30min，共煎400ml，分2次口服，7剂。

三诊（1月15日）：服药后嘈杂、反酸除，短气时轻时重，紧张后则易见，已不出冷汗及泛恶，喜凉饮，食凉则胃痛，便调。诊其舌淡红苔薄白，脉沉弱。此乃湿邪去而脾虚肝郁，法当健脾疏肝，方拟逍遥散合香连丸。

处方：柴胡15g，生白芍12g，当归12g，白术15g，茯苓18g，炙甘草6g，

木香 9g,黄连 3g,生姜 3 片。水煎服,每日 1 剂,煎 2 次,每次煎 30min,共煎 400ml,分 2 次口服,7 剂。

四诊(1 月 23 日):服药后嘈杂、反酸再未作,紧张感明显减轻,紧张后短气,出冷汗及泛恶很少出现,胃不痛,便调。诊其舌淡红苔薄白,脉沉弱。此乃脾虚肝郁得解,法当健脾疏肝以巩固之,方拟逍遥散合香连丸。

处方:柴胡 15g,生白芍 12g,当归 12g,白术 15g,茯苓 18g,炙甘草 6g,木香 9g,黄连 3g,生姜 3 片。水煎服,每日 1 剂,煎 2 次,每次煎 30min,共煎 400ml,分 2 次口服,7 剂。

按:嘈杂是指自觉胃中空虚,似饥不饥,似痛非痛,莫可名状的一种病证,是临床常见的消化道疾病,常伴有烧心、反酸、恶心呕吐等。本案患者还伴有短气,有呼吸不畅之觉,容易紧张,汗出等,可见胃肠功能异常亦会伴见自主神经功能紊乱。初期乃胃热脾寒,寒热错杂,以半夏泻心汤辛开苦降,消痞开结,待胃热减,脾虚湿困为主时,以平胃散燥湿健脾,待嘈杂、泛恶消除后,当疏肝解郁,调畅气机而紧张、汗出、短气俱消。短气多为肺气不宣而中州痞结,气机上下不畅时亦会见短气等肺气不宣之症状,不可不测。如前面一节的小陷胸汤案的结胸证亦见短气息不畅之症状。本案患者病机主线是肝气犯脾,肝脾不和。西医学认为,焦虑交感神经亢奋会导致胃食管反流而出现消化道症状,先以心下痞为主,痞去后见胃气上逆突出。诸次要病机解决后,方显现肝郁脾虚之主病机。治疗过程可谓是见招拆招。笔者习惯采用这样的方法治疗疾病,因为"随证治之"正是仲景先师之训导,方从法出,法随证立。临证辨证施治时,患者症状虽复杂,难以理清,但其病机诚不欺人,当谨察其所在而随证治之。

肝脾不和见脾虚肝热者,比较适合的方剂还有越鞠丸。本案可以越鞠丸解郁和胃解决紧张时胃不适、喜凉饮食但遇凉胃痛诸症,但当时辨证时运用了逍遥散合香连丸也取得了很好的疗效,说明可以异曲同工,殊途同归。

半夏泻心汤出自《伤寒论》,由半夏、黄芩、黄连、干姜、人参、甘草、大枣组成,具有平调寒热,消痞和胃之功,是治疗胃、食管疾病见胃热脾寒之寒热错杂的良方,在临床中被广泛运用。据文献统计,半夏泻心汤是仲景方中属于被运用最多的方剂之一。平胃散出自《太平惠民和剂局方》,由苍术、厚朴、陈皮、甘草、生姜、大枣组成，具有燥湿和胃之功。香连丸出自《太平惠民和剂局方》，由黄连、木香、吴茱萸组成，用吴茱萸炒黄连后去吴茱萸，实际就是少量加吴茱萸，具有清热化湿，行气止痛之功，是治疗湿热型痢疾的要药。本案用于治疗湿热气滞之胃痛。

半夏泻心汤的核心病机为胃热脾寒，寒热互结成痞，脾气不运；核心主症为心下痞满或痛，口苦或黏，嘈杂或胃烧灼，便泻，舌暗红或淡红苔白或微黄，脉弦。平胃散的核心病机为湿邪困脾，胃失和降；核心主症为脘腹胀满，纳呆口淡，嗳气或吞酸，舌淡红苔白腻而厚，脉缓。香连丸的核心病机为湿热郁结于胃肠；核心主症为里急后重，脘或腹疼痛，或嘈杂，舌红苔白或黄，脉弦。

第三十二节 胃 痛

案 1. 胃痛 - 胃功能障碍性疾病 - 逍遥散

李某，女，30 岁，中药师，连云港市人。

初诊（2011 年 4 月 19 日）：患者以“紧张即胃痛恶心 1 个月”就诊。患者每遇紧张、负面影响时即出现胃痛、恶心欲吐，经前多见，月经调，否认家族史。察其倦怠乏力，思睡头昏。诊其舌淡红苔薄白，脉沉。此乃肝郁乘脾，脾胃虚弱，脾胃升降失调所致，法当疏肝理脾，方拟逍遥散加香附。

处方：柴胡 15g，生白芍 12g，当归 12g，炒白术 15g，茯苓 15g，炙甘草 6g，香附 12g，薄荷 6g（后下），生姜 3 片。水煎服，每日 1 剂，煎 2 次，取 400ml，分早晚 2 次温服，7 剂。

二诊（4 月 26 日）：服药后紧张情绪缓解，紧张时胃痛、恶心减少，善饥，寐不安，察其嗳气频作。诊其舌淡红，苔白，脉弦。此乃肝郁渐解，而脾胃已虚，内生痰湿，气机上逆所致，法当降逆化痰，益气和胃，方用旋覆代赭汤加减。

处方：旋覆花 12g，代赭石 12g，法半夏 15g，党参 12g，炙甘草 6g，厚朴 12g，陈皮 15g，枳壳 18g，生姜 3 片，大枣 15g。水煎服，每日 1 剂，煎 2 次，取 400ml，分早晚 2 次温服，7 剂。

三诊（5 月 3 日）：服用前方后嗳气、紧张除，胃痛恶心未作，饥饿感大减，仍寐不安、多梦、头昏。诊其舌淡红苔黄，脉弱。此乃肝胃得和而痰浊未化,日久化热,上扰心神所致,法当理气化痰,和胃安神,方拟黄连温胆汤。

处方:黄连 6g,法半夏 18g,陈皮 12g,茯苓 15g,炙甘草 6g,枳实 18g,竹茹 15g。水煎服,每日 1 剂,煎 2 次,取 400ml,分早晚 2 次温服,7 剂。

四诊(5 月 10 日):药后经至,紧张轻,不胃痛,微有恶心,夜寐转安,头昏减轻。诊其舌淡红苔黄,脉弱。此乃肝脾尚调,痰热得减,法当化痰解郁,方拟温胆汤合逍遥散加香附、郁金。

处方:法半夏 18g,陈皮 12g,茯苓 15g,炙甘草 6g,枳实 18g,竹茹 15g,柴胡 12g,生白芍 12g,当归 12g,香附 12g,郁金 15g。水煎服,每日 1 剂,煎 2 次,取 400ml,分早晚 2 次温服,5 剂。

五诊(5 月 17 日):药后紧张,紧张即胃痛,恶心未再作,寐已安,梦减少,纳可。诊其舌淡红苔薄白,脉细。此乃痰热渐消,肝脾得调,法当疏肝理脾以巩固,方拟逍遥散。

处方:柴胡 15g,生白芍 12g,当归 12g,炒白术 15g,茯苓 15g,炙甘草 6g,薄荷 6g(后下),生姜 3 片。水煎服,每日 1 剂,煎 2 次,取 400ml,分早晚 2 次温服,7 剂。

按:胃痛以胃脘部疼痛为主要症状,病位虽然在胃,但与肝、脾的关系最为密切。脾主运化,胃主受纳,脾主升,胃主降,脾不升清则胃难降浊,胃气不降则病胃痛。肝主疏泄,疏泄不足与太过均影响胃之受纳而致胃痛。

本案患者每遇情绪刺激则胃痛、恶心,经前明显,失眠思睡,倦怠乏力,为肝郁脾虚之征,予逍遥散疏肝理脾而紧张、胃痛、恶心等减轻,又见嗳气、善饥为甚,经旋覆代赭汤化痰降气而嗳气平,后又见失眠、经至紧张、苔黄之痰热证,予温胆汤之类,或合逍遥散而诸症悉除。本案患者以肝气犯脾(胃),痰浊中阻为核心病机,疏肝解郁贯穿始终,然治疗期间某些症状突出时并未采用主方加减的方式,而是随症治之,以次要病机为抓手各个击破,以旋覆代赭汤和胃降气,以黄连温胆汤及温胆汤清化痰热等。笔者受门纯德先生的影响,以更方优选而非合方化裁的方式治疗慢性病不同阶段的复杂症候群,可以起到执简御繁的目的。

案2. 胃痛 - 功能性消化不良 - 桂枝加大黄汤

耿某,女,10岁,学生,连云港市人。

初诊(2012年1月7日):患者以"胃脘时时作痛3个月"就诊。患者时作胃痛,每日胃痛不已,时作时休,甚则疼痛难耐,纳差食少,大便干结。诊其舌尖红苔薄少,脉细数。此为素体脾虚,胃肠实聚,法当调和中焦,清泄胃实,方拟桂枝加大黄汤。

处方:桂枝9g,生白芍15g,炙甘草6g,大黄9g(后下),生姜3片,大枣15g。水煎服,每日1剂,煎2次,取400ml,分早晚2次温服,5剂。

二诊(1月14日):药进4剂后胃时痛大减,痛次减少,疼痛程度减轻,大便已不干结,纳差食少。诊其舌淡红苔薄白,脉细。此乃太阴脾实得减,法当继以泄太阴之里实,方拟桂枝加大黄汤。

处方:桂枝9g,生白芍15g,炙甘草6g,大黄6g(后下),生姜3片,大枣15g。水煎服,每日1剂,煎2次,取400ml,分早晚2次温服,5剂。

三诊(1月19日):药后胃时痛已消除,大便已调,食欲增。诊其舌淡红苔薄白,脉细。此乃太阴脾实得解,不再施与药物,嘱其饮食有节,避免暴饮暴食。

按:本案患儿有虚有实,有寒有热,要谨察病机所在而治之。本案患儿饮食不节,调养失宜导致脾胃失和,胃中积滞,出现太阴脾实,脾络阻滞,时时作痛,痛甚而非绵绵作痛,大便干结等,故予桂枝加大黄汤和脾泻实,数剂后痛减,继以五剂而胃痛消除。

桂枝加大黄汤出自《伤寒论》,"本太阳病,医反下之……大实痛者,桂枝加大黄汤主之",由桂枝加芍药汤加大黄组成,而非桂枝汤加大黄组成,与桂枝加芍药汤治腹满时痛相反。桂枝加芍药汤是以腹痛隐隐、绵绵作痛、喜温喜按为特征,与小建中汤证类同,是营卫俱虚,脾营亏虚、脾络失养,病性为虚,故痛轻绵绵;桂枝加大黄汤证是腹满大实痛,既有腹胀满之虚,又有痛甚拒按、大便干结之实,故桂枝加大黄汤是在桂枝加芍药汤的基础上加大黄,即在调和营卫、滋脾营阴之际泻脾(胃肠)之实结,看似虽一味药之差,却虚、实极不相同,不可不辨。

笔者曾于2022年12月诊治一位80岁女性患者,新型冠状病毒感染后出现食欲缺乏,1周不进食不饥,胃脘疼痛,平素不能进食不温热之饮食,大便干结。患者任何饮食包括流质均不欲咽，拒绝服用中药，病房邀余会诊。诊见患者消瘦而声音高亢，胃喜温而舌红苔无而干，脉弦。说服患者后开具桂枝加大黄汤2剂中药配方颗粒，患者服半剂后得畅便，1剂后胃中寒冷已无，食欲开。患者大喜过望，随即十分愿意遵医嘱，2剂后饮食基本正常。桂枝加大黄汤通泻脾实而使正气来复，诸症即可悉除。

桂枝加大黄汤证的核心病机为脾营阴亏虚，邪结于脾，腑气不通；核心主症为腹满，腹痛，大便干结，舌红苔白，脉沉有力。

案3. 胃痛-功能性食管疾病-小半夏加茯苓汤、半夏厚朴汤、逍遥散

杨某，女，46岁，退休工人，连云港市人。

初诊(2011年8月2日)：患者以"胃脘胀痛3个月"就诊。患者胃胀痛，不吐酸，心胸如梗，吞咽正常，咽干涩，口不渴，纳可。胃镜显示浅表性胃炎、反流性食管炎，上消化道钡剂造影未见异常。诊其舌淡红苔根白厚、边有齿痕，脉弱。此乃痰湿阻塞气机，胃气上逆，法当和胃降逆，方拟小半夏加茯苓汤。

处方：法半夏18g，茯苓12g，生姜5片。水煎服，每日1剂，煎2次，取400ml，分早晚服，5剂。

二诊(8月9日)：服用前方后咽干涩明显减轻，心胸如梗缓解，胃已不痛，腹中舒畅，纳佳，便干结不畅已除，寐差。察其喜叹息，诊其舌淡红苔根白、边有齿痕，脉沉弱。此乃胃气上逆得解而痰气交阻为主，法当行气降逆化痰，方拟半夏厚朴汤。

处方：半夏18g，厚朴12g，茯苓12g，紫苏梗9g，生姜3片。水煎服，每日1剂，煎2次，取400ml，分早晚服，7剂。

三诊(8月16日)：服用前方后胸闷如塞明显减轻，微有咽中发紧，纳佳，便调。察其喜叹息，诊其舌红苔薄白、边有齿痕，脉弦。此乃肝郁脾虚，痰气郁结，气机不畅，法当疏肝理脾，方拟逍遥散加紫苏梗。

处方：柴胡15g，生白芍12g，当归12g，白术15g，茯苓15g，炙甘草3g，薄荷6g(后下)，紫苏梗12g，生姜3片。水煎服，每日1剂，煎2次，取400ml，分早晚服，7剂。

四诊(8月23日)：服用前方后胸闷如塞消除，咽不发紧，纳佳，便调。察其仍喜叹息，诊其舌红苔薄白，脉细。此乃肝郁脾虚，痰气郁结得减，气机始畅，法当疏肝理脾以巩固之，方拟逍遥散。

处方：柴胡 15g，生白芍 12g，当归 12g，白术 15g，茯苓 15g，炙甘草 3g，薄荷 6g(后下)，生姜 3 片。水煎服，每日 1 剂，煎 2 次，取 400ml，分早晚服，7 剂。

按：胃脘疼痛伴有心胸如塞（即食管炎食管黏膜肿胀之感），口不渴，苔白根厚，边有齿痕，乃痰饮阻结所致，当治其标，以小半夏加茯苓汤化痰降逆，待胃痛除、心胸如塞减轻、痰饮得化之后，施以半夏厚朴汤降气开结化痰，诸症基本消除，唯留喜叹息，当为肝郁气滞、中焦失畅之象，施以疏肝理脾，解郁开结之逍遥散而诸症悉平。本案患者痰饮上犯、胃气不降是标，肝胃不和、痰气交阻是本，治疗应先降逆化痰、后化痰降气，然后疏肝理脾。案中所见，寥寥几味却可起诸疾于股掌，足见经典名方之魅力所在。

小半夏加茯苓汤出自《金匮要略》，由半夏、生姜、茯苓组成，具有和胃降逆、止呕之功，适用于呕吐、心下痞塞等症。呕吐者宜姜半夏，胸脘痞满者宜法半夏，宜用生姜，不宜改为干姜。半夏厚朴汤出自《金匮要略》，由半夏、厚朴、茯苓、紫苏叶、生姜组成，具有行气化痰降逆之功，适用于咽中如有炙脔、胸膈满闷之梅核气等疾病的治疗。仲景的半夏厚朴汤用的是紫苏叶，具有疏表解外、和胃理气作用，紫苏有叶、梗、子之区分，也有叶、梗不分的，概称紫苏。临床中半夏厚朴汤方中紫苏多用紫苏梗，因紫苏梗偏于行气宽胸、利膈和胃，最适合痰气交阻于咽、膈之症者。

小半夏加茯苓汤证的核心病机为痰饮上犯，胃气失降；核心主症为呕逆痰涎，胸脘胀满，舌淡红苔白水滑，脉弦。半夏厚朴汤证的核心病机为痰气交阻，胸膈气郁不顺；核心主症为咽中如有炙脔、咳吐不利，胸膈痞满，舌淡红苔白，脉弦。

第三十三节　腹　　痛

案 1. 腹痛 - 慢性胰腺炎 - 参苓白术散、东垣清暑益气汤

王某，男，40 岁，建筑设计师，黑龙江省人。

初诊（2010 年 7 月 15 日）：患者以“腹隐痛 8 个月”就诊。患者 8 个月前因持续剧烈腹痛入院，被诊为急性胰腺炎，保守治疗并行腹腔引流，后一直腹痛，牵及后背。腹痛隐隐，时有加重、转侧尤甚，纳差，口干，喜热饮，大

便溏结不调、肠鸣，消瘦，倦怠乏力，头昏懒动。诊其舌淡红苔白厚，脉沉弱。此乃脾气亏虚，法当健脾益气为主，方拟参苓白术散加减。

处方：红参9g，白术15g，茯苓12g，陈皮12g，炒山药15g，莲子12g，砂仁6g(后下)，厚朴12g。水煎服，每日1剂，煎2次，每次煎30min，共煎400ml，分2次口服，7剂。

二诊（7月22日）：服药后腹痛基本消除，背后掣痛大减，便已始调，纳佳，口干喜饮，仍倦怠乏力，懒动头昏。诊其舌淡红苔白、舌根苔略厚，脉沉。此乃脾气得运，清浊始分，但仍湿浊困脾，清气不达，法当健脾利湿，兼以行气，方拟参苓白术散加减。

处方：党参12g，白术15g，茯苓12g，炙甘草6g，生山药15g，砂仁6g(后下)，枳壳15g。水煎服，每日1剂，煎2次，每次煎30min，共煎400ml，分2次口服，7剂。

三诊（8月5日）：服药后后背痛、腹隐痛基本消除，食欲复而食纳增，已拔除引流管1根，仍头晕、乏力、口干、喜卧。诊其舌淡红苔根黄厚腻，脉沉。此乃脾虚湿滞化热，法当健脾理湿，芳化湿热，方拟参苓白术散化裁加化湿清热之品（取三仁汤、葛根芩连汤之意）。

处方：红参9g，白术15g，茯苓15g，枳壳18g，豆蔻9g，竹叶15g，荷叶15g，葛根18g，黄连3g，炒麦芽30g。水煎服，每日1剂，煎2次，每次煎30min，共煎400ml，分2次口服，7剂。

四诊（8月12日）：服药后腹隐痛又作，牵及后背，食欲差，两根引流管均已拔除，不喜饮，饮则喜热饮。诊其舌淡红苔白厚、花剥，脉沉弱。此乃脾阳虚极，虽有湿郁化热，仍难抵黄连苦寒之克伐，方拟参苓白术散化裁加白芍、炒麦芽。

处方：党参12g，白术12g，茯苓15g，炙甘草6g，木香12g，砂仁6g(后下)，陈皮12g，生白芍18g，炒麦芽30g。水煎服，每日1剂，煎2次，每次煎30min，共煎400ml，分2次口服，7剂。

五诊（8月19日）：服药后腹痛、后背痛大减，食欲仍不佳，头晕乏力。诊其舌淡红苔根黄厚、已无花剥，脉沉。此乃湿邪困脾已消，脾络渐通，而脾之运化功能尚未恢复，气血生化不足，法当健脾化湿，升提清阳，方拟东垣清暑益气汤去黄柏、苍术加砂仁。

处方：生黄芪30g，炒白术15g，炙甘草6g，陈皮12g，青皮9g，麦冬15g，五味子 9g，葛根 18g，泽泻 12g，升麻 6g，神曲 12g，西洋参 12g，砂仁 6g(后下)。水煎服，每日 1 剂，煎 2 次，每次煎 30min，共煎 400ml，分 2 次口服，7 剂。

六诊（8 月 26 日）：服药后腹痛、后背痛进一步减轻，食欲增，仍倦怠乏力，头晕。诊其舌淡红苔白已不厚，脉沉。此乃脾已健运，清阳不实四肢，法当健脾升清，仍守前方，以红参易西洋参。

处方：生黄芪 30g，红参 12g，炒白术 15g，炙甘草 6g，陈皮 12g，青皮 9g，麦冬 15g，五味子 9g，葛根 18g，泽泻 12g，升麻 6g，神曲 12g，砂仁 6g(后下)。水煎服，每日 1 剂，煎 2 次，每次煎 30min，共煎 400ml，分 2 次口服，7 剂。

七诊（9 月 3 日）：服药后腹痛、后背痛未再作，食欲增加，倦怠乏力、头晕不明显，已能上班工作。诊其舌淡红苔白，脉沉。此乃脾已健，清阳升，法当健脾升清，仍守前方巩固。

处方：生黄芪 30g，红参 12g，炒白术 15g，炙甘草 6g，陈皮 12g，青皮 9g，麦冬 15g，五味子 9g，葛根 18g，泽泻 12g，升麻 6g，神曲 12g，砂仁 6g(后下)。水煎服，每日 1 剂，煎 2 次，每次煎 30min，共煎 400ml，分 2 次口服，7 剂。

按：胰腺炎是常见凶险的急腹症之一，预后欠佳，特别是转成慢性后难以痊愈。本案患者来诊时已有 8 个月的病程，两根引流管一直未能拔除，腹痛不已，慢性病病容已出现，遂前来找中医诊治，经过 1 个半月的中医药治疗腹痛未再发作，饮食自如，体力恢复，后十多年来胰腺疾病未见复发，正常上班工作。

胰腺炎属中医腹痛范畴，腹痛证候分寒热虚实。本案患者腹痛绵绵、喜温，属虚寒之证，《素问·举痛论》曰："寒气客于肠胃之间，膜原之下，血不得散，小络急引故痛"；症见腹痛绵绵，食欲不振，倦怠乏力，舌淡红苔白厚，脉沉弱，当属脾不健运，中焦虚寒，水湿、水谷不化，故健脾益气为先，予参苓白术散化裁加减，待脾气复而有燥化之象时健脾兼化湿清热，合三仁汤、葛根芩连汤之意化裁，湿热渐去，但苦寒伤阳腹痛又有反复而未敢再用，后因气虚不能实四肢，见身倦乏力懒动为主时，以东垣清暑益气汤健脾升清、生津、化湿而诸症渐愈。其间因予黄连而腹痛加重，故施以清暑益气汤时未敢用黄柏，其中燥湿之苍术，因恐其太燥而亦去之，加醒脾开胃之砂仁。患者舌苔白厚，为脾虚湿困；腹痛牵及后背为气滞之象，故在健脾益气之中加厚朴、枳壳行气，加白芍缓痉止痛，加炒麦芽消导消食以开胃。

本案虚实夹杂，乃虚中夹实，在扶正与祛邪孰轻孰重之间，需要仔细思量。若利湿清热祛邪偏重则易伤及脾气，愈加正虚邪恋，而面对感染性疾病又夹有热象时多会考虑清热祛邪，最易跑偏。治疗胰腺炎常用大柴胡汤、柴胡桂枝干姜汤等，但方从法出，要分清虚实寒热才不会拘泥于某方治某病。

参苓白术散出自《太平惠民和剂局方》，由人参、白术、茯苓、甘草、白扁豆、莲子、砂仁、山药、薏苡仁、桔梗组成，是治疗脾气亏虚的经典良方。参苓白术散证的核心病机为脾失建运，脾气亏虚；核心主症为食少纳呆，体倦消瘦，舌淡红或淡白苔白或薄白，脉沉或弱。

案 2. 腹痛 - 阑尾炎伴不完全性肠梗阻 - 大柴胡汤

马某，女，82 岁，农民，山西山阴人。

初诊（2012 年 1 月 9 日）：患者以“腹痛、腹胀、呕逆 15 天”就诊（电话询诊）。患者素往时作腹痛，纳差，体弱，15 天前因情绪愤郁，出现腹痛、腹胀、呕恶不能食，食入之物俱为泥土味，右腹部硬痛，腹硬结不可近，屈腿俯覆，不能仰卧，大便通畅、数日一行。有胃下垂、阑尾炎病史，有不全性肠梗阻伴反复剧烈腹痛史。身体羸瘦，平素形寒肢冷，畏寒喜暖，舌脉未见。此乃脾气亏虚，运化无权，宿食结滞，法当健脾消食，方拟启脾丸（自拟方）加减。

处方：红参 9g，生山药 15g，鸡内金 15g，陈皮 12g。水煎服，每日 1 剂，煎 2 次，每次煎 30min，共煎 400ml，分 2 次口服，3 剂。

二诊（1 月 12 日）：服药后诸症未减，药汤难以下咽，心下硬结甚，口苦、喜凉饮，腹灼热。此乃寒热互结于心下，法当辛开苦降，方拟半夏泻心汤。

处方：法半夏 18g，黄芩 12g，黄连 6g，干姜 6g，党参 12g，炙甘草 6g，红枣 4 枚。水煎服，每日 1 剂，煎 2 次，每次煎 30min，共煎 400ml，分 2 次口服，3 剂。

三诊（1 月 15 日）：服药后诸症未解，大便泄泻一次，心下硬胀加重，屈腿俯覆状入睡，整夜呻吟不已，口干不欲饮，饮、食不能入，赴当地县医院就诊，被诊为肠梗阻，因身体状况欠佳，手术风险大而留观，刻下见腹硬压痛，反跳痛，胆囊区、阑尾区均有包块，舌脉未见。此乃少阳、阳明合病，邪热结于心下，法当清热攻下少阳、阳明之邪热，方拟大柴胡汤加芒硝。

处方：柴胡 15g，黄芩 12g，半夏 12g，大黄 6g(后下)，芒硝 6g(后下)，枳实 15g，生白芍 15g。水煎服，每日 1 剂，煎 2 次，每次煎 30min，共煎 400ml，分 2 次口服，2 剂。

四诊（1 月 17 日）：因呕恶中药难以下咽，拒服中药，仅少喝几勺，诸症如前，时时攻心，腹满腹痛，呕恶不已。此时余已赶回，遂嘱其将剩余一剂两煎药缓慢保留灌肠，40min 后泄出羊屎数枚，便黏，半小时后又泄出黏臭粪便，腹痛、腹胀、呕恶、时时攻心逐渐缓解、消除，开始能稍稍进水、米汤、凉粉，食入之物泥土味减轻，次日用第二剂汤药灌肠后仅泄下稀水，腹胀、腹痛未作，不再俯覆而卧，夜能安寐，不再呻吟，已不呕恶，泥土味基本消除，唯不能进食，除米汤、温水外进食则胀、不痛，吃鸡蛋后右腹部胀满不已，久久方能缓解。察其身体羸瘦，面色灰暗，唇焦口燥，右腹部按之硬，仍触之痛、但程度轻，余腹已软，腹仍略灼热。诊其舌暗红苔薄少、有裂纹，脉沉滑有力。此乃燥屎邪热得下，少阳得和，因体质虚弱，脾气阴两虚，有胃气亏败之象，故不可再攻，法当扶正攻下，方拟大柴胡汤加生晒参、生山药稍稍与之以和胃气，并糜粥养之，以观是否有生机。

处方：柴胡 12g，黄芩 12g，半夏 12g，大黄 6g(后下)，枳实 12g，生白芍 15g，炙甘草 3g，生晒参 12g，生山药 15g。水煎服，每日 1 剂，煎 2 次，每次煎 30min，共煎 400ml，分 4 次口服，2 剂。

五诊（1 月 19 日）：药可少量多次喂入，面色灰暗转有泽，唇焦口燥改善，可以少量喝小米稀饭，吃鸡蛋胃胀满，大便略溏、日一行，右腹部按之硬、触之痛轻、腹壁不灼热。诊其舌暗红苔薄少、有裂纹，脉沉滑。此乃邪热得下，胃气来复，不再拟方而糜粥养之，待观后期之病机以随证治之。

按：腹痛是指大腹胀满、疼痛，或伴发热、便秘等。本案患者为急性起病，逐渐加重，病势凶险，限于县级医疗条件及身体状况，患者自身极力反对手术而未能手术探查，只能保守治疗。笔者曾有多次诊疗不完全性肠梗阻性腹痛及重度胃下垂腹胀、纳差等经历，此次电话询诊误以为仍为脾不健运，宿食阻滞所致，故以启脾丸加减，未见收效，因未见舌、脉，未进行腹诊，见心下硬结拟作痞证以半夏泻心汤治之亦不效，反有加重趋势，分析当为干姜得辛热助火之故。患者去县医院就诊，虽未手术但医生腹诊检查见舟状腹、板状硬，将此体征告知笔者后，方悟此乃脏结，为少阳、阳明合病，当清泄少阳、阳明之热结，予服大柴胡汤。因无法服入而未能起效，后笔者诊查后认为脏结仍在，改为灌肠，仅一剂即起效，腹痛、腹胀、呕恶等缓解。因患者病情较重，身体亏虚太甚而不敢攻泄太过，故后佐以扶正，大柴胡汤加人参、山药固护胃气而症情改善稳定。

启脾丸乃笔者自拟方，由人参、生白术、生山药、鸡内金、砂仁组成，方义健脾护（脾）阴，醒脾消食，用于胃气衰败，脾气（阴）亏虚的不思饮食，纳呆食少之证，症见舌淡嫩无苔，口渴不喜饮。大柴胡汤出自《伤寒论》，柴胡、黄芩、大黄、枳实、半夏、白芍、大枣、生姜组成，用治心下痞硬，或心下满痛之证，是胆囊炎、胰腺炎、胃炎等急腹症的常用方剂。

自拟启脾丸证的核心病机为胃气衰败，脾运失乖；核心主症为纳呆不欲食，口渴不喜饮，舌淡嫩苔无，脉沉弱。大柴胡汤证的核心病机为肝郁、热结、腑实；核心主症为呕吐，心下痞硬、或痛，便秘，或发热，舌红苔黄厚，脉弦数有力。

第三十四节　便　秘

案．便秘-功能性便秘-《本事方》温脾汤

高某，男，69岁，教师，连云港市人。

初诊（2011年12月6日）：患者以“便秘30年”就诊。患者大便二三日一行，便如羊屎，一直服用泻药，口苦，喜暖，双足不温，纳少，呃逆，腹胀。诊其舌暗红苔白，脉缓而弦。此乃便秘，阳虚寒凝，推动无权，法当温阳通便，方拟《本事方》温脾汤。

处方：制附子9g（先煎），干姜9g，肉桂6g（后下），厚朴12g，大黄9g（后下），炙甘草6g。水煎服，每日1剂，煎2次，每次煎30min，共煎400ml，分4次口服，7剂。

二诊（12月20日）：服药后症状如前，仍二日一行，大便如羊屎，口苦，口干，喜热饮。查其腹胀，足不温。诊其舌暗红苔薄白，脉缓沉而有力。此仍阳虚寒凝，传导失司，法当温运脾阳，佐以润肠通便，方拟《本事方》温脾汤加味。

处方：制附子6g，干姜6g，肉桂3g（后下），厚朴24g，大黄9g（后下），肉苁蓉30g，生白术30g，郁李仁15g。水煎服，每日1剂，煎2次，每次煎30min，共

煎 400ml，分 4 次口服，9 剂。

三诊（12 月 29 日）：服药期间九天共便四次，开始均为羊屎状，靠开塞露导泄，后有硬便，晨起口苦、乏力减，胃胀，口渴喜热饮，不喜多饮，失眠。诊其舌淡红苔薄白，脉滑。此仍为阳虚寒凝，传导失司有减，病深药轻，法当重剂温运脾阳，方拟《本事方》温脾汤重剂，加生白术。

处方：制附子 12g（先煎），干姜 12g，炙甘草 9g，厚朴 24g，大黄 12g（后下），肉桂 9g（后下），生白术 30g。水煎服，每日 1 剂，煎 2 次，每次煎 30min，共煎 400ml，分 4 次口服，7 剂。

四诊（2012 年 1 月 5 日）：药进第 3 剂后出现日便 2 次，后开始每日一行，已不靠开塞露导泻，腹胀大减，仅于吃饭后见。夜寐转安，乏力消除，精神大振，夜间口苦，喜热饮，足冷略减。诊其舌淡红苔薄白，脉滑。此乃阳气得助，脾运得健，仍需巩固，法当温阳运脾，拟继守上方。

处方：制附子 12g（先煎），干姜 12g，炙甘草 9g，厚朴 24g，大黄 12g（后下），肉桂 9g（后下），生白术 30g。水煎服，每日 1 剂，煎 2 次，每次煎 30min，共煎 400ml，分 4 次口服，7 剂。

五诊（1 月 12 日）：药后大便日一行，自行更衣，腹胀已除，夜寐安，精力佳，夜间口苦轻，喜热饮，足已温。诊其舌淡红苔薄白，脉沉滑。此乃阳气恢复，脾运得健，法当温阳运脾，拟继守上方而药量酌减。

处方：制附子 12g（先煎），干姜 9g，炙甘草 6g，厚朴 18g，大黄 9g（后下），肉桂 9g（后下），生白术 30g。水煎服，每日 1 剂，煎 2 次，每次煎 30min，共煎 400ml，分 4 次口服，7 剂。

按：便秘是指大便不通，伴腹胀腹痛，或数日不大便无所苦的病证，是临床常见疾病之一，特别是老年人尤为多见。便秘多有燥热内结、阴虚津亏、气虚不运等因素，也有因阳虚寒凝、脾阳不运所致的阳虚便秘，虽然少见但不可不测。

温脾汤有多个出处，被熟知的为《备急千金要方》之温脾汤，而《普济本事方》临床应用偏少。《千金》温脾汤由附子、白术、甘草、干姜、大黄组成，偏于补，《本事方》温脾汤偏于运。本案患者便秘如羊屎 30 多年，顽固难解，靠多种通便药才能便通，口苦，腹胀，纳差，伴喜暖、足冷，舌暗苔白，脉缓当为脾肾阳虚，脾气（肠气）不运，阳不温则寒凝不去，腑气不通，当温阳祛寒、通腑。温运通腑之法有急通、缓通之别，大黄附子汤为攻下寒凝，当为急通；温脾汤为温补泻下，当属缓下。本案患者久病便秘，多次泻下，脾肾阳虚，阳虚生内寒，当以温补为要。

久结腑气不通者当以运为先，特别伴口苦、腹胀等，有聚而生热之象，偏补则会壅堵助热，便秘年久且多用泄下通便之法，故便结顽固，轻剂难以荡涤，重剂方渐大便通畅，倘误认为是药不对证，改为清热泄下则又复其老路，便秘难愈。方中加用生白术，取其健脾润肠之功，生白术脂多、健脾益气兼有润肠之力，量宜大方有效。笔者用药谨慎，至此制附子最大剂量用到12g，尤其慎用干姜。干姜守而不走，最易热化，不好把握，本案干姜也用到12g。笔者认为，中医方药的量效关系不太明显，辨证是否对证最为重要，只有“中的”之后有效而不能快速获效时，则宜加量，否则以为不效乃药力不到，过用猛剂则会适得其反。

第三十五节 泄 泻

案1. 泄泻 - 溃疡性结肠炎 - 痛泻要方

穆某，男，58岁，农民，连云港市人。

初诊（2009年11月10日）：患者以“大便泄泻3个月”就诊。患者大便溏薄，矢气夹屎，有白色黏冻，腹痛，痛则泻、泻后痛解、继则复痛，或大便干结如羊屎，食欲不振，口中无味，头晕寐差。查其舌淡红苔白厚，脉弦，于连云港市某医院和我院经肠镜检查报告为非特异性溃疡性结肠炎，经治效差。病属泄泻，此乃土虚木乘，法当补脾泻肝，方拟痛泻要方加味。

处方：生白芍18g，防风12g，苍术12g，陈皮12g，枳壳18g，草果9g。水煎服，每日1剂，煎2次，每次煎20min，共煎400ml，分2次口服，7剂。

二诊（11月17日）：服1剂药后痛、泻即减，7剂尽已不腹痛，便已调，无黏冻，食欲增，口已知味。查其舌淡红苔白，脉细，嘱其行肠镜复查而患者拒绝，泄泻已愈故再未开药，后因失眠来诊，知其2个月未见反复。此乃脾得补，肝得泻，湿得化，气得畅而痛泻自解。

按：非特异性溃疡性结肠炎是一种病因尚不十分清楚的结肠和直肠慢性非特异性炎症性疾病，病变位于乙状结肠、直肠，甚至整个结肠。本案患者病程漫长，常反复发作，经肠镜检查确诊为非特异性溃疡性结肠炎。患者痛、泻而利下，无里急后重，故属泄泻而非痢疾，大便溏薄，夹有黏冻，纯白而无红，病在气分，为湿滞气机，肝脾不调，故取痛泻要方加味，以苍术易白术，加草果化湿健脾，加枳壳加强宣畅气机之力。吴鹤皋云："泻责之脾，痛责之肝……脾虚肝实，故令痛泻。"本案病机尚属单一，取效亦易，虽2个月未见临床症状反复，因未复查肠镜，尚不清楚是否痊愈。

痛泻要方原名白术芍药散，出自《景岳全书》引刘草窗方，因张景岳称之为"治痛泻要方"故得名，由白术、白芍、陈皮、防风组成。痛泻要方补脾土泻肝木、调气机以止痛泻，十分巧妙，被历代推崇，常用于急、慢性结肠炎，肠易激综合征等的治疗。本案之证情属肝旺乘脾，以痛泻要方加味泻肝补脾，肝泻脾补，气机畅通、脾湿得化而告愈。

痛泻要方证的核心病机为肝旺乘脾，气滞湿阻于大肠；核心主症为泄泻、腹痛，或肠鸣，痛则泄、泻后痛解，舌淡红苔白厚，脉弦。

案2. 泄泻-慢性结肠炎-痛泻要方

王某，女，60岁，干部，连云港人。

初诊（2010年3月18日）：患者以"泄泻20年"就诊。患者大便日行3~4次，反复发作20余年，腹隐痛，痛则泻，便无脓血，里急而无后重感，肠鸣，便如稀水，肠镜示慢性结肠炎。诊其舌淡红苔白，脉沉。此乃肝郁脾虚之证，法当疏肝理脾，方拟痛泻要方加味。

处方：防风12g，陈皮15g，白术15g，生白芍15g，枳壳15g。水煎服，每日1剂，煎2次，每次煎30min，共煎400ml，分2次口服，7剂。

二诊（3月27日）：服药后便泻次数由3~4次减至2~3次，以2次为多，水泻变成溏便，仍腹痛则泻，肠鸣腹痛受凉则甚，不喜饮，纳可。诊其舌淡红苔白而干，脉沉，左脉滑沉。此乃肝气得疏，脾湿为甚，法当疏肝理脾，燥湿健脾，方拟痛泻要方加苍术、肉豆蔻。

处方：防风12g，陈皮15g，白术15g，生白芍15g，枳壳15g，苍术15g，肉豆蔻9g。水煎服，每日1剂，煎2次，每次煎30min，共煎400ml，分2次口服，7剂。

三诊（4月3日）：药后腹胀除，大便2日一行，滞而不畅，痛时肠鸣，纳差，口干。诊其舌红苔白而干，脉沉。此乃燥湿太过，脾运失畅，法当疏肝理脾，守上方陈皮减量，去苍术、肉豆蔻。

处方：防风 12g，陈皮 12g，白术 15g，生白芍 15g，枳壳 15g。水煎服，每日 1 剂，煎 2 次，每次煎 30min，共煎 400ml，分 2 次口服，7 剂。

四诊（4 月 10 日）：药后基本不腹胀腹痛，大便日行 2 次，第 1 次大便基本成形，第 2 次便溏肠鸣、腹略痛，纳佳，口干，喜饮。诊其舌淡红苔白而干，脉沉。此乃肝气得疏，脾运得健，夹有肠热、伤津之象，法当疏肝理脾，兼清肠热、坚阴，方拟痛泻要方加黄芩。

处方：生白芍 18g，白术 15g，陈皮 12g，防风 9g，黄芩 12g。水煎服，每日 1 剂，煎 2 次，每次煎 30min，共煎 400ml，分 2 次口服，12 剂。

五诊（4 月 22 日）：药后腹胀痛消除，大便日行 2 次，基本成形，不肠鸣，纳佳，口已不干，饮减少。诊其舌淡红苔白，脉沉。此乃肝气得疏，脾运得健，肠热得清，法当疏肝理脾，方拟痛泻要方加黄芩巩固。

处方：生白芍 18g，白术 15g，陈皮 12g，防风 9g，黄芩 12g。水煎服，每日 1 剂，煎 2 次，每次煎 30min，共煎 400ml，分 2 次口服，7 剂。

按：泄泻乃便次增多，大便稀薄，甚则泻出如水，多伴有腹痛。脾虚湿胜为其病机根本，但症状不同，其病机亦有不同。本案患者痛则泻、肠鸣，当属肝木乘土，治疗当疏肝理脾，为加强疏肝之力加枳壳，肠鸣腹痛减轻而泄不减，当属脾湿不运，遂加苍术、肉豆蔻燥湿健脾，数剂进后因燥性偏甚，大便 2 日一行且不畅，伴口干苔白而干，为燥过伤津，遂去术、蔻，燥药去后仍口干、舌苔白干不减，遂加黄芩清肠热而坚阴，方收其功。

慢性结肠炎病程长，迁延反复难愈。本案患者已有 20 年的病程，苦不堪言，临证以痛则泻，肠鸣为抓手，未见腹痛而畏寒喜暖、泄下臭秽之寒热之征，以肝旺土虚为特征，当泻肝调脾（非补脾）。吴鹤皋云“泻责之脾，痛责之肝，肝责之实，脾责之虚，脾虚肝实，故令痛泻。”予痛泻要方加味泻肝调脾而顽疾控制。

在上述 2 则结肠炎泄泻病案中，均运用了痛泻要方，也表明泄泻疾病之病机不尽然都是中焦虚寒、阳虚寒凝，而肝脾不调者亦不在少数，调和肝脾当以痛泻要方最为妥帖。笔者临证中多加用枳壳理气，黄芩清热厚肠，均收到可靠的疗效，可以称为“加味痛泻要方”。

案 3. 泄泻 - 肠道菌群失调 - 黄芩汤

王某，男，22 岁，学生，连云港市人。

初诊（2023 年 10 月 16 日）：患者以“泄泻、腹痛 30 天”会诊。患者于 2023 年 7 月 25 日出现咳嗽，咳痰、痰中带血，发热，头痛，周身疼痛，症状进行性加重，呼吸困难，于澳大利亚悉尼某医院重症监护病房行气管插管，肺部 CT 示“双肺非特异性实变，弥漫性肺泡出血与感染”，纤维支气管镜示气道内散在出血，肺泡灌洗液淡血性，普鲁士蓝染色见充满含铁血黄素的巨细胞。住院期间气道内出血逐渐加重，自身免疫 + 感染因素筛查均为阴性，以特发性肺含铁血黄素沉积症予霉酚酸酯联合激素治疗。经治疗病情逐渐改善，8 月 3 日拔除气管插管，序贯高流量与无创呼吸机交替使用，8 月 3 日出现发热，经验性予米卡芬净、免疫抑制治疗，症状逐渐改善，于 8 月 15 日转普通病房继续予高流量氧疗维持，但仍有胸闷气喘、咳嗽咳痰，并出现呕吐腹泻等症状，8 月 20 日因胸闷气喘症状加重并伴见左肺张力性气胸再次入住重症监护病房，行胸腔闭式引流，但左肺复张欠佳，胸引管持续气泡溢出且氧合进行性变差，8 月 23 日行左肺双管闭式引流，术后氧合仍持续恶化，8 月 25 日行左右股静脉体外膜氧合（ECMO）治疗，痰培养和血培养示金黄色葡萄球菌阳性，予哌拉西林他唑巴坦联合万古霉素治疗，后改为头孢曲松合氟氯西林抗感染，予肝素抗凝期间出现左侧血胸，右侧股静脉穿刺点出血，多次予输血纠正贫血及凝血功能障碍。9 月 5 日家人要求回国治疗，包机携带 ECMO 转入南京某医院重症监护病房，经治疗咳嗽、咳痰、发热明显得到改善，但腹泻频繁，考虑需要营养支持，鼓励服用蛋白粉，服用蛋白粉后腹泻严重、日 10 余次伴腹痛。9 月 26 日回到连云港，入住某医院，入院诊断为肺部感染、肺栓塞、低蛋白血症、电解质紊乱、肠道菌群失调。住院期间，患者出现腹痛、腹泻，日行 10 余次，反复调整各种蛋白粉，常规服用蒙脱石散、双歧杆菌，腹泻始终无法好转，邀余会诊。刻下症见泄下溏薄或水泻、大便无灼热感、大便日 6 行，腹胀，肠鸣，纳差、不欲食，口干喜饮，发热 37.7℃，夜寐安，不咳不喘，无头身头痛，无恶寒、喜暖，舌红苔薄白而干，脉滑数。病属泄泻，此乃太阳少阳合病，表邪未从表解、里陷于少阳经，即肺热移于大肠，肝胆疏泄太过，邪已不在表不可再解外，邪从里出当因势利导，法当清少阳、泻阳明，方拟黄芩汤加生姜、白薇。并嘱其停止进食蛋白类补品及蒙脱石散。

处方：黄芩12g，白芍18g，炙甘草6g，大枣9g，生姜9g，白薇10g。中药配方颗粒，每日1剂，开水冲服，每日分4次服用，3剂。

二诊（10月19日）：患者服药后腹泻明显好转，服中药当日大便减至3次，次日2次，昨日1次，仍溏泄，腹胀、肠鸣好转，低热，体温37.7℃，口渴喜饮，食欲差，夜间小便频数，夜寐欠安。诊得舌偏红苔薄白已不干，脉数。此乃肝胆疏泄太过、大肠热盛得减，肺热未净、水热互结。法当清泻少阳、育阴利水，方拟黄芩汤去大枣加猪苓、知母。

处方：黄芩12g，白芍18g，炙甘草6g，猪苓12g，知母12g。中药配方颗粒，每日1剂，开水冲200ml，分2次服，3剂。

三诊（10月22日）：患者服药后发热已退，今天体温36.5℃，大便每日1行、已成形，不肠鸣，腹胀不明显，纳食增加，夜寐尚安，夜间尿频未见改善，小便灼热，口渴喜饮，四肢乏力，时有咳嗽，咳少量白痰。诊得舌偏红苔薄白、有齿痕，脉细数。此乃肠热得解，肺热伤津（伤气）显现，法当清肺之余热、养阴益气，方选竹叶石膏汤去半夏。

处方：生石膏30g，淡竹叶12g，西洋参片10g，麦冬18g，炙甘草6g，猪苓15g，滑石粉20g，泽泻12g。每日1剂，水煎取汁400ml，分2次服，5剂。

四诊（10月30日）：患者服药后体温36.5℃，大便成形，每日1行，偶见日行2次，咳嗽、咳痰已未见，四肢乏力、懒言少语、纳差改善，小便已不灼热、夜尿次数减少。诊得舌红苔薄少，脉细数。后期继续对症治疗。

按语：泄泻是以排便次数增多、粪便稀溏甚至泻出如水样为主症的疾病。泄泻之所致有寒有热，有虚有实，需当分清。张景岳《景岳全书》曰："泄泻之本，无不由乎脾胃。"景岳之论对后人影响颇大，遇到泄泻，特别是久泻、次频、大便成水泻溏薄者，最容易以寒或者寒湿论治，但泄泻病因还有热和实，不可疏忽，或因肝胆（少阳）邪热或肺热下移，或邪陷大肠（阳明）亦可见热证之泄泻，黄芩汤、葛根芩连汤证即是，正如《素问·至真要大论》曰："暴注下迫，皆属于热。"本案患者泄泻，日数行，口干喜饮，发热，腹胀，纳差，口干喜饮，舌偏红苔薄白而干，脉滑数。此乃少阳邪热下迫，肝胆疏泄太过，大肠热迫而下利，患者初得咳嗽等症乃太阳表证，病势凶险危及生命，虽幸得一命而元气大伤，肺热未净而邪陷于里，当清泻少阳及大肠之邪热，不可补脾散寒固涩，但也要与大便臭秽、肛门灼热之葛根芩连汤证鉴别。本案患者即为肝胆郁热疏泄太过，当清泻肝胆大肠即可，黄芩汤当属不二选择，因食纳差故加生姜和胃。因有发热且有肺疾基础，而且后面又出现咳嗽咳痰，故加白薇。白薇苦平，具有清热凉血之力，用于温邪伤营发热、阴虚发热等症。患者服用中药颗粒剂1剂后腹泻即得到控制，3剂后大便日1行，持续1个多月的腹泻基本得到控制，进6剂后腹胀肠鸣、泄泻告愈。患者腹泻得到控制，体能明显改善，思维恢复正常。因数月的重病耽误学业及从澳大利亚包机带专门医护团队护送花费颇多而开始出现焦虑。家人迫切要求其快速好起来，给患者也带来了心理压力而出现倦怠乏力、懒言少动的抑郁情绪和夜寐不安、夜尿频数、烦躁易怒的焦虑情绪，后又以肺之气阴两虚、中焦不建为病机予竹叶石膏汤而诸症得到改善，后以心理疏导加疏肝解郁等法对症治之。

患者肺衰竭以ECMO挽救了生命，但存在白蛋白低、贫血等营养较差状况医生鼓励患者服用蛋白粉，服用蛋白粉出现腹泻，每日10余次，考虑对蛋白粉不耐受、蛋白粉致敏，更换品牌后未能改善腹泻症状，患者服用中药后泄泻得到控制，食欲改善，食用各种肉类均未出现明显胃肠道不适，而白蛋白低、贫血随之得到恢复，可见，肠道对蛋白粉过敏也与体质状态相关。

黄芩汤出自《伤寒论》，由黄芩、白芍、甘草、大枣组成，具有清热止利功效，擅治太阳与少阳合病。自下利者，即肝胆热性下利。黄芩汤证的核心病机为邪热入里，肝胆邪热迫结于大肠、气机失乖；核心主症为泄泻甚至泄泻不止，腹痛或腹胀，口渴或喜饮，发热，舌红苔薄黄或白而干，脉数或弦。

（庞云　整理）

第三十六节　痢　　疾

案1. 痢疾-溃疡性结肠炎-痛泻要方

葛某，男，64岁，退休干部，连云港市人。

初诊（2010年2月2日）：患者以“大便泄泻脓血3年”就诊。患者大便稀薄，日4~5次，腹中痛，痛则泻，泻后痛解，便中带脓血，脓血色深，下午大便纯为暗血，纳可，寐安。2007年于连云港市某医院经肠镜检查报告为溃疡性结肠炎，粪常规示棕红色脓血样便，血液（++），脓液（++），隐血阳性。经激素、抗生素、免疫调节药，中药地榆、石榴皮等治疗仍泄泻如故。查其舌暗红苔白，脉沉。病属痢疾，此乃土虚木乘，肠中有热，法当泻肝化湿清热，方拟痛泻要方加减。

处方：生白芍 18g，防风 12g，陈皮 12g，枳壳 18g，黄芩 12g。水煎服，每日 1 剂，煎 2 次，每次煎 30min，共煎 400ml，分 2 次口服，7 剂。

二诊（2 月 11 日）：服药后腹痛减轻、脓血减少，大便已成形，大便次数未减。查其舌暗红苔薄白花剥，脉细。此乃脾湿得化，气滞已减，血热未清，法当仍守前法，拟前方重用黄芩，加活血之桃仁。

处方：生白芍 18g，防风 12g，陈皮 12g，枳壳 18g，黄芩 18g，桃仁 12g。水煎服，每日 1 剂，煎 2 次，每次煎 30min，共煎 400ml，分 2 次口服，7 剂。

三诊（2 月 20 日）：服药后腹已不痛，大便已无脓，大便带血色暗仍有、下午为甚，大便次数不减。查其舌暗红苔白少，脉弦。此乃肝木克伐脾土改善，故腹不痛，已无脓，血络被伤故仍下血，法当继守原方去桃仁，生白芍增至 30g，加赤芍、槐花、黄芩炒炭等止血凉血之品。

处方：生白芍 30g，防风 12g，陈皮 12g，枳壳 18g，黄芩炭 12g，赤芍 12g，槐花 12g。水煎服，每日 1 剂，煎 2 次，每次煎 30min，共煎 400ml，分 2 次口服，7 剂。

四诊（2 月 27 日）：服药后腹痛、脓血便均完全缓解，大便每日 2 次，已不溏薄，但不成形。查其舌暗红苔白少，脉沉弦。此乃肝木得疏，脾土得健，肠热得清，故继守上方进 14 剂而愈。后随访 5 年后又有复发，继守前法数剂而诸症消失，10 余年未见复发。

按：痢疾是以腹痛，下痢赤白脓血，里急后重为主要症状的疾病。泄泻主要表现为大便次数增多、水泻，或以腹痛为主，无脓血。溃疡性结肠炎多见脓血，亦有不见脓血者。中医学属于证候学，由司外揣内推理而来。中医的痢疾可见现代医学痢疾杆菌感染、溃疡性结肠炎、结直肠癌等，而典型的痢疾症状是里急后重，后两者并非为必然症状，所以，溃疡性结肠炎不伴脓血者归泄泻，伴脓血者则归痢疾。中医因便血之不同有肠风、脏毒之别，便鲜血为肠风，多见于痔疮；便黑暗色为脏毒，多见于肠癌或者溃疡性结肠炎，以便血区分偏于单一，不若以泄泻、痢疾区分来得全面。

溃疡性结肠炎属于临床常见病证，病情顽固，病程缠绵，不易根治。本案患者就诊时已有3年病史，经过中西医治疗效果不著，苦不堪言，但辨证准确，区区痛泻要方寥寥几味药即可立启沉疴。本案患者痛、泻而利下脓血，虽无里急后重，应归属于痢疾，所见症状为大便溏薄，利下脓血，或纯为下血，腹痛则泻，泻后痛解，舌暗红苔白，故为土虚木乘，肠热血络受损，故取痛泻要方为基方进退。因下血为甚，有血热络损之象，故去温燥之白术，加枳壳行气，黄芩、槐花厚肠清热止血，黄芩炭止血效更佳，重用白芍，并用赤芍其意亦为下血所设。究竟是黄芩炭、槐花止其下血，亦或白、赤芍酸收、凉血所效，尚不好分摊功劳。

痛泻要方为刘草窗之方，药味精简、组方严谨，堪称名方。笔者于临证多有加减，或苍术易白术加强其燥湿之力，适合下利白冻为主者；或加黄芩，适合下利纯血者；腹痛甚重用白芍，加枳壳，以柔肝缓痉。

案2. 痢疾 - 痔疮 - 痛泻要方

樊某，女，59岁，退休干部，连云港人。

初诊（2010年11月11日）：患者以“里急5年”就诊。患者里急，常有便意而无粪便排出，二阴有灼热感，无潮湿感，晨起腹痛即泻，便溏，放屁时带屎，纳可，寐安，口干口黏，汗出，被诊断为痔疮。2007年1月行痔疮手术，术后症状未见缓解，患者拒绝做肠镜，诊断尚不明确。诊其舌淡红苔白，脉弦细。此当归属于中医痢疾范畴，不符合泄泻诊断，为肝旺犯脾之证，法当疏肝理脾，方拟痛泻要方。

处方：生白芍30g，枳壳18g，防风9g，陈皮12g。水煎服，每日1剂，煎2次，每次煎30min，共煎400ml，分2次口服，5剂。

二诊（11月18日）：服药后里急大减，腹痛、放屁时带屎已无，仍起床则需如厕，二阴灼热大减，口干口黏明显缓解。诊其舌淡红苔薄白，脉弦。此乃肝气得疏，肝脾渐和，脾湿不显，肝风明显，法当疏肝理脾，方拟痛泻要方将防风增量，陈皮减量。

处方：生白芍30g，枳壳18g，防风12g，陈皮9g。水煎服，每日1剂，煎2次，每次煎30min，共煎400ml，分2次口服，7剂。

三诊（11月25日）：服药后里急除，腹已不痛，起床后必须如厕感轻微，二阴灼热消除，口中和。诊其舌淡红苔薄白，脉弦。此乃肝气得疏，肝脾已和，法当继以疏肝理脾，守方继进以巩固疗效。

处方：生白芍 30g，枳壳 18g，防风 12g，陈皮 9g。水煎服，每日 1 剂，煎 2 次，每次煎 30min，共煎 400ml，分 2 次口服，7 剂。

按：痢疾表现为里急后重，下利脓血。本案患者仅有里急（时时便意），无后重，晨起则如厕极像五更泻，矢气带屎，归泄泻有所不当，归属痢疾亦有些牵强。这也是由于中医学属于证候学，其诊断分类偏少，临证时常遇既不归刘也不归李的尴尬局面。本案患者腹痛则泻，矢气带屎，脉弦，有气滞肝旺之象；便溏，舌淡红苔白则为脾虚不健。最难理解之处是二阴灼热之阴虚内热之象，细思此属肝旺阴血亏虚所致内热，故见口干、多汗等，其病机一致，为阴虚肝旺，木旺克脾，当柔肝理气为先，重用白芍柔肝益阴，解其肝热。白术偏燥，脾虚不甚故去之，加枳壳加强理气而解里急、矢气带屎之肝旺克土。白芍养阴柔肝、缓痉止痛，质地致密，养阴而不滋腻，最善治腹痛诸疾，其小建中汤、痛泻要方、芍药汤等均以白芍为要药。

痛泻要方乃刘草窗治肝旺犯脾，肝脾不和所致泄泻的名方，亦可治疗痢疾。若辨证准确，屡试屡验。痛泻要方证的核心病机为肝旺乘脾，气滞大肠；核心主症为腹痛，痛则泄、泻后痛解，或努责难解，或肠鸣矢气，舌淡红苔白，脉弦。

第三十七节 紫 癜

案 1. 紫癜 - 特发性血小板减少性紫癜 - 犀角地黄汤、化斑汤

魏某，女，55 岁，教师，连云港市人。

初诊（2009 年 9 月 17 日）：患者以“间断性皮肤紫癜 40 年余，再发加重 5 天”就诊。40 年来，患者反复出现皮肤紫癜，时作时休，未系统治疗。近 5 年发作频繁，于连云港市某医院诊为血小板减少症，予激素、氨甲蝶呤等药物治疗，病情好转。近 5 天来突发四肢大量紫癜，手足心热，口中出火感，口苦口干而不欲饮，溲黄，便调，食纳尚佳，夜寐不安。查其全身大小不等紫癜，以下肢为甚，或如铜钱大小，或如手掌大小，查血常规示血小板 $24\times10^9/L$，纤维蛋白原 4.7g/L。诊其舌暗红苔白厚，脉细。诊断为特发性血小板减少性紫癜，予地塞米松磷酸钠注射液 15mg，静脉滴注 3 日，控制不理想，改服甲泼尼龙片4mg，每日12片，紫斑消退仍不显著。此为胃热炽盛，热入营血，迫血妄行，法当清热解毒，凉血消瘀，化湿泻热，方拟犀角地黄汤合三仁汤加减，因无犀角，改用水牛角代替。

处方：水牛角15g（先煎），生地黄18g，牡丹皮12g，赤芍12g，竹叶9g，生薏苡仁18g，杏仁6g，荷叶12g，白茅根30g。水煎服，每日1剂，煎2次，每次煎30min，共煎400ml，分2次口服，5剂。

甲泼尼龙片4mg，每日12片，晨服。

二诊（9月26日）：服药后紫癜消退、范围缩小，身热，手足心热，口干口苦，胃脘胀满，便结，溲黄，寐差。查其紫斑变淡、变小，未见新发紫癜。诊其舌红苔白、已不厚，脉细。血常规示血小板37×10^9/L。此乃胃热亢盛，热入营血，法当清泻胃火，凉血清热，方拟犀角地黄汤去上方化湿之品，加苦寒之黄连、咸寒之玄参等。

处方：水牛角15g（先煎），生地黄30g，牡丹皮12g，赤芍12g，竹叶9g，白茅根30g，知母12g，玄参30g，丹参18g，黄连9g。水煎服，每日1剂，煎2次，每次煎30min，共煎400ml，分2次口服，7剂。

三诊（10月10日）：患者已出院，改为门诊治疗，服药后紫癜进一步消退，停药后又有新的紫癜出现，便已不结，溲黄已不短，仍口干口苦，五心烦热，夜寐差。查其紫癜变淡，下肢有新出现的两片指头大小紫癜，诊其舌红苔黄花剥，脉细。此乃胃火渐清，血热为甚，血热扰心，法当清营凉血、止血，方拟犀角地黄汤重用水牛角，加清心凉营止血之品，激素减量。

处方：水牛角30g（先煎），生地黄30g，牡丹皮12g，赤芍18g，知母15g，郁金18g，茜草12g，丹参18g。水煎服，每日1剂，煎2次，每次煎30min，共煎400ml，分2次口服，10剂。

甲泼尼龙片4mg，每日8片，晨服。

四诊（10月20日）：服药后紫癜逐渐消退，新的紫癜未作，口干口苦，烦躁喜冷饮，五心烦热，夜不能寐，胸闷如塞。查其紫癜已隐约不清，舌红苔黄，脉细。此乃心胃火炽，激素助阳化火，法当清心泻胃，凉血消瘀，方拟前方加生石膏、三七。

处方：水牛角30g（先煎），生地黄30g，赤芍18g，牡丹皮12g，知母15g，茜草12g，丹参18g，郁金18g，生石膏30g，三七粉6g（冲）。水煎服，每日1剂，煎2次，每次煎30min，共煎400ml，分2次口服，10剂。

甲泼尼龙片 4mg，每日 8 片，晨服。

五诊（10 月 31 日）：服药后小片紫癜已消退，大片紫癜颜色变浅、面积缩小，夜寐转安，胃胀，烦热，不思饮食，口干口苦，头面口中出火感，便结，溲黄。诊其舌红苔白，脉弦滑。此乃心火得清，胃热血热仍在，法当苦寒直折、清泻胃热，方拟泻心汤合犀角地黄汤加减，激素减量。

处方：大黄 6g（后下），黄连 9g，黄芩 15g，水牛角 30g（先煎），生地黄 30g，知母 15g。水煎服，每日 1 剂，煎 2 次，每次煎 30min，共煎 400ml，分 2 次口服，7 剂。

甲泼尼龙片 4mg，每日 6 片，晨服。

六诊（11 月 17 日）：服药后紫癜只剩 1 片、色淡，未见新发之紫癜，胸闷，口干口苦，口舌生疮，头面出火感，血常规示血小板 $48 \times 10^9/L$，随机血糖 6.8mmol/L。诊其舌暗红苔薄黄，舌边有瘀点瘀斑，脉弦。此乃激素阳热之邪毒作祟，胃火血热，法当清营凉血，通腑泻热，方拟化斑汤合犀角地黄汤加减。

处方：生石膏 60g，知母 15g，玄参 30g，水牛角 30g（先煎），赤芍 30g，牡丹皮 15g，红花 12g，丹参 30g，大黄 12g（后下），竹叶 12g。水煎服，每日 1 剂，煎 2 次，每次煎 30min，共煎 400ml，分 2 次口服，15 剂。

甲泼尼龙片 4mg，每日 6 片，晨服。

七诊（12 月 1 日）：服药后紫癜未新作，陈旧的紫癜还未褪净，口干口苦明显减轻，大便不结，口疮已愈，头面出火感减轻，眼胀头晕。查其舌红苔白、瘀斑不显，脉弦。此乃胃火血热渐轻，法当清营凉血，通腑泻热，拟仍守前方，重用生石膏、知母、水牛角。

处方：生石膏 90g（先煎），知母 30g，水牛角 40g（先煎），玄参 30g，赤芍 30g，牡丹皮 15g，红花 12g，丹参 30g，大黄 12g（后下），竹叶 12g。水煎服，每日 1 剂，煎 2 次，共煎取 600ml，分 3 次口服，7 剂。

甲泼尼龙片 4mg，每日 6 片，晨服。

八诊（12 月 10 日）：服药后紫癜已全消，夜间口干多饮已未见，仍口干口苦，便已溏，眼不胀，头晕明显改善，头面偶见出火感。查其四肢紫癜已无，舌红苔白、瘀斑已消，脉沉弦。血常规示血小板 $60 \times 10^9/L$，纤维蛋白原 3.8g/L。此乃血热胃火已清，激素热毒渐减，法当继以清营凉血，通腑泻热，拟继守上方，激素减量。

处方：生石膏 90g(先煎)，知母 30g，水牛角 40g(先煎)，玄参 30g，赤芍 30g，牡丹皮 15g，红花 12g，丹参 30g，大黄 12g(后下)，竹叶 12g。水煎服，每日 1 剂，煎 2 次，共煎取 600ml，分 3 次口服，7 剂。

甲泼尼龙片 4mg，每日 4 片，晨服。

2010 年 3 月 15 日随访，紫癜一直未发，激素已减至每日 2 片。

按：特发性血小板减少性紫癜归属于中医血证-紫癜范畴。紫癜是以血溢肌肤、皮肤呈现青紫斑点斑块为特征。紫癜的病因病机不外热毒、气虚两大类。本证一派胃火炽盛、血热动血之征，复加用激素后尤为明显，见斑片紫癜，头面、口中出火感，夜寐不安，身热，五心烦热，便结溲赤，故宜凉血清营，清泻胃火，不专事止血。本案患者初期血热为甚，故主以犀角地黄汤加化湿及清泻阳明气分邪热之品，随着激素的应用，热毒亢盛，阴虚血热明显，而在犀角地黄汤的基础上，予三黄泻心汤、化斑汤等，虽然紫癜一直在好转，而全身血热诸症不减。笔者在治疗斑疹方面尚不熟悉，走了一点弯路，是对紫癜的发病病机不甚熟悉。回顾来看，本案患者热毒炽盛，热入营血，以阴虚火旺为本，而非胃火甚，故苦寒直折收效有限，合用三黄泻心汤效果不理想，好在笔者谨守仲景先师"随证治之"的训示，及时调整思路，改合化斑汤凉血清气，且重用石膏、知母而渐有起色，其中稍佐茜草、丹参、红花、三七等活血散血之品。此瘀血不去，新血不生之意，是否必须用活血散血之品，尚难以讲清。因见心烦失眠而加用郁金清心除烦也许是狗尾续貂，故亦未能见获效，可见治病求"本"就能纲举目张，无需"对症治疗"。本案患者早期服用犀角地黄汤紫癜即刻得到控制，当时血热火旺尚不明显，而后期随着甲泼尼龙的大剂量运用，火热之象愈来愈重，联用激素时要考虑到激素的不良反应，减其毒、降其量也要成为临床是否获效的指标之一。

当前中药房已没有犀角，以水牛角替代疗效亦满意，但用量宜大；病重时量效关系体现明显，剂量加大会收到良好的效果。笔者建议，煎药时应增加水量，煎出的药液要多，且增加服用次数，才能将增加的中药剂量所含成分煎煮出来，否则看起来是重剂而实际上有效剂量未能煎出。

犀角地黄汤出自《外台秘要》，由犀角(水牛角)、生地黄、牡丹皮、赤芍组成，具有清热解毒，凉血散瘀之功，用治热入血分动血诸症。泻心汤(又称三黄泻心汤)出自《金匮要略》,由大黄、黄连、黄芩组成,具有清泻上焦火热之功,用治邪火炽盛、迫血妄行等。化斑汤出自《温病条辨》,由石膏、知母、甘草、玄参、犀角、粳米组成,即白虎汤加玄参、犀角,具有清气凉血,化斑解毒之功,用于治疗气血两燔之高热、动血诸症。

犀角地黄汤证的核心病机为热入血分,热盛动血;核心主症为动血诸症,身热喜凉,心烦失眠,舌红绛苔或薄少或厚,脉数或细或弦。泻心汤证的核心病机为邪火内炽上焦,充斥气机或迫血妄行;核心主症为心胸烦热,大便干结,口疮,或动血诸症,舌红苔黄或腻,脉数或弦而有力。化斑汤证的核心病机为气血两燔,热甚动血;核心主症为身热、夜间尤甚,口渴喜饮,心烦,动血诸症,舌红绛苔薄黄,脉数或弦。

案 2. 紫癜 - 特发性血小板减少性紫癜 - 犀角地黄汤

王某,男,15 个月,幼儿,连云港市人。

初诊(2011 年 3 月 5 日):患儿以“皮疹、瘀斑 1 年”就诊。患儿 4 个月时出现皮疹,被诊断为特发性血小板减少性紫癜,纳可,寐安。血小板 48×10^9/L。患儿素体健康。查其皮肤散在痧疹、瘀斑,舌淡红苔薄白,指纹紫,此乃阴虚血热,法当清营凉血,方拟犀角地黄汤加蝉蜕。

处方:水牛角 15g(先煎),生地黄 12g,牡丹皮 9g,赤芍 9g,蝉蜕 6g。水煎服,每日 1 剂,煎 2 次,每次煎 30min,共煎 200ml,分 2 次服,7 剂。

二诊(3 月 15 日):服药后皮疹、紫癜消退,只出现几个点状疹、色淡,未见大片紫癜。血小板 96×10^9/L。查其痧疹点小而淡,舌淡红苔薄白,指纹紫。此乃阴虚血热得解,法当凉血清营,方拟犀角地黄汤。

处方:水牛角 15g(先煎),生地黄 12g,牡丹皮 9g,赤芍 9g。水煎服,每日 1 剂,煎 2 次,每次煎 30min,共煎 200ml,分 2 次服,7 剂。

三诊(3 月 24 日):服药后偶有几个小点状皮疹,色淡,纳可,寐安。血小板 101×10^9/L。诊其舌淡红苔薄白,指纹淡。此乃血热得清,症情改善,法当凉血清营,兼以护脾,方拟犀角地黄汤加生山药。

处方:水牛角 15g(先煎),生地黄 12g,牡丹皮 9g,赤芍 9g,生山药 12g。水煎服,每日 1 剂,煎 2 次,每次煎 30min,共煎 200ml,分 2 次服,7 剂。

四诊(4 月 3 日):服药后皮疹已无,纳可,寐安。血小板 125×10^9/L。诊其舌淡红苔薄白,指纹淡。此乃血热得清,脾气得健,法当凉血清营,兼以护脾，方拟犀角地黄汤加生山药以巩固。

处方：水牛角 15g（先煎），生地黄 12g，牡丹皮 9g，赤芍 9g，生山药 12g。水煎服，每日 1 剂，煎 2 次，每次煎 30min，共煎 200ml，分 2 次服，7 剂。

按：特发性血小板减少性紫癜系外周血小板显著减少，骨髓巨核细胞发育成熟障碍，临床以皮肤黏膜或内脏出血为主要临床表现，有急性、慢性之分。急性特发性血小板减少性紫癜多见于 10 岁以下儿童。中医没有该病名，属于“肌衄”“紫癜”“紫斑”等范畴，其病机多属于脾气亏虚，阴虚火旺，或感受外邪等损伤血络，迫血妄行，溢于肌肤所致。阴虚火旺型大多应用知柏地黄汤之类。

本案患者为 15 个月婴儿，发病 1 年，从舌苔、指纹无法判别明显寒热之象，又无主诉可依，但婴幼儿为纯阳之体，该患儿素体健康，结合病程，当属实而非虚，以血热立论，拟犀角地黄汤加辛凉表散之蝉蜕。现代研究表明，蝉蜕有抗过敏作用，在清营凉血时透邪外出，后期指纹见淡，虽无他症，仍加生山药以护脾，防苦寒、滋腻碍脾伤气，脾气健又可统血。患儿紫癜告愈，随访 2 个月未再发。

犀角地黄汤组方精当，是治疗血热妄行紫癜的有效方剂，运用恰当则收效显著。2 例紫斑案均以该方为主取效也非偶然。笔者也将此方运用于血热之荨麻疹、湿疹的治疗，疗效显著。

第三十八节 腰痛

案 1. 腰痛 - 腰肌劳损 - 桂枝加附子汤、白术附子汤

李某，女，24 岁，农民，连云港市人。

初诊（2009 年 10 月 29 日）：患者以“腰痛乏力 3 个月”就诊。患者腰酸痛，四肢无力，手足不温，形寒肢冷，喜暖，纳可，寐尚安。腰椎磁共振检查示第 3、4 腰椎间盘突出。诊其舌淡红苔薄白，脉弱。此乃阳虚寒凝，法当温阳益气，方拟桂枝加附子汤。

处方：桂枝 12g，生白芍 12g，炙甘草 6g，制附子 9g（先煎），生姜 3 片，大枣 4 枚。水煎服，每日 1 剂，煎 400ml，分 2 次服，7 剂。

二诊（11 月 12 日）：服药后形寒肢冷大减，关节酸痛减轻，仍腰痛倦怠，手足不温。诊其舌淡红苔薄白,脉沉。此乃经桂枝加附子汤温经散寒,阳气得煦,寒凝得解,而仍乏力、腰酸痛为脾肾阳虚,寒湿凝滞,法当温阳健脾散寒,方拟白术附子汤加桂枝。

处方:白术18g,炙甘草6g,制附子9g(先煎),桂枝9g,生姜3片,大枣4枚。水煎服,每日1剂,煎400ml,分2次服,7剂。

三诊(11月26日):服药后形寒肢冷、手足不温已除,腰酸痛减轻,弯腰负重时腰酸明显,纳可,寐安。诊其舌淡红苔薄白,脉沉。此乃脾肾之阳已得助,寒凝渐散,而以寒湿凝滞,经络不畅为主,法当温阳利湿,通络散寒,方拟苓桂术甘汤加味。

处方:茯苓18g,桂枝12g,炒白术12g,炙甘草6g,川续断12g,独活12g,狗脊12g,生姜3片。水煎服,每日1剂,煎400ml,分2次服,7剂。

四诊(12月29日):服药后乏力、畏寒、手足不温等症已不显,腰痛如前。入冬后尤甚,纳可,寐安。诊其舌淡红苔薄黄,脉细弱。此乃寒湿凝滞,经络痹阻,法当温阳祛湿,通络散寒,苓桂术甘加味温通之力差,亦表明寒凝为本,湿滞为标,方拟白术附子汤加味。

处方:白术15g,制附子6g,炙甘草6g,杜仲12g,片姜黄9g,生姜3片,大枣4枚。水煎服,每日1剂,煎400ml,分2次服,7剂。

五诊(2010年2月25日):服药后畏寒、手足不温、乏力等已完全缓解,再未就诊服药,腰已不痛,唯变天时有腰酸感,疲劳久坐后亦有不适,纳可,寐安。行腰椎X线检查未见异常改变。诊其舌淡红苔薄白,脉沉弱。此乃阳得助,寒得散,湿得化,当继守上法巩固,拟前方继进。并嘱其适寒温,远潮湿,以扁豆煮粥调理善后。

处方:白术15g,制附子6g,炙甘草6g,杜仲12g,姜黄9g,生姜3片,大枣4枚。水煎服,每日1剂,煎400ml,分2次服,7剂。

随访腰痛已未再出现。

按:腰痛为临床常见症状,有外感、内伤之分,或感受外邪,或劳累外伤,或肾精亏损,或寒湿困脾等。本案患者除腰痛、关节酸痛外,伴见倦怠乏力、形寒肢冷为脾肾阳虚,寒凝湿滞之内伤所致,初期为解其阳气失于温煦,清阳不实四肢之倦怠乏力,畏寒喜暖,予桂枝加附子汤,阳气已外达而寒湿凝滞经脉未解,故予白术附子汤而收功。本案患者以寒凝为主,湿滞为次，而脾肾阳虚为本，不可不测。慢性腰痛可以略佐活血之品，收效更快，而活血之品以姜黄、苏木最为合适，二药活血又可消肿，善治跌打损伤。

桂枝加附子汤证的病机为营卫不和、卫阳(表阳)不足，故治疗以温补表阳为主；白术附子汤证的病机为脾肾阳虚，故治疗以温补里阳为主，二者需区别运用。

桂枝加附子汤出自《伤寒论》，由桂枝汤加附子而成，具有调和营卫，扶阳固表之功，是治疗表虚自汗、身痛、关节僵硬、畏寒等的良方。桂枝加附子汤的辨证定位偏表，方中组成有白芍，功效自然与白术附子汤、甘草附子汤等纯粹温阳散寒之剂不同。

桂枝加附子汤证的核心病机为营卫不和，卫阳不固；核心主症为身(关节)痛喜暖，自汗，汗出恶风，舌淡红苔薄白，脉沉或弱。

案 2. 腰痛 - 腰肌劳损 - 甘姜苓术汤、桂枝加龙骨牡蛎汤

单某，女，72 岁，退休干部，连云港市人。

初诊(2011 年 7 月 14 日)：患者以"腰膝冷痛半年"就诊。患者腰以下冷痛，喜暖，头面汗出、恶热喜凉，纳可，寐差。诊其舌淡红，苔薄白，脉弦。此乃脾肾阳虚，寒湿困脾，心肾不交，心阳不能下温于肾，肾水不能上济于心，法当温阳祛湿，交通心肾，方拟甘姜苓术汤合交泰丸加味。

处方：茯苓 30g，白术 12g，干姜 9g，炙甘草 6g，黄连 9g，肉桂 6g(后下)，川续断 12g，栀子 12g。水煎服，每日 1 剂，煎 2 次，每次煎 30min，共煎 400ml，分 2 次服，7 剂。

二诊(7 月 21 日)：服用前方后口干，头面汗出、恶热减轻，腰冷痛改善。诊其舌淡红，苔薄白，脉沉。此乃寒湿得化，上热得清，法当温阳祛湿，交通心肾，拟仍守上方去干姜。

处方：茯苓 30g，白术 12g，炙甘草 6g，肉桂 6g(后下)，黄连 9g，川续断 12g，栀子 12g。水煎服，每日 1 剂，煎 2 次，每次煎 30min，共煎 400ml，分 2 次服，10 剂。

三诊(8 月 2 日)：服用前方后腰冷痛减轻明显，腿冷、头面汗出、恶热如前，纳差。诊其舌淡红苔薄白，脉缓。此乃肾阳亏虚，虚阳妄越，法当燮理阴阳，温阳祛湿。方拟桂枝加龙骨牡蛎汤合交泰丸加补肾之品。

处方：桂枝 12g，生白芍 12g，炙甘草 6g，生龙骨 30g，生牡蛎 30g，肉桂

3g(后下),黄连 9g,杜仲 12g,川续断 12g,白术 15g。水煎服,每日 1 剂,煎 2 次,每次煎 30min,共煎 400ml,分 2 次服,7 剂。

四诊(8 月 9 日):服用前方后腰冷痛进一步减轻,腿冷、头面热而汗出明显减轻,纳增。诊其舌淡红苔薄白,脉缓。此乃虚阳得摄,阳虚寒湿得祛,法当继守燮理阴阳、温阳祛湿之法。拟守上方。

处方:桂枝 12g,生白芍 12g,炙甘草 6g,生龙骨 30g,生牡蛎 30g,肉桂 3g(后下),黄连 9g,杜仲 12g,川续断 12g,白术 15g。水煎服,每日 1 剂,煎 2 次,每次煎 30min,共煎 400ml,分 2 次服,7 剂。

五诊(8 月 16 日):服用前方后腰冷、腿冷消除,头面恶热汗出基本消除,唯天太热时汗出,夜寐转安,纳增。诊其舌红,苔薄白,脉弦细。此乃阴阳已调,肾气得补,心肾相交,法当继守上法巩固,拟守上方。

处方:桂枝 12g,生白芍 12g,炙甘草 6g,生龙骨 30g,生牡蛎 30g,肉桂 3g(后下),黄连 9g,杜仲 12g,川续断 12g,白术 15g。水煎服,每日 1 剂,煎 2 次,每次煎 30min,共煎 400ml,分 2 次服,7 剂。

按:腰痛为临床常见之病证,有虚、有寒、有湿等之不同。一般活动后痛甚多为虚,静卧后痛甚多实,而痛且冷则责之寒湿。本案患者腰冷痛,伴见头热汗出之上热下寒之象,当全面分析,不可见冷痛而以寒湿治之。初期以寒湿论,主以甘姜苓术汤治疗,腰冷痛等虽减轻,但上热汗出难消,黄连、栀子之属难以奏效,方悟此证乃与阴阳不调,虚阳妄越,下寒上热,寒邪逼阳于上有关,当予潜镇调和、兼温下清上为要,遂以桂枝加龙骨牡蛎汤合交泰丸加温肾壮腰之品而逐渐收功。上热下寒之证最忌单清热或单温阳,清上温下虽可奏效,但也应分析寒、热之孰轻孰重,更应分析有无虚阳妄越。妄越者则应潜镇回纳雷龙之火,不可不测。

回顾诊疗过程,在首诊时未问清楚大便状况是其不足,患者明显是寒热错杂,但对上热下寒证的把握尚不娴熟,若见大便溏稀则应该施以乌梅丸。该患者首诊时纳可,服用含黄连、栀子的方药后则见纳差,表明有伤脾阳之象,如服用乌梅丸则可以温脾散寒。若大便成形或者偏结,应施以全真一气汤,则腰冷痛与头面出火感、汗出俱可消除。全真一气汤亦有潜纳之力,是在补肾阴肾阳的基础上回纳妄越之虚阳,其与桂枝加龙骨牡蛎汤的潜镇虚阳之不同在于前者不见汗出,或汗出不恶风,而后者则必见汗出恶风。

甘姜苓术汤又名肾着汤，由茯苓、白术、干姜、甘草组成，出自《金匮要略》："肾着之病，其人身体重，腰中冷，如坐水中，形如水状，反不渴，小便自利，饮食如故，病属下焦，身劳汗出，衣里冷湿，久久得之，腰以下冷痛，腹重如带五千钱，甘姜苓术汤主之。"

甘姜苓术汤证的核心病机为寒湿困脾，阳气痹阻；核心主症为腰冷痛或沉重，便溏，喜暖，不喜饮，舌淡红苔薄白，脉沉。

案 3. 腰痛 - 腰椎间盘突出症 - 知柏地黄汤、独活寄生汤

于某，女，70 岁，退休工人，连云港市人。

初诊（2011 年 10 月 20 日）：患者以"腰痛 6 年"就诊。患者腰痛，被诊断为"腰椎间盘突出症"，经治疗改善，每遇转腰不当则腰痛甚，难以屈伸，手足心热，胃胀，食欲不振，寐安。查其口干，舌淡红苔薄白，边有瘀点，脉弱。有胃炎病史。此乃肾虚血瘀，法当益肾活血，方用自拟补肾活血方。

处方：熟地黄 15g，山茱萸 15g，川续断 15g，桑寄生 15g，狗脊 12g，砂仁 6g（后下），陈皮 12g，片姜黄 9g，桃仁 12g，红花 12g。水煎服，每日 1 剂，煎 2 次，每次煎 30min，共煎 400ml，分 2 次服，7 剂。

二诊（11 月 5 日）：服药后腰痛、难以屈伸、胃胀、食欲不振诸症减轻，仍手足心热，身热。诊其舌淡红，苔白，边有瘀点，脉沉弱。此乃肾阴亏虚，火旺血瘀，法当滋阴降火活血，方拟知柏地黄汤加减。

处方：生地黄 18g，山茱萸 15g，生山药 12g，知母 9g，黄柏 12g，狗脊 12g，桑寄生 15g，赤芍 15g，红花 12g，砂仁 6g（后下），厚朴 12g，陈皮 9g。水煎服，每日 1 剂，煎 2 次，每次煎 30min，共煎 400ml，分 2 次服，7 剂。

三诊（11 月 12 日）：服药后腰痛大减，腿已不痛，腿仍有掣制不舒感，五心烦热、身热已无，有身凉感。诊其舌淡红苔薄白、瘀点淡，脉沉。此乃肾阴得滋，虚火得降，有伤阳之势，法当补肾活血，固护脾胃，仍守上方去知母、黄柏，调整赤芍、红花、陈皮剂量，加川续断。

处方：生地黄 18g，山茱萸 15g，生山药 12g，狗脊 12g，桑寄生 15g，赤芍 9g，红花 9g，砂仁 6g（后下），厚朴 12g，川续断 12g，陈皮 12g。水煎服，每日 1 剂，煎 2 次，每次煎 30min，共煎 400ml，分 2 次服，7 剂。

四诊（11 月 22 日）：药后腰痛基本消除，身热、五心烦热已无，胃不胀，食欲尚佳。诊其舌淡红苔根黄白厚、瘀点消，脉缓。此乃肾虚得济，有滋腻

克伐伤脾之象，法当补肾益脾，方拟独活寄生汤减味。

处方：独活 12g，桑寄生 15g，杜仲 12g，怀牛膝 12g，人参 10g，茯苓 15g，秦艽 10g，川芎 6g，炙甘草 6g。水煎服，每日 1 剂，煎 2 次，每次煎 30min，共煎 400ml，分 2 次服，7 剂。

五诊（12 月 29 日）：服药后腰痛消除，手心热、身热未再出现，停药一段时间未复发。近日因洗澡伤风来诊，腰痛已消，感冒如法治之。

按：腰痛是指以腰部疼痛为主要表现的病证。腰为肾之府，腰痛与肾关系密切，特别是久痛绵绵，得劳重得卧轻者，多为肾虚所见。本案患者腰痛难以屈伸，又见身热、手足心热，为肾阴亏虚，虽未见暗紫舌，但舌有瘀点当属瘀血之征，故以地黄汤合桃红四物汤加减而症情得以控制。该患者素体脾虚胃弱，故补肾滋腻即易伤阳碍脾，方中佐以辛香运脾之品而使补肾活血不伤脾气。本案患者系肾阴阳两虚，初以温肾之法即见五心烦热，予滋阴降火即见身凉，补阴补阳之量需谨慎拿捏，以平补为宜，待偏阴偏阳得到纠正后，需补养气血以充其元。独活寄生汤是在八珍汤补气养血的基础上补肾壮腰，尚为平衡，故用以善其后。

独活寄生汤出自《备急千金要方》，由独活、桑寄生、杜仲、牛膝、肉桂、细辛、秦艽、防风、人参、茯苓、当归、芍药、地黄、川芎、甘草组成，用于治疗肾气不足，气血两虚之腰痹疼痛诸症。

独活寄生汤证的核心病机为肾气亏损，气血不足；核心主症为腰膝疼痛、酸软，腰及下肢关节屈伸不利或麻木，或见畏寒喜暖，舌淡红苔薄白，脉沉或弱。

第三十九节 痹　病

案 1. 痹病 - 皮肌炎 - 犀角地黄汤

吉某，女，45 岁，自由职业者，盐城市人。

初诊（2010 年 9 月 16 日）：患者以“腰膝酸软 3 个月”就诊。患者腰膝酸软，站立行走困难，全身发红、出火感，无畏寒恶寒，多汗，消瘦，寐不安，纳可。有皮肌炎病史。诊其舌嫩红苔白花剥，脉弦数。病属痹病。此乃阴虚血热，法当清热凉血，活血补肾，方拟犀角地黄汤加味。

处方：水牛角30g（先煎），生地黄30g，牡丹皮12g，赤芍12g，桑寄生15g，石斛18g，生山药15g。水煎服，每日1剂，煎2次，每次煎30min，共煎400ml，分2次服，7剂。

二诊（9月25日）：服药后诸症减轻，寐已转安，周身发红发火明显减轻，纳佳，仍腰膝酸软重，汗出减少。诊其舌嫩红苔薄少无花剥，脉弦数。此乃热得清、血得凉，然舌脉未改变示其血热仍在，法当清热凉血，活血补肾，效不更方，拟上方去山药加怀牛膝、女贞子。

处方：水牛角30g（先煎），生地黄30g，牡丹皮12g，赤芍12g，桑寄生15g，石斛18g，怀牛膝12g，女贞子12g。水煎服，每日1剂，煎2次，每次煎30min，共煎400ml，分2次服，7剂。

三诊（10月2日）：服药后头面、全身发红发火进一步减轻，腰膝酸软亦减轻，站立已稳，行走短时间正常，行走长久则发酸走不稳，汗出少，纳可，寐安。诊其舌红苔薄白而少，脉沉弦有力。此乃血热进一步被清解，肾阴肾阳得补，法当清热凉血，活血补肾，效不更方，略作进退，水牛角增加至60g，加黄柏，调整赤芍、怀牛膝剂量，去女贞子。

处方：水牛角60g（先煎），生地黄30g，牡丹皮12g，赤芍15g，桑寄生15g，石斛18g，怀牛膝15g，黄柏12g。水煎服，每日1剂，煎2次，每次煎30min，共煎400ml，分2次服，7剂。

四诊（10月9日）：服药后头面、全身发红发火消除，腰膝酸软已不明显，站立已正常，行走长久腿酸也不明显，汗出少，纳可，寐安。诊其舌略红苔薄白，脉沉有力。此乃血热得清，肾气得补，法当清热凉血，活血补肾，效不更方，拟上方将水牛角减半，去赤芍以巩固疗效。

处方：水牛角30g（先煎），生地黄30g，牡丹皮12g，桑寄生15g，石斛18g，怀牛膝15g，黄柏12g。水煎服，每日1剂，煎2次，每次煎30min，共煎400ml，分2次服，15剂。

按：皮肌炎是一种主要累及横纹肌，以淋巴细胞浸润为主的非化脓性炎症病变，可伴有或不伴有多种皮肤损害。临床上以对称性肢带肌、颈肌及咽肌无力为特征，常累及多种脏器，亦可伴发肿瘤和其他结缔组织病。本案患者以下肢肢带肌损害及皮肤损害为主。故见腰膝酸软及皮肤潮红、热感。中医没有皮肌炎这一病名，归属痹病、痿证范畴。本症为肌痹病。

肌痹为五体痹之一，凡风寒湿、热毒等邪浸淫肌肉，闭阻脉络，气滞血瘀，出现一处或多处肌肉疼痛，麻木不仁，甚至肌肉萎缩，疲软无力，手足不遂，谓之肌痹。肌痹主要见于现代医学多发性肌炎，皮肌炎，重症肌无力，流感病毒引起的肌炎，或进行性肌营养不良等病。本案患者症见头面、全身发红、发热，腰膝酸痛，不能行走，舌嫩红苔少，脉沉而有力，为血热痹阻，邪实为主，夹有肾虚，故拟清热凉血之犀角地黄汤为主。水牛角代犀角，初虽取效，犹显清解不足，遂倍水牛角之量而疗效明显增加；症情好转后又减量如前。古人多作风、寒、湿三气杂至为痹，纵然用寒凉之法者也多为三气郁久化热，而对血热之痹论述不多。痹者，闭而不通也，营血阴分有热，亦能痹阻络脉，而既见发热出火感、面红耳赤，又见筋脉失养、腰酸腿软、行动无力之症，治病求本，因证治之遂效。

本案患者初诊见舌嫩红苔薄花剥，有胃阴胃气亏虚之象，故一直运用石斛养阴护胃，亦加用生山药益阴健脾，只因血热显著恐山药助热而二诊时去之，后续治疗凉血滋阴也未见碍脾，可见热甚阴伤之甚而尚未伤及脾气，去山药实属正确。因下肢酸软乃肾虚之象，而又不可助火，故运用桑寄生、怀牛膝以补肝肾、祛风湿。桑寄生苦、甘、平，补肾阳而不助火，补肝肾又可祛风湿、强筋骨最为合适，怀牛膝苦、酸、平，补肝肾、强筋骨而不助火，也最为适合。

犀角地黄汤属凉血清热之剂，但只要对证并非只适应于动血出血之症。本案用于肌痹病取得显著疗效。犀角地黄汤证的核心主症为身热喜凉、舌红、脉数等，只要符合其核心主症即可运用。

案 2. 痹病 - 肌纤维组织炎 - 桂枝人参新加汤、桂枝加附子汤

李某，女，28 岁，营业员，连云港市人。

初诊（2011 年 5 月 19 日）：患者以“全身疼痛 50 天”就诊。患者产后数月生气，出现全身疼痛，以腿为主，自服姜汤发汗后加重，腰酸背痛，畏寒喜暖，多汗，汗出恶风，纳可，寐尚安，多梦，查抗链球菌溶血素 O、类风湿因子，均在正常范围，腰部磁共振检查提示：腰背部皮下可见条片状长 T1 长 T2 异常信号影，触诊身体躯干、下肢多部位局限性压痛点，骨科诊为肌纤维组织炎，经普鲁卡因痛点封闭后腰痛明显缓解，数日后反复。诊其舌淡红苔黄，脉细。此乃肌痹病，营卫不和、阴阳失调，法当调和营卫、燮理阴阳，方拟桂枝加龙骨牡蛎汤。

处方：桂枝 12g，生白芍 12g，炙甘草 6g，生龙骨 30g，生牡蛎 30g，生姜 3 片，大枣 4 枚。水煎服，每日 1 剂，煎 2 次，每次煎 30min，共煎 400ml，分 2 次服，7 剂。

二诊（5 月 26 日）：服药后畏寒减轻，汗出减少，仍全身酸痛，肌肉疼略减轻，关节痛加重，小便短赤，纳可，寐不安、入睡难。诊其舌淡红苔薄白，脉细。此乃营卫不和稍调，心脾两虚为主，法当健脾养心，兼以补肾，方拟归脾汤加补肾之品。

处方：红参 9g，白术 12g，茯苓 15g，炙甘草 6g，龙眼肉 12g，生黄芪 15g，当归 12g，炒枣仁 18g，远志 9g，杜仲 12g，防己 9g，桑寄生 15g。水煎服，每日 1 剂，煎 2 次，每次煎 30min，共煎 400ml，分 2 次服，7 剂。

三诊（6 月 2 日）：服药后诸症稍有改善，因觉体虚进补骨头汤致泄泻而诸症俱作，困而不能入眠，汗出不止，小便短赤。诊其舌淡红苔白而干，脉沉弱。此乃脾肾两虚，风湿在表，法当温阳补气，散寒祛湿，方拟甘草附子汤。

处方：白术 15g，制附子 6g，炙甘草 6g，桂枝 9g。水煎服，每日 1 剂，煎 2 次，每次煎 30min，共煎 400ml，分 2 次服，7 剂。

四诊（6 月 9 日）：服药后恶风减轻，畏寒已无，仍身痛、汗出多，吃肉粽后又泄泻。诊其舌淡红苔白，脉沉。此乃阳虚得温，营卫不和为主，法当调和营卫，方拟桂枝加龙骨牡蛎汤。

处方：桂枝 12g，生白芍 12g，炙甘草 6g，生龙骨 30g，生牡蛎 30g，生姜 3 片，大枣 4 枚。水煎服，每日 1 剂，煎 2 次，每次煎 30min，共煎 400ml，分 2 次服，7 剂。

五诊（6 月 14 日）：服药后汗出恶风大减，仍受凉则肠鸣泄泻，纳谷汗出，全身疼痛，乏力。诊其舌淡红苔薄白，脉沉。此乃营卫不和，卫阳不固，法当调和营卫，补气固卫，方拟桂枝人参新加汤。

处方：桂枝 12g，生白芍 15g，炙甘草 6g，红参 9g，生姜 5 片，大枣 15g。水煎服，每日 1 剂，煎 2 次，每次煎 30min，共煎 400ml，分 2 次服，7 剂。

六诊（6 月 23 日）：服药后恶风、肠鸣泄泻已消除，汗出减少，纳谷则汗出未见，全身酸痛大减，双臂乏力，膝关节痛，足冷。诊其舌淡红苔白，脉沉。此乃气得补，营得和，仍有肾阳亏虚之象，法当补气和营，兼以温阳，方拟桂枝人参新加汤加附子。

处方：桂枝12g，生白芍15g，炙甘草6g，红参9g，附子6g，生姜5片，大枣15g。水煎服，每日1剂，煎2次，每次煎30min，共煎400ml，分2次服，7剂。

七诊（6月30日）：服药后恶风、肠鸣泄泻未作，汗出不显，纳谷则汗出未见，全身酸痛、乏力、膝关节痛、足冷已消除。诊其舌淡红苔白，脉沉。此乃阳气得补，营卫得和，法当补气和营，兼以温阳，方拟桂枝人参新加汤加附子。

处方：桂枝12g，生白芍15g，炙甘草6g，红参9g，附子3g，生姜5片，大枣15g。水煎服，每日1剂，煎2次，每次煎30min，共煎400ml，分2次服，7剂。

按：痹者，闭也，是指外感风寒湿等邪导致肢体、肌肉、关节酸痛、麻木、重着为主要表现的病症。痹病其成因总不离风、寒、湿三气杂至，而正气不足是痹病的基础。素体虚弱，正气不足，腠理不密，卫外不固是痹病产生的内在因素，《灵枢·五变》云："粗理而肉不坚者，善病痹"，痹病"皆因体虚，腠理空疏，受风寒湿气而成痹也"（《济生方·诸痹门》）。

本案患者系产后之体，复加生气恼怒，见全身疼痛，自行取汗而出现肌肉酸痛、出汗、畏寒、恶风等，虽见苔黄，不可误认为热，乃姜汤助火之故，当属营卫不和，不可误汗、误敛，以调和营卫为要，予桂枝加龙骨牡蛎汤，痹痛症状缓解，因又见夜寐不安，改以归脾汤健脾养心而疗效不著，自行进补油腻则泻，痹病复重，遂又予甘草附子汤温阳散寒除湿，虽畏寒恶风症状减轻，而身痛、汗出，泄泻此消彼长，方悟病仍在表，未及脾肾，营卫不和为主，治疗总以调和营卫为本，或桂枝加龙骨牡蛎汤，或桂枝人参新加汤，或桂枝加附子汤以调阴阳、益气、通阳，数诊后诸症渐消。

本案是笔者十几年前的病案，从诊疗过程看，存在辨证施治不准之处，因失眠、喜暖、身体酸痛即辨为心脾两虚失之偏颇，好就好在能及时调整。笔者后来也体会到是病不在里而在表。同时对桂枝加龙骨牡蛎汤、桂枝人参新加汤、桂枝加附子汤的鉴别运用还不十分明晰，才出现了本为桂枝加附子汤证而运用了桂枝加龙骨牡蛎汤，及合用了桂枝人参新加汤的误区。

单就治汗而言，三方异同点如下：桂枝加龙骨牡蛎汤证的核心病机是阴阳不和，阳虚失敛而浮越，故有汗、汗出恶风为核心主症，不应该有畏寒喜暖及身痛；桂枝加附子汤证的核心病机是营卫不和，卫阳温煦失施，表卫失固，故汗出、畏寒、身痛俱见；桂枝人参新加汤证的核心病机为营卫不和，气营亏虚，故见汗出、身倦、身痛，而畏寒喜暖不明显或不存在。即无明显寒热而汗出(恶风)应选桂枝加龙骨牡蛎汤，而畏寒喜暖、身痛首选桂枝加附子汤。肌痹病周身疼痛或腰腿酸痛、畏寒、汗出者，桂枝剂不失为优先选择的良方。

第四十节 癃 闭

案．癃闭-前列腺肥大术后狭窄-补中益气汤、真武汤

卞某，男，71岁，退休干部，连云港人。

初诊(2009年5月7日)：患者以“小便不利伴小腹坠胀疼痛3年”就诊。患者1998年因前列腺肥大行前列腺电切术，因遗有尿道狭窄，于2006年再次行尿道扩展术，术后小便不利，症见小便无力，余沥不尽，小腹下坠，胀满疼痛，大便时溏时结，食纳尚佳，夜寐不安。查其舌暗淡苔白，脉沉。此为中气下陷，余邪未尽，法当升举清气，兼行气散结。方拟补中益气汤加味。

处方：生黄芪30g，党参12g，白术12g，陈皮9g，炙甘草6g，升麻6g，柴胡6g，琥珀6g(冲)，枳壳30g，厚朴12g，益母草30g。水煎服，每日1剂，煎2次，每次煎30min，共煎400ml，分2次服，7剂。

二诊(5月14日)：服药后小腹坠胀减轻，痛未减、痛引阴茎，小便灼热，大便已调，食欲不振，夜寐不安。查其舌暗淡苔白，脉沉。此乃清气得升，膀胱有热，瘀结在下，故宜升提中气，兼以清热通淋化瘀，方拟补中益气汤加利水泻热、活血之品。

处方：生黄芪30g，党参12g，白术12g，陈皮9g，炙甘草6g，升麻6g，柴胡6g，琥珀6g(冲)，猪苓15g，泽泻12g，桃仁12g，红花12g。水煎服，每日1剂，煎2次，每次煎30min，共煎400ml，分2次服，7剂。

三诊(5月21日)：服药后小腹痛减轻，小便灼热改善，小腹仍胀坠，食纳增，食则胀，大便调。查其舌暗淡苔白，脉沉。此乃下焦瘀热得减，夹有气滞，故宜仍守前方，热已减故去泽泻，改为车前子，夹有气滞故加枳壳。

处方：生黄芪30g，党参12g，白术12g，陈皮9g，炙甘草6g，升麻6g，柴胡6g，琥珀6g(冲)，猪苓15g，桃仁12g，红花12g，车前子30g(包煎)，枳壳30g。水煎服，每日1剂，煎2次，每次煎30min，共煎400ml，分2次服，7剂。

四诊(5月28日):服药后小腹下坠、疼痛减轻,唯苦发胀,小便尚通,余沥不尽。查其舌暗淡苔白,脉沉。此乃气虚下陷得以纠正,阳虚气化不利凸显,故宜温阳化气,方拟真武汤。

处方:制附子9g(先煎),白术18g,茯苓30g,生白芍12g,生姜3片。水煎服,每日1剂,煎2次,每次煎30min,共煎400ml,分2次服,7剂。

五诊(6月4日):服药后小便余沥不尽改善,食纳增,小腹胀满改善不佳,倦怠懒动。查其舌暗淡苔白,脉沉。此乃阳虚气化不利,仍守上方加化瘀利水之益母草。

处方:制附子9g(先煎),白术18g,茯苓30g,生白芍12g,益母草30g,生姜3片。水煎服,每日1剂,煎2次,每次煎30min,共煎400ml,分2次服,7剂。

六诊(6月11日):服药后小腹胀痛、倦怠懒动减轻,仍小便余沥,纳可,寐安。查其舌暗淡苔白,边有瘀点,脉沉。此乃阳虚气化不利缓解,又见瘀结之象,故宜仍处真武汤,重用附子增加温阳通散之力。

处方:制附子12g(先煎),白术18g,茯苓30g,生白芍15g,生姜3片。水煎服,每日1剂,煎2次,每次煎30min,共煎400ml,分2次服,7剂。

七诊(6月20日):服药后小腹胀、坠、痛均明显减轻,口渴喜饮也明显减轻,小便余沥改善。查其舌暗淡苔薄白,脉沉。此乃肾阳不足得补,膀胱气化改善,故宜继守温阳利水,兼以化瘀,方拟真武汤加桃仁、泽兰。

处方:制附子6g(先煎),生白芍12g,白术15g,茯苓15g,桃仁12g,泽兰12g,生姜3片。水煎服,水煎服,每日1剂,煎2次,每次煎30min,共煎400ml,分2次服,7剂。

八诊(6月27日):服药后小腹发胀稳定,小腹已不下坠,唯行走后有下坠感,疼痛极轻,懒动,小便通利、不痛、仍有余沥。查其舌暗红苔薄白,脉数。此乃阳虚气化不利明显改善,气虚下陷又见,故宜益气升举,通淋利水,方拟补中益气汤加车前子、泽泻、扁蓄、桃仁。

处方:生黄芪18g,党参12g,炒白术12g,炙甘草6g,升麻6g,柴胡6g,当归12g,陈皮9g,车前子30g(包煎),泽泻12g,扁蓄12g,桃仁9g。水煎服,每日1剂,煎2次,每次煎30min,共煎400ml,分2次服,7剂。

九诊(7月7日):服药后小腹发胀及行走时下坠明显减轻,疼痛不显,小便不余沥但无力,懒动改善。查其舌暗红苔薄白,脉弦。此乃中气得以提升,故坠胀、懒动轻,仍有膀胱气化不利,故见小便无力,故宜继守补中益气汤,加附子、泽兰。

处方:生黄芪 18g,党参 12g,炒白术 12g,炙甘草 6g,升麻 6g,柴胡 6g,当归 12g,陈皮 9g,车前子 30g(包煎),泽泻 12g,扁蓄 12g,桃仁 9g,制附子 4g,泽兰 12g。水煎服,每日 1 剂,煎 2 次,每次煎 30min,共煎 400ml,分 2 次服,7 剂。

十诊(7 月 14 日):服药后小腹疼痛、下坠基本消除,轻微发胀,小便已有力、不余沥。查其舌暗红苔薄白,脉虚。此乃气虚渐复,膀胱气化有权,病已告捷,故继守前方 7 剂善后。

按:癃闭是以小便不畅,点滴而下,甚则闭塞不通为主症的一种疾病,其中涓滴不畅为癃,点滴不出为闭。癃闭有虚实之分,实证多因湿热、气结、瘀血阻碍气化运行;虚证多因中气、肾阳亏虚而气化不行。临床多因败精阻塞、阴部手术等,使膀胱气化失司,水道不利以致小便量少、点滴而出甚至闭塞不通。

前列腺肥大等归属于癃闭范畴,大多见于老年人。本案患者前列腺肥大,经手术治疗后仍遗有小便不利,余沥不尽,小腹坠胀、疼痛等。癃闭属于难治病证,特别是前列腺术后尤为棘手。本案患者经过 2 个多月的治疗、多次易方,抽丝剥茧而方转愈。患者以小腹痛、胀、坠,小便无力、余沥为主要表现,为虚中夹实之证,虚以中气下陷及肾不化气为主,实以瘀、(气)滞与热结为主,治当扶正祛邪为要,初期虽给予补中益气汤加行气之品,但奏效不佳,几易其方可以看出,下焦有热结,脉络有瘀滞,而肾阳不足、气化不利亦存在,经化瘀、泄热、温阳利水对症治疗,胀、坠、痛、余沥逐渐减轻,后仍守补中益气、通淋活血之品而收功。

琥珀具有利尿通淋作用,而在本案中未见到明显的通淋止痛效果,或许琥珀治疗淋证方为对证,仍待验证。行气之品(枳壳、厚朴)对前列腺胀痛改善不明显,而活血利水之益母草、泽兰及活血化瘀之桃仁、红花在改善本案小腹疼痛等方面疗效肯定。在本案未用化痰之品,尚不清楚化痰之法对癃闭作用如何。至于对下焦疾病如前列腺、子宫附件疾病,应用活血法之疗效优于理气、化痰之法,尚需进一步临床实践验证。

笔者运用补中益气汤合八正散治疗慢性尿路感染屡屡获效,对前列腺肥大伴小腹、会阴坠胀者以补中益气汤合桂枝茯苓丸疗效亦较满意,而前列腺肥大伴小便清白、余沥，畏寒者则以真武汤加皂角刺、桑螵蛸温阳化气、散结效佳。

真武汤出自《伤寒论》，由附子、白术、茯苓、白芍、生姜组成，具有温阳化气行水之功。真武汤证的核心病机为肾阳亏虚，阳不化气；核心主症为水肿，畏寒，身重，或心悸或头晕，舌淡红苔薄白或白，脉沉。

第四十一节　遗　尿

案．遗尿 - 前列腺癌术后尿失禁 - 大黄牡丹汤、桂枝茯苓丸

史某，男，73 岁，退休干部，连云港市人。

初诊（2018 年 3 月 12 日）：患者以“小便失禁半年就诊”。患者因前列腺癌行电切术，术后出现大、小便失禁，经中西医治疗效果不理想，一直服用去势药物戈舍瑞林。患者大、小便失禁症状在身体转动或站立时多见，平卧后少见，小便滴沥而下、无力，稍有用力即小便自遗，长期穿纸尿裤；大便变细成面条状，但便泻不畅，小便时大便也会不自主排出，肛周隐痛、持续不绝。患者因大、小便失禁而痛苦难耐，无法正常生活、社交、出行，夜寐尚安，纳可，舌暗红苔白厚，脉沉滑。此乃遗尿，瘀热互结，下焦气化失乖，法当泻热破结，散结消肿，方拟大黄牡丹汤加减。

处方：大黄 6g（后下），芒硝 6g，桃仁 12g，牡丹皮 12g，冬瓜仁 15g，皂角刺 10g。水煎服，每日 1 剂，煎 2 次，每次煎 30min，共煎 400ml，分 2 次服，7 剂。

二诊（3 月 19 日）：服药后小便失禁改善，夜间已不遗尿，稍有用力即小便自遗的尿量减少，站立、行走时尿失禁次数减少，小便转通畅但无力，大便次数未见增多但失禁减少、形状增粗，肛周隐痛改善，舌暗红苔白，脉沉滑。此乃瘀热互结有所缓解，下焦气化渐畅，法当泻热破结，散结消肿，仍守上方。

处方：大黄 6g（后下），芒硝 6g，桃仁 12g，牡丹皮 12g，冬瓜仁 15g，皂角刺 10g。水煎服，每日 1 剂，煎 2 次，每次煎 30min，共煎 400ml，分 2 次服，14 剂。

三诊（4 月 2 日）：服药后小便失禁进一步改善，白天遗尿量减少，稍有用力即小便自遗次数及站立、行走时尿失禁次数减少，遗出尿量亦少，小便转通畅仍无力，大便失禁已无，肛周隐痛大减。舌暗红苔薄白，脉沉滑。此乃瘀热互结进一步缓解，下焦气化得以恢复，法当化痰逐瘀、散结消肿，方拟桂枝茯苓丸。

处方：肉桂6g(后下)，茯苓18g，桃仁12g，牡丹皮12g，赤芍12g，皂角刺10g。水煎服，每日1剂，煎2次，每次煎30min，共煎400ml，分2次服，14剂。

四诊(4月16日)：服药后小便失禁基本消失，偶见于大幅度活动后方有几滴遗尿，最多日作5~6次，仍小便频数，余沥不净减轻，排尿有力，大便已畅，肛门不痛，便已有形。舌暗红苔白花剥，脉沉滑。此为痰瘀得化，而清气不升，法当益气升清，方拟清暑益气汤合桂枝茯苓丸加减。

处方：生黄芪30g，生晒参10g，白术12g，炙甘草6g，升麻6g，青皮6g，黄柏10g，泽泻15g，麦冬15g，五味子9g，葛根15g，苍术6g，桃仁10g，牡丹皮6g，生白芍15g。水煎服，每日1剂，煎2次，每次煎30min，共煎400ml，分2次服，14剂。

五诊(5月14日)：服药后去北京某医院复查，检查结果示其前列腺癌术后未见复发，停服戈舍瑞林，去北京期间停服中药后尿失禁未反复，每日有几滴失禁，矢气多，小腹胀痛，平卧后放屁不畅通，起床后腹脘胀气甚。舌暗红苔白黄，脉沉弱。此乃脾虚气滞湿阻，法当治以行气健脾除湿，方拟厚朴生姜半夏甘草人参汤。

处方：厚朴12g，生姜15g，法半夏10g，炙甘草6g，红参6g。水煎服，每日1剂，煎2次，每次煎30min，共煎400ml，分2次服，7剂。

六诊(5月23日)：药后腹胀减轻，矢气多而不畅如前，劳则小便自遗，每天仅遗几滴，大便调，倦怠乏力，全身酸胀，舌暗红苔白，脉沉。此乃气滞得减，湿邪困脾未除，法当健脾祛湿，方拟清暑益气汤合桂枝茯苓丸加减。

处方：生黄芪18g，生晒参10g，白术12g，炙甘草6g，升麻6g，青皮6g，黄柏10g，泽泻15g，葛根15g，苍术15g，桃仁10g，牡丹皮6g。水煎服，每日1剂，煎2次，每次煎30min，共煎400ml，分2次服，14剂。

按：遗尿通常是指在睡眠中小便自遗为主要表现的病症，实际上小便失禁还包括在意识清醒状态下，小便自遗、不能自控的病症。前列腺癌术后常伴发小便失禁。本案患者即是前列腺癌电切术后导致小便失禁，时时自出，站立、行走时小便自出，直接影响生活、社交、出行，苦不堪。半年来经多方医治未见改善。该患者术后不仅小便失禁，还出现大便失禁、排便紊乱，小便时大便亦会排出，肛周隐痛不舒、坐卧不宁。此乃术后痰瘀交阻，瘀热互结，下焦气化失乖，当泻热逐瘀，化痰散结，予大黄牡丹汤加皂角刺，7剂后小便失禁及大便紊乱、肛周疼痛大减，继守14剂则诸症十去其七。下焦热去，所见症状以痰瘀互结为主，予桂枝茯苓丸而小便失禁等症状进一步改善，后见倦怠乏力、劳则易小便失禁，以清暑益气汤升清化湿，小便失禁基本告愈。后因腹胀、矢气不畅经对证治疗后改善。

本案患者大便溏泄、小便自出，本该用"塞"法，而笔者采用"通"法，即"通因通用"之法。虽见"通"之诸症，亦见肛周疼痛、持续不解，大便变细，舌暗红苔白厚，脉沉滑均为瘀热邪实之象，故不宜塞而宜通，不宜升提而宜泻下，清泻下焦瘀热当以大黄牡丹汤最为合适，服用后大便并未泄泻增多，而大便形状改善，小便失禁亦明显得到控制，可见瘀热结于下焦、气化不利是其病理关键。后热去而改祛瘀化痰散结，实象去而倦怠乏力、劳则小便失禁时给予桂枝茯苓丸及清暑益气汤而收功。

大黄牡丹汤出自《金匮要略》，由大黄、芒硝、桃仁、牡丹皮、冬瓜仁组成，具有泻热破结、散结消肿之功效，主治肠痈初起，湿热瘀滞证。该方对下焦瘀热互结可以快速起效，而非单指肠痈。大黄牡丹汤证的核心病机为瘀热结于下焦，气化失乖；核心主症为少腹或肛周或会阴疼痛、持续不解，前列腺或肛门术后则见小便不畅、失禁，或（和）大便形状变细、紊乱，身热或口渴喜饮，舌暗红苔黄或白，脉滑有力或沉而有力。

第四十二节　淋　证

案．淋证-尿路感染-知柏地黄汤合猪苓汤、济生肾气丸

李某，女，77岁，退休干部，连云港人。

初诊（2011年2月24日）：患者以"小便灼热2年"就诊。患者小便灼热，无尿痛尿急，面部出火感，足心热，多次查尿常规未见异常，夜寐不安，下肢水肿，口不渴，有高血压病史，在服硝苯地平片。尿常规示，隐血25（++），红细胞14.6，白细胞0.60，管型0.13，病理管型0.13。泌尿系统彩超检查未见异常。查其双腿按之凹陷，诊其舌淡红苔偏黄，脉弦。此乃肾阴不足，水热互结，法当养阴清热利水，方拟知柏地黄汤合猪苓汤去茯苓、知母。

处方：生地黄30g，山茱萸15g，生山药15g，泽泻18g，牡丹皮15g，猪苓15g，滑石15g，阿胶10g（烊化），黄柏15g。水煎服，每日1剂，煎2次，每次煎

30min，共煎 400ml，分 2 次服，7 剂。

二诊（3 月 3 日）：服药后小便灼热明显减轻，头面出火感轻，仍面部晨起肿，夜晚左腿轻度可凹性水肿，右腿不水肿，纳可，寐安。查其左腿按之凹陷轻、右腿不肿，诊其舌淡红苔偏黄，脉弦，法当滋阴降火，育阴利水，方拟知柏地黄汤合猪苓汤加车前子。

处方：生地黄 30g，山茱萸 15g，生山药 15g，泽泻 18g，牡丹皮 12g，茯苓 12g，知母 9g，黄柏 15g，猪苓 15g，滑石 15g，阿胶 10g（烊化），车前子 30g（包煎）。水煎服，每日 1 剂，煎 2 次，每次煎 30min，共煎 400ml，分 2 次服，7 剂。

三诊（3 月 15 日）：药后小便灼热再未出现，头面出火感、足心热基本消除，双腿水肿轻，寐欠安，尿常规正常，肾功能检查示，血尿素氮 7.0mmol/L，肌酐 52.9μmol/L，尿素氮 307.9μmol/L，β_2 微球蛋白 1.5mg/L。诊其舌红苔薄白，脉细。此乃水热互结得解，肾虚气化不利，法当滋阴补肾，化瘀利水，方拟济生肾气丸去桂、附，加赤芍、益母草。

处方：生地黄 30g，山茱萸 18g，生山药 15g，茯苓 12g，泽泻 15g，牡丹皮 12g，怀牛膝 12g，车前子 30g（包煎），赤芍 15g，益母草 30g。水煎服，每日 1 剂，煎 2 次，每次煎 30min，共煎 400ml，分 2 次服，7 剂。

四诊（3 月 20 日）：药后小便通利，无不适，头面出火感偶作，足心已不热，夜晚双腿略有水肿，寐欠安，尿常规正常。诊其舌红苔薄白，脉细。此乃肾虚气化不利，法当滋阴补肾，化瘀利水，仍守上方。

处方：生地黄 30g，山茱萸 18g，生山药 15g，茯苓 12g，泽泻 15g，牡丹皮 12g，怀牛膝 12g，车前子 30g（包煎），赤芍 15g，益母草 30g。水煎服，每日 1 剂，煎 2 次，每次煎 30min，共煎 400ml，分 2 次服，7 剂。

按：淋证以小便频急，淋漓不尽，尿道涩痛等为特征，多因肾虚、膀胱湿热所致。本案患者仅见小便灼热，无小便频急症状。此类状况多常见于老年人敏感性降低，尿常规异常可辅助诊断。该患者还伴有面部发热，足心热，舌红苔薄白，脉细，为肾阴虚火旺、水热互结之象，故当滋阴清热利水，予知柏地黄汤合猪苓汤，因不渴故去知母、茯苓，药后小便灼热明显减轻，面部出火感、足心热减轻，继以守方，增加降火利水之力，取知柏地黄汤原方合猪苓汤，小便灼热即愈，面部出火感、足心热基本消除，可见不渴也不宜去知母而降低滋阴清热之力，但淋证症状改善，而唯水肿改善不彻底，查肾功能异常，又有高血压病史，考虑高血压肾病之水肿，而非淋证所致，为肾虚气化不利之证，遂以济生肾气丸补肾化瘀利水，水肿渐消。因患者素体有阴虚火旺之征（象），故去桂、附，可见，中西互参可以明理，病证结合可提高临床疗效。

猪苓汤出自《伤寒论》，由猪苓、泽泻、茯苓、阿胶、滑石组成，具有育阴利水之功。岳美中先生认为，对阴虚热淋之兼有血尿者最为适宜。济生肾气丸出自《张氏医通》，又名加味肾气丸，由金匮肾气丸加牛膝、车前子组成，是温肾行水之良方，济生肾气丸本是丸剂，以缓图，现于临床多拟汤剂运用，效果显著。

猪苓汤证的核心病机为水热互结，阴虚内热；核心主症为小便不利，或涩痛或灼热或血尿，手足心热或夜间身热，或有水肿，舌暗红或红苔薄白或薄少，脉细或沉。济生肾气丸证的核心病机为肾阴阳亏虚、肾气化不利；核心主症为水肿，下肢尤甚，腰膝酸软，小便不利，舌暗红或淡红苔薄白或白，或有瘀点，脉沉或弱。

第四十三节 水　　肿

案 1. 水肿 - 心功能不全 - 真武汤

王某，男，63 岁，退休工人，连云港人。

初诊（2010 年 7 月 1 日）：患者以“水肿伴胸闷心悸 3 年”就诊。患者胸闷心悸，活动后加重，双腿水肿、皮肤紫暗，口唇青紫，纳可，寐差。有心肌梗死、心功能不全病史，测其双腿硬肿、按之不起。诊其舌暗红苔白，脉沉弱。此乃肾虚血瘀水泛之证，法当温阳化气，活血利水，方拟真武汤加活血之品。

处方：制附子 9g（先煎），红参 9g，白术 12g，茯苓 15g，生白芍 12g，益母草 30g，泽兰 15g，桃仁 12g，知母 12g，红花 12g，赤芍 15g。水煎服，每日 1 剂，煎 2 次，每次煎 30min，共煎 400ml，分 2 次服，7 剂。

二诊（7 月 15 日）：服药后胸闷心悸，双腿水肿大减，停药后症状未见反弹，原来穿不进鞋子，现在已大有空隙，仍口唇青紫，纳可，自觉手掌心热，他人触之不热，胃胀已除，食欲开，食量增。测其双腿肿轻、按之凹浅，诊其舌暗红苔薄白，脉沉。此乃阳已化气，法当继守前法，方拟上方附子减量，去知母。

处方：制附子 6g，红参 9g，白术 12g，茯苓 15g，生白芍 12g，益母草 30g，泽兰 15g，桃仁 12g，红花 12g，赤芍 15g。水煎服，每日 1 剂，煎 2 次，每次煎 30min，共煎 400ml，分 2 次服，7 剂。

三诊（7 月 22 日）：服药后胸闷轻微，心已不悸，双腿水肿已除，腿紫暗、口唇青紫减轻，自觉手掌心热，食纳正常。测其双腿已无凹陷，诊其舌暗红苔薄白，脉缓、已不沉。此乃心阳得振，气化有力，心血瘀阻渐去，法当温阳化气，化瘀行水，仍守上方去赤芍加川芎。

处方：制附子 6g，红参 9g，炒白术 12g，茯苓 15g，生白芍 12g，益母草 30g，泽兰 15g，桃仁 12g，红花 12g，川芎 12g。水煎服，每日 1 剂，煎 2 次，每次煎 30min，共煎 400ml，分 2 次服，15 剂。

按：水肿是由各种原因导致水液停聚，泛溢肌肤，引起局部乃至全身水肿的病证。本案患者见双腿水肿、心悸胸闷、口唇青紫，乃心肾之阳不振，心血瘀阻之征，治当温阳化气，活血行水。古人云：血不利则为水，血瘀则水停。然血脉瘀滞乃气之推动无力所致，阳不化气为因，血脉瘀阻为果，故当温阳化气，化瘀行水并施。真武汤乃温阳行水之良方，振奋心肾之阳，泽兰、益母草为活血利水之品，重用方能效佳，桃仁、红花、赤芍活血化瘀，患者手心自觉发热乃瘀久化热之象，赤芍性凉最为合适。原加知母以去虚热而效果并不突出，遂去，待瘀热之象有减，易辛热之川芎活血，与温阳化气之本法一致，加强化瘀之力，使瘀化而水无所聚，水肿即除。

温阳活血之方有《医林改错》的急救回阳汤，由附子理中汤加桃仁、红花组成，温经活血，回阳救逆，但无行水之力；真武汤本身就有温阳行水之功，加益母草、泽兰则活血行水，适合水血同病之症，方药相合则温阳行水相得益彰。

案 2. 水肿 - 心力衰竭伴胸腹水 - 己椒苈黄丸

杨某，女，82 岁，家庭妇女，连云港市人。

初诊（2021 年 1 月 15 日）：患者因“四肢水肿、胸闷气喘、腹部胀满 7 天”于 1 月 9 日入院，既往有脑梗死、冠心病、心房颤动、心功能不全、高血压、2 型糖尿病等病史。入院当天查胸腹部 CT 提示：心包积液、胸腔积液、大量腹腔积液。患者经治疗后病情平稳，双上肢水肿、胸闷气喘好转，但其余症状改善不明显，复查CT较前无明显变化。1月10日行腹腔穿刺术，术后保留引流管，每日可引流出约600ml淡黄色液体，经多次化验，腹水性质仍难以明确，遂邀笔者查房。

查房所见，患者精神可，四肢水肿，尤以双下肢为甚，左侧肢体活动不利，胸闷气喘，活动后加重，腹部胀满、隆起，口干，身热喜凉，双目有神，面色暗黄，声高有力，纳可、寐差，小便自利，大便秘结。舌暗淡苔薄黄，脉弦滑有力。此乃痰饮病，水热互结，法当泄热逐水、通利二便，方拟己椒苈黄丸。

处方：防己12g，椒目6g，葶苈子15g，大黄6g(后下)。水煎服，每日1剂，煎2次，每次煎30min，共煎400ml，分2次服，2剂。

二诊(1月18日)：患者服药后双下肢水肿较前改善，其余症状同前，诊得舌暗淡苔薄黄，脉弦滑有力，效不更方，剂量酌加。

处方：防己10g，椒目10g(因药房缺药改泽兰12g)，葶苈子15g，大黄9g(后下)。水煎服，每日1剂，煎2次，每次煎30min，共煎400ml，分2次服，2剂。

三诊(1月21日)：患者服上方第1天后腹泻10余次，泻后双下肢水肿明显改善，胸闷气喘、腹部胀满等症状随之明显消减，后大便溏薄，一日2~3次，但无身倦乏力之象，现每日仅引流出约50ml的腹腔积液，遂拔除引流管继续观察，血压、血糖稳定，诊得腹部较前松软、舌暗淡苔薄黄、脉弦滑。此乃热得下、水得泻，病势已减，需继续固守，法当泄热逐水，仍守上方，酌情减量。

处方：防己12g，椒目6g，葶苈子15g，大黄5g(后下)。水煎服，每日1剂，煎2次，每次煎30min，共煎400ml，分2次服，4剂。

四诊(1月24日)：患者肢体水肿完全消退，并能下床简单锻炼，活动后稍有胸闷气喘，但能耐受，稍觉口干，小便自利，大便溏、一日2~3次，诊得腹平软、舌暗淡苔薄黄、脉弦滑，血压140/90mmHg，空腹血糖6.8mmol/L，心电图正常范围。患者虽肢体水肿、腹腔积液已消退，但仍存在活动后气喘，脉弦有力，考虑水热之邪尚未根除，当乘胜追击，法当泄热逐水，以防病复。仍守前方，因口渴加咸寒之牡蛎，大黄、防己剂量酌减。

处方：防己10g，椒目6g，葶苈子15g，大黄3g(后下)，煅牡蛎15g。水煎服，每日1剂，煎2次，每次煎30min，共煎400ml，分2次服，3剂。

五诊(2月6日):患者复查胸腹部CT仅见少量胸腔积液,已无不适,办理出院。

六诊(3月20日):患者门诊复诊,肢体无水肿,活动后稍气喘,诊得腹软,舌暗淡苔薄白、脉弦。复查CT未见明显腹腔积液、胸腔积液。未再施药,嘱加强护理,加强营养。

按:水肿是体内水液潴留,泛溢肌肤,临床以头面、眼睑、四肢、腹背甚至全身水肿为特征的一类病证。本案见四肢水肿之"溢饮"、胸闷气喘之"支饮"和腹部胀满、腹腔积液之狭义"痰饮",一身兼具三"饮",可见病情笃重,当救于急。该水肿之病症是三"饮"分治还是"化整为零",以一法一方施治,仍当思量。患者虽高龄多疾,患病日久,然其精神不萎,饮食如常,身热喜凉,声高有力,脉象弦滑,当属"阳证"无疑。四诊合参,该水肿属广义"痰饮病",核心病机当为"水热互结",水热之邪侵犯机体,流窜上下,常诸症蜂起,缠绵难愈,其流于四肢,则见肢体水肿;上犯于肺,则见胸闷气喘;阻滞中下焦,则见腹部胀满、沥沥有声;津不上承,则见口舌干燥。核心主症:腹满胀大,腹中有振水声,口干舌燥,舌红苔黄燥,脉滑或数。言其治法,则当涤饮泻热,前后分消,方随法出,己椒苈黄丸自然是不二之选。方中防己苦寒降泄,利水消肿,祛风清热,为治疗湿热病水肿、疼痛之要药;椒目利水消肿,降气平喘,《金匮要略心典》谓之:"治腹满,去十二种水气";葶苈子苦泄辛散,泻肺平喘,行水消肿,善治湿热壅盛之喘咳不得平卧及胸腹积水;大黄荡涤肠胃,推陈致新,亦可攻逐水饮,如大陷胸汤、舟车丸之用。四药共伍,泻热逐水,通利二便,共主水热互结、二便不畅之诸病。从几次遣方加减来看,守住该方稍作加减,只变动一味药(二诊时因药房椒目缺货,临时改予泽兰活血利水),和只增损大黄剂量则对四肢水肿、胸腔积液、腹腔积液均有良好的调节改善作用,也显示出大黄是通过荡涤肠胃、推陈致新而起到攻逐水饮的,亦凸显把握核心病机是何等重要。

本案患者高龄久病,多种顽疾缠身,病情错综复杂,省病问疾之后,四诊合参,抓住"水热互结"之核心病机,遣方用药谨守病机,当机立断,不可延误战机。岳美中先生言:"治急性病要有胆有识,治慢性病要有方有守",故攻下逐水径直投以己椒苈黄丸。一诊时,用大黄6g未见到大便溏薄或泄泻，遂二诊时，将大黄剂量增加至 9g，患者服药后竟腹泻十余次，但泻后并无不适之感，亦未见虚弱之象，且肢体水肿随之消减，表明药证相符，乃"有故无殒"之理。

己椒苈黄丸由防己、椒目、葶苈子、大黄组成，出自《金匮要略》："腹满，口舌干燥，此肠间有水气，己椒苈黄丸主之。"己椒苈黄丸证的核心病机为水饮停积于三焦，郁而化热；核心主症为胸腹满闷或腹胀大有振水声（移动性浊音），或气喘，或四肢水肿，口渴便秘，小便不利，舌暗红或红苔白厚或黄厚而燥，脉滑或数。

（王英超 整理）

第四十四节 痰 饮

案．痰饮 - 慢性咽炎 - 半夏泻心汤、黄连温胆汤、三仁汤

王某，男，63 岁，工程师，连云港市人。

初诊（2010 年 8 月 5 日）：患者以"口中泛吐痰涎 1 年"就诊。患者口中泛吐痰涎不绝、痰色粉红、夜间尤甚，口黏、口苦，纳可，便溏、日 3 行，有慢性咽炎病史。诊其舌红苔薄白，脉沉弱。此乃脾寒胃热，痰热郁阻，法当清热化痰，辛开苦降，方拟半夏泻心汤加化痰之品。

处方：法半夏 18g，黄芩 12g，黄连 6g，干姜 6g，党参 12g，天竺黄 12g，竹茹 15g，枳实 15g。水煎服，每日 1 剂，煎 2 次，每次煎 30min，共煎 400ml，分 2 次服，7 剂。

二诊（8 月 14 日）：服药后口已不苦，泛吐痰涎减少，口黏减轻，痰中仍带血色，大便日 2 行，纳尚可。诊其舌红苔薄白，脉沉弱。此乃中州得调，胃热得清，痰浊得化，法当化痰清热，方拟黄连温胆汤。

处方：黄连 9g，法半夏 18g，橘红 15g，茯苓 15g，枳实 12g，竹茹 15g，炙甘草 3g，生姜 5 片。水煎服，每日 1 剂，煎 2 次，每次煎 30min，共煎 400ml，分 2 次服，7 剂。

三诊（8 月 24 日）：服药后泛吐痰涎、口黏进一步减轻，便已成形，倦怠乏力，易醒。诊其舌红苔薄白，脉沉。此乃痰热得化，法当化痰清热，继守上方。

处方：黄连9g，法半夏18g，橘红15g，茯苓15g，枳实12g，竹茹15g，炙甘草3g，生姜5片。水煎服，每日1剂，煎2次，每次煎30min，共煎400ml，分2次服，7剂。

四诊（9月2日）：服药后泛吐痰涎、口黏十去其七，痰色粉红已不明显，便已成形，仍乏力，易醒，恶心，口干喜饮。诊其舌淡红苔白，脉沉。此乃痰热渐化，胃有郁热，法当轻宣化浊，兼以清热，方拟三仁汤加石膏、荷叶、竹茹。

处方：杏仁9g，豆蔻6g，生薏苡仁18g，厚朴12g，姜半夏15g，竹叶12g，生石膏18g，荷叶12g，竹茹12g。水煎服，每日1剂，煎2次，每次煎30min，共煎400ml，分2次服，7剂。

五诊（9月9日）：服药后泛吐痰涎、口黏消除，痰色已无血色，便调，精神转佳，夜寐转安，不恶心，口已不干、饮减少。诊其舌淡红苔薄白，脉沉。此乃痰热消，湿气化，法当轻宣化浊，兼以清热，继守上方。

处方：杏仁9g，豆蔻6g，生薏苡仁18g，厚朴12g，姜半夏15g，竹叶12g，生石膏18g，荷叶12g，竹茹12g。水煎服，每日1剂，煎2次，每次煎30min，共煎400ml，分2次服，7剂。

按：痰饮是指水液在体内运化输布失常，停积或渗注于某些部位的一类病证。痰饮涉及范围很广，有广义、狭义之分，有饮留肠胃、饮停胸胁、饮聚口咽等。本案患者为饮聚口咽之痰饮，所见非呕非咳之痰饮，而是痰涎源源不断、咳吐不尽，还兼见口苦、口黏、痰中带血，夜间为甚，苦不堪言。涎归脾属，当为脾失运化、湿聚而成，痰湿为重，脾虚为次，邪实为主，法当祛邪为要，先以半夏泻心汤辛开苦降加枳实、竹茹、天竺黄化痰泻浊，清化痰热，后予黄连温胆汤化痰为主、兼清其热而泛吐痰涎大减，便已成形，后又见恶心、口干、乏力等以湿阻中焦、胃热气逆、脾气无力实其四肢之症，遂以三仁汤去滑石、通草，甘草加荷叶、竹茹、石膏轻宣化浊，泻胃清热，数剂后泛吐痰涎诸症俱已消除而告愈。

《金匮要略·痰饮咳嗽病脉证并治》云：病痰饮者，当以温药和之。涎多喜唾当以燥湿化饮，自当不难，而兼有涎中带粉红渗血、口苦、口黏，属痰热、湿热，则应兼以泻热，平胃散、苓桂剂等燥湿健脾之剂自不能用，需燥湿清热并举，取半夏泻心汤痰涎减少而痰中渗血不减。予黄连温胆汤，痰中渗血减少而又见夜寐不安、乏力、口渴喜饮，可见燥湿化饮与清热之孰轻孰重甚费思量。痰涎多，当燥湿才可快速取效，而燥湿剂久用则易化燥，因此需芳化，由燥湿至芳化也得随"症"治之，随时调整治法和方药。岳美中先生云："晚节渐于医律细。"临证在细微处见功夫，足见我们与前辈相差甚远。

笔者曾治疗一位背自觉灼热发烫的患者，背不能贴床睡眠，坐姿不能靠椅背，辨为湿郁化热，予三仁汤数剂即痊愈。三仁汤湿重热轻，治法当芳香化湿。

第四十五节 虚 病

案．虚病－低代谢－桂枝加附子汤、桂枝加龙骨牡蛎汤

卞某，女，62岁，退休工人，连云港市人。

初诊（2010年12月16日）：患者以"畏寒喜暖1年"就诊。患者畏寒喜暖，双足发冷，自汗出，易感冒，视物模糊，手麻，纳可，寐安。有脑梗死病史，否认高血压、糖尿病病史。诊其舌淡红苔白，脉弱。此乃卫阳不足，法当温补卫气，方拟桂枝加附子汤。

处方：桂枝12g，生白芍12g，炙甘草6g，制附子6g，生姜3片，大枣4枚。水煎服，每日1剂，煎2次，每次煎30min，共煎400ml，分2次服，7剂。

二诊（12月23日）：服药后足冷减轻，畏寒喜暖、自汗未减，又见盗汗，手臂麻木，视物模糊。诊其舌淡红苔白厚，脉细弱。此乃卫气得温，营卫不和，法当调和营卫，调和阴阳，方拟桂枝加龙骨牡蛎汤加浮小麦。

处方：桂枝12g，生白芍12g，炙甘草6g，生龙骨30g，生牡蛎30g，浮小麦30g，生姜3片，大枣4枚。水煎服，每日1剂，煎2次，每次煎30min，共煎400ml，分2次服，7剂。

三诊（2011年1月4日）：服药后足冷大减，畏寒明显减轻，视物不模糊，手已不麻，仍自、盗汗出，夜寐不安。诊其舌淡红苔薄白，脉细。此乃阴阳不调，表虚不固，法当调和阴阳，兼以固表，仍守上方加黄芪。

处方：桂枝12g，生白芍12g，炙甘草6g，生龙骨30g，生牡蛎30g，浮小麦30g，生黄芪15g，生姜3片，大枣4枚。水煎服，每日1剂，煎2次，每次煎30min，共煎400ml，分2次服，7剂。

四诊(1月11日):服药后足已暖,已不畏寒,视不糊,手不麻,未见自汗、盗汗,夜寐欠安。诊其舌淡红苔薄白,脉细。此乃阴阳和,表卫固,法当调和阴阳,兼以固表,继守上方。

处方:桂枝12g,生白芍12g,炙甘草6g,生龙骨30g,生牡蛎30g,浮小麦30g,生黄芪15g,生姜3片,大枣4枚。水煎服,每日1剂,煎2次,每次煎30min,共煎400ml,分2次服,7剂。

按:虚病是以脏腑元气亏虚、精血不足为主要病理过程的一类慢性虚衰性病证。本案患者无明显器质性病变,虽有中风病史但无后遗症,年龄虽然不大,但所见俱为一派虚寒之象,见畏寒喜暖,双足不温,易伤风感冒,眼花、手麻,以肾气亏虚为本,卫阳不足为标,先以卫阳不足、营卫不和为抓手,予温补卫阳,调和营卫之桂枝加附子汤,药后足始温,而其余诸症未见明显改善,反添盗汗。笔者甚是纳闷,是附子助火?还是雷龙之火上炎?而症状、舌脉未见虚火之踪影!考虑其有虚阳外越之征,遂更为燮理阴阳之桂枝加龙骨牡蛎汤,服后双足发冷、畏寒喜暖明显减轻,且眼花、手麻也消除,十分令人不解。《金匮要略》血痹虚劳病篇云:“夫失精家,少腹弦急,阴头寒,目眩,发落,脉极虚芤迟,为清谷、亡血、失精。脉得诸芤动微紧,男子失精,女子梦交,桂枝加龙骨牡蛎汤主之”。从经文中悟出桂枝加龙骨牡蛎汤对肾阴阳两虚偏于阳虚之证有摄纳补益之力,其“阴头寒”(即阴部寒冷)未必全是由于阳虚温煦无力,亦有阴阳失调、阳越不潜而肾显其寒之可能,虽寒冷症减,而自汗、盗汗却未减,也十分费解,是药力不够?还是表虚失固?在桂枝加龙骨牡蛎汤方中加入黄芪,即予桂枝加黄芪汤合方,自汗、盗汗方止,寒冷、眼花、手麻、夜寐不安诸症亦消除。

本案提示:一,证候为虚寒证而以温阳之法取效不著,调和阴阳之剂则获效显著;二,既是阴阳失调,那以敛汗著称的桂枝加龙骨牡蛎汤止汗为何不佳,而以加黄芪方才获效?三,如果说本案所见虚寒证并不一定是虚寒,那鉴别非虚寒证(或夹虚热或有化热之象)的四诊所见该有哪些症状体征?四,如果说从一诊开始诊疗方药无误,只是没有守方,或许守方不更方即可全部获效,那守多久才合适?7剂不够?可见,临证才是最鲜活的教材,可以见到许多出乎意料的收获。

第四十六节 风瘙痒

案. 风瘙痒-过敏性皮炎-犀角地黄汤

杨某,女,40岁,自由职业,连云港市人。

初诊(2010年9月25日):患者以"皮肤反复起皮疹瘙痒1年"就诊。患者皮肤反复起皮疹,色暗红,瘙痒,口中灼热,便调,纳可,寐安,被诊为过敏性皮炎。查其皮疹不高于皮肤,色暗红。诊其舌淡红苔薄白,脉沉缓。此乃湿热中阻,法当清热利湿,方拟二妙散合竹叶石膏汤加减。

处方:苍术12g,黄柏12g,竹叶12g,生石膏30g,生甘草9g,木贼30g,白蒺藜12g,蝉蜕9g,赤芍12g,地肤子9g。水煎服,每日1剂,煎2次,每次煎30min,共煎400ml,分2次服,7剂。

二诊(10月9日):服药后症状如前,丘疹暗红,瘙痒甚,遇热加重,抓破出血,纳可,寐安,便调。诊其舌淡红苔薄白,脉弦滑。此乃热入营血,舍脉从症,法当清热凉血,兼以疏表,方拟犀角地黄汤加味。

处方:水牛角30g(先煎),生地黄30g,牡丹皮12g,赤芍15g,知母15g,生白芍30g,生石膏30g,紫草15g,白蒺藜12g,桑叶12g,蝉蜕10g。水煎服,每日1剂,煎2次,每次煎30min,共煎400ml,分2次服,7剂。

三诊(10月16日):服药后瘙痒明显减轻,丘疹色转淡。诊其舌淡红苔薄白,脉弦滑。此乃热入营血,法当清热凉血,兼以疏表,仍守上方加麻黄。

处方:水牛角30g(先煎),生地黄30g,牡丹皮12g,赤芍15g,知母15g,生白芍30g,生石膏30g,紫草15g,白蒺藜12g,桑叶12g,蝉蜕10g,麻黄6g。水煎服,每日1剂,煎2次,每次煎30min,共煎400ml,分2次服,7剂。

四诊(10月28日):服药后瘙痒极轻,皮疹基本消除,唯面部有蚕豆大小两片,易疲劳,腰腿酸软,纳可,寐不安、多梦。诊其舌淡红苔薄白,脉沉。此乃血热得清,肾精不足,法当凉血补肾益气,仍守上方去牡丹皮、白芍,生石膏减量,加黄精、桑寄生。

处方:水牛角30g(先煎),生地黄30g,赤芍15g,知母15g,生石膏18g,紫草15g,白蒺藜12g,桑叶12g,蝉蜕10g,麻黄6g,黄精12g,桑寄生15g。水煎服,每日1剂,煎2次,每次煎30min,共煎400ml,分2次服,7剂。

五诊(11月8日):服药后痒止,皮疹消除,腰腿已不酸软,乏力减轻,纳可，寐安。诊其舌淡红苔薄白，脉沉。此乃血热已清，正气得扶，法当凉血疏风，补肾益气，仍守上方并将生地黄减量，去石膏、赤芍、麻黄，加太子参。

处方：水牛角30g(先煎)，生地黄18g，知母15g，紫草15g，白蒺藜12g，桑叶12g，蝉蜕10g，黄精12g，桑寄生15g，太子参15g。水煎服，每日1剂，煎2次，每次煎30min，共煎400ml，分2次服，7剂。

按：过敏性皮炎是皮肤病中的一大类病症，常见到皮肤红肿、瘙痒、疼痛等，由于病因不同，又分多种类型。过敏性皮炎属中医风瘙痒范畴。本案患者皮疹反复起落1年，皮疹不高出皮肤、色暗红、皮肤瘙痒，口中灼热，舌脉无明显热象，为湿热搏结，予二妙散、竹叶石膏汤加减，不效，而瘙痒皮疹加重，为苦寒渗利伤阴之故。细思本案患者为血热之证，当凉血清营，兼以疏表，予犀角地黄汤加桑叶、白蒺藜、紫草、蝉蜕等，皮疹渐消，而见疲劳、腰腿酸软等气虚肾亏之象，遂去生石膏、生白芍、麻黄等，加益气而生津之黄精、太子参，甘平补肾之桑寄生，祛邪而兼扶正，诸症悉平。

笔者运用犀角地黄汤治疗多种皮肤病，若见血热之征，径直投之，每每收效。本案患者瘙痒甚，加用了许多疏风止痒之品，其实治病求本，未必过用止痒药味。疏风止痒之白蒺藜、蝉蜕、紫草有良好的止痒效果。其中白蒺藜辛、苦，微温，有小毒，功效活血祛风，擅治风疹瘙痒，《药典》剂量6~10g，一般推荐剂量6~12g。有学者报道用白蒺藜治疗白斑病，剂量用到20g，因中毒会引起肺水肿、呼吸衰竭等，临床用药应严格控制剂量，以安全剂量为宜。蝉蜕味甘、咸，性凉，无毒，功效祛风透疹，具有抗过敏止痒作用，适用于风热皮疹瘙痒。紫草甘、咸，寒，凉血，活血，解毒透疹，是皮肤诸症的良药，用于血热毒盛、斑疹紫黑、麻疹不透、疮疡、湿疹、水火烫伤等，也有较好的止痒效果，剂量5~10g，超量服用会诱发机体过敏。本案患者用量偏大，但未见不良反应，不过临证以安全为要，不宜超量。紫草咸寒，过量使用会导致腹泻腹痛，尤其是脾胃虚寒之体，应多加注意。木贼疏风散热，明目退翳，也能疏风止痒。地肤子清热利湿，祛风止痒，若非湿热之证不宜运用。

本案患者因无汗，酌加麻黄发表止痒，而对血热之体，运用浮萍更为合适；方中运用了大量白芍，笔者认为，重用赤芍就可以，无需加用大量白芍。

第四十七节　乳　癖

案．乳癖 - 乳腺结节病 - 逍遥散合消瘰丸

张某，女，41 岁，公务员，连云港市人。

初诊（2011 年 8 月 4 日）：患者以“右乳房胀痛 10 年”就诊。患者右乳房胀痛，乳腺钼钯 X 线摄影检查示右乳腺小叶性增生性改变、乳腺结节。双侧乳腺超声所见：左乳切除术后，右乳探及多个无回声团，其一大小约 8.6mm×5.5mm，右乳探及多处乳腺导管扩张，其一处宽约 2.9mm，余右侧乳腺各象限可显示乳腺组织回声粗糙，排列紊乱，局部回声偏低，CDFI 示乳腺内未见异常血流信号。有左乳腺癌切除史、子宫肌瘤摘除史。患者右乳胀痛，情绪郁闷、易怒，纳可，寐差，倦怠乏力，腰膝酸软，月经后期、量少，无明显畏寒喜暖或手足心热。诊其舌淡红苔白，脉沉弦。此乃肝郁气结，痰结生核，法当疏肝理气，软坚散结，方拟逍遥散合消瘰丸加味。

处方：柴胡 15g，生白芍 15g，当归 12g，白术 12g，茯苓 15g，炙甘草 6g，川贝母 6g，生牡蛎 30g，夏枯草 30g，王不留行 30g，橘络 12g，橘核 12g，菟丝子 18g，枸杞子 12g。水煎 2 次，取 400ml，分早晚服，每日 1 剂，7 剂。

二诊（8 月 18 日）：患者服用前方后右乳房胀痛全消，自述乳房结节未触及，精神、情绪转佳，易怒减少，腰膝酸软减轻，入睡转易、仍多梦，纳可。诊其舌淡红苔薄白，脉沉已不弦。此乃肝郁气结得减，痰结得散，元气渐复，法当疏肝理气，软坚散结，仍守上方去菟丝子、枸杞子，加龙眼肉。

处方：柴胡 15g，生白芍 15g，当归 12g，白术 12g，茯苓 15g，炙甘草 6g，川贝母 6g，生牡蛎 30g，夏枯草 30g，王不留行 30g，橘络 12g，橘核 12g，龙眼肉 15g。水煎 2 次，取 400ml，分早晚服，每日 1 剂，7 剂。

三诊（8 月 30 日）：患者服用前方后右侧乳房又时有隐痛，腰膝酸软及乏力大减，寐已安。查其精神佳，舌淡红苔白，脉弦。此乃肝郁痰结渐消，元气来复，气易消，痰难化，法当以解郁化痰为要，拟仍守上方，去龙眼肉，柴胡加量。

处方：柴胡 18g，生白芍 15g，当归 12g，白术 12g，茯苓 15g，炙甘草 6g，川贝母 6g，生牡蛎 30g，夏枯草 30g，王不留行 30g，橘络 12g，橘核 12g。水煎 2 次，取 400ml，分早晚服，每日 1 剂，7 剂。

四诊(9月15日):患者服用前方后乳房未再痛,精神佳,因出差疲劳,又见夜寐不安、嗳气,已不易怒,月经至、量少。诊其舌淡红苔白,脉沉弱。此乃体质素虚,劳倦伤神,继守前法,酌加安神之品,拟仍守上方,加枸杞子、龙眼肉。

处方:柴胡18g,生白芍15g,当归12g,白术12g,茯苓15g,炙甘草6g,川贝母6g,生牡蛎30g,夏枯草30g,王不留行30g,橘络12g,橘核12g,枸杞子12g,龙眼肉15g。水煎2次,取400ml,分早晚服,每日1剂,7剂。

五诊(9月29日):患者服用前方后乳房未再疼痛,夜寐转安,精神佳,已不易怒,嗳气、反酸偶作。诊其舌淡红苔薄白,脉弦。此乃痰气郁结,法当理气化痰,和胃降逆,方拟旋覆代赭汤合左金丸。

处方:旋覆花12g(包煎),代赭石12g,法半夏12g,党参9g,炙甘草6g,黄连6g,吴茱萸1g。水煎2次,取400ml,分早晚服,每日1剂,7剂。

六诊(10月13日):患者服药后乳房未再胀痛,触之亦不痛,嗳气基本消除,偶作一二声,反酸除,已不易怒,情绪佳。超声提示:左乳切除后;右侧乳腺小叶增生声像,右乳无回声团,右乳多发乳腺导管扩张。此乃肝郁解,痰结消,气血渐已调和,嘱其服逍遥丸3个月,多吃荸荠、橘核、橘络等,不再服药。

按:乳癖是指乳房有形状大小不一的肿块,疼痛,或与月经周期相关为主要表现的乳腺组织的良性增生性疾病,是临床上最常见的乳房疾病,有一定的癌变风险。本案患者仅41岁,已因乳腺癌行左乳切除术,且有子宫肌瘤病史,是痰结肿瘤体质。患者易怒,稍有不遂即生气动怒,一侧乳房切除不久另一侧即又见肿块、疼痛,气滞痰结显现。术后之体,气血亏虚,元气大伤,见倦怠乏力,夜寐不安,故以疏肝健脾,化痰散结为要,兼以补肾扶正,即使胀痛已消,精神转佳,亦守其法予以巩固,经2个月治疗,乳腺彩超结节缩小,未标出结节大小,导管扩张未报宽度,表明均有缩小。出差途中因劳累出现嗳气、反酸,予旋覆代赭汤等化痰降气而胃气不和之征改善。

本案以患者素体情绪郁闷、易怒不快之肝郁血虚为抓手,以疏肝养血为法,合消痰散结之品除乳癖,其效显著,倦怠乏力、腰膝酸软也明显好转,而扶正补虚之品只间断运用了菟丝子、枸杞子、龙眼肉,可谓用补品少之又少。可见,疏肝解郁即可恢复气血。气郁得疏、气机得畅则气血调和,气血互化而所见倦怠乏力、腰膝酸软、夜寐不安、精神欠佳等乳腺癌左乳切除术后元气所伤之象亦随之改善。此治病求本，纲举目张也。

逍遥散养肝（阴、血）而疏肝、不伤气，又健脾生血，对素体不健、肝郁脾虚之证最为妥帖。消瘰丸是治结核的良方，其化痰散结而不伤正，夏枯草也是散结消瘤之要药，笔者常与消瘰丸合用，消瘤散结。本案患者体虚无热，故去玄参。当时川贝母价格尚可接受，故用川贝母且剂量也不大，现笔者多用浙贝母替代川贝母，效果欠佳但也实属无奈。橘核苦，平，具有理气、散结、止痛之功，善治乳癖；橘络苦、甘，平，具有通络化痰、理气止痛之功，笔者亦用于治疗乳腺疾病；王不留行苦，平，具有活血通经、下乳消肿之功。笔者亦常用其治疗乳腺疾病。当然，乳癖非短时能消，故当守方持久服用，缓缓图之。

第四十八节　绝经前后诸证

案1. 绝经前后诸证 - 更年期综合征 - 小陷胸汤

张某，女，49岁，宾馆服务员，连云港市人。

初诊（2010年11月20日）：患者以“烘热汗出半年”就诊。患者反复烘热汗出，胸中烦热、欲以刀剖之而后快，失眠心烦，纳可，头怕冷。有偏头痛病史、子宫切除术史。诊其舌淡红苔薄白，脉缓。此乃痰热内郁，心神被扰，法当清热豁痰，方拟小陷胸汤加栀子。

处方：黄连9g，法半夏9g，全瓜蒌12g，栀子12g。水煎服，每日1剂，煎2次，每次煎30min，共煎400ml，分2次服，5剂。

二诊（11月25日）：服药后烘热汗出、心烦失眠明显减轻，心胸烦热大减，纳可，牙痛。诊其舌红苔薄白，脉弦。此乃痰热得清，心火得泻，法当清热豁痰，继守上方，剂量酌加。

处方：黄连9g，法半夏15g，全瓜蒌30g，栀子15g。水煎服，每日1剂，煎2次，每次煎30min，共煎400ml，分2次服，7剂。

三诊（11月30日）：服药后潮热汗出，五心烦热基本消除，夜寐较安，左面抽搐，左半侧头刺痛因过生日兴奋出现反弹。诊其舌淡红苔白，脉弦。此乃痰热渐消，肝郁风动，法当清热豁痰，疏肝和营息风，方拟小陷胸汤与柴胡桂枝汤合芍药钩藤木耳汤加减并进。

处方：

一号方：黄连9g，法半夏15g，全瓜蒌30g，枳壳18g。水煎服，每日1剂，煎2次，每次煎30min，共煎400ml，分2次服，5剂。

二号方：柴胡24g，黄芩12g，法半夏15g，炙甘草6g，党参12g，桂枝12g，生白芍30g，钩藤30g(后下)，僵蚕12g，桑枝12g，全蝎3g(颗粒，冲)，蜈蚣1g(冲)，黑木耳15g。水煎服，每日1剂，煎2次，每次煎30min，共煎400ml，分2次服，5剂。

一号方、二号方交替轮服。

四诊（12月9日）：药后心胸烦热除，烘热汗出夜间只发作一次，程度轻，夜寐安，左面抽搐、头刺痛减轻。诊其舌淡红苔薄白，脉细，已不弦。此乃痰热已除，肝郁络阻，法当疏肝和营，息风通络，方拟柴胡桂枝汤加味。

处方：柴胡15g，黄芩12g，法半夏12g，党参9g，炙甘草6g，桂枝12g，生白芍18g，钩藤18g(后下)，僵蚕12g，桑枝9g。水煎服，每日1剂，煎2次，每次煎30min，共煎400ml，分2次服，7剂。

五诊（12月16日）：药后心胸烦热、烘热汗出及左面抽搐、头刺痛未作，夜寐安。诊其舌淡红苔薄白，脉细。此乃痰热除，肝郁络阻解，不再服药，嘱其戒怒静心。

按：妇女在绝经期前后，与月经紊乱或绝经同时出现烘热汗出、烦躁易怒、心悸失眠、情绪不宁等症状，谓之绝经前后诸证。临床症候表现各异，但核心主症是“烘热汗出、心烦失眠”。本案患者胞宫已切除，虽不见月经紊乱，但结合患者年龄及临床症状，当属绝经前后诸证。本案患者的临床表现特点是心胸烦热为甚，自述欲以刀剖之为快，足见心中烦之甚，故予小陷胸汤加栀子清泻痰热，除烦清热，而烘热汗出、胸中烦热、失眠心烦悉除，又见头痛、面部抽动，更予柴胡桂枝汤合芍药钩藤木耳汤加减疏肝调营而诸症渐平。

本案患者未见身热喜凉、口干喜饮，舌是淡红舌，苔是薄白苔，无阴虚火旺之特征，故不适合黄连阿胶汤；烘热汗出而无下肢冷、反见头怕冷，故无上热下寒之交泰丸证特征；心中烦、失眠之“反复颠倒，心中懊侬”则见于栀子豉汤之热扰胸膈证，而胸中烦热难耐，如物堵胸而不仅限于“心”，程度也重于“懊侬”，虽无痰象，当为痰热结胸，施以小陷胸汤加栀子最为妥当。

“小结胸病，正在心下，按之则痛，脉浮滑者，小陷胸汤主之。”(《伤寒论》)，所谓“心下”当为胸膈，结胸本为有形之痰，而无形之痰气与热搏结用之亦可。笔者运用小陷胸汤治疗阻塞性呼吸暂停综合征符合痰热互结者，每每可获佳效。本案之“心胸烦热难耐、欲以刀剖之”亦当为无形之痰热所致。

案 2. 绝经前后诸证 - 更年期综合征 - 丹栀逍遥散

陈某，女，45 岁，退休工人，连云港市人。

初诊(2011 年 8 月 18 日)：患者以“烘热汗出 7 个月”就诊。患者月经紊乱，50 日一行，烘热汗出，夜寐不安，心烦易怒，口苦咽干，纳可。诊其舌淡红苔薄白，脉弦。此乃肝郁化火，法当解郁清火，方拟丹栀逍遥散加百合。

处方：柴胡 15g，生白芍 18g，当归 12g，白术 15g，茯苓 15g，炙甘草 6g，牡丹皮 12g，栀子 12g，百合 30g。水煎服，每日 1 剂，水煎 400ml，分早晚服，7 剂。

二诊(8 月 25 日)：服用前方后烘热汗出次数减少、程度减轻，心烦易怒大减，口已不苦，寐仍不安。诊其舌淡红苔薄白，脉弦。此乃肝郁得减，肝火得清，法当疏肝解郁，方拟逍遥散加百合。

处方：柴胡 15g，生白芍 18g，当归 12g，白术 15g，茯苓 15g，炙甘草 6g，百合 30g。水煎服，每日 1 剂，水煎 400ml，分早晚服，7 剂。

柴龙解郁丹 60g×2 瓶，每次 6g，每日 3 次。

三诊(9 月 3 日)：服用前方后，患者潮热汗出已除，月经两个月未至，夜寐转安，心烦易怒明显减少，纳佳。查其面色少泽，脱发，头发稀疏。诊其舌红苔薄白，脉弦。此乃肾精不足，法当补肾养阴，方拟六味地黄丸加减。

处方：熟地黄 15g，山茱萸 12g，生山药 15g，茯苓 12g，女贞子 12g，墨旱莲 12g，制首乌 12g，木瓜 12g，当归 15g。水煎服，每日 1 剂，水煎 400ml，分早晚服，14 剂。

按：绝经前后诸证是指妇女在绝经前后，出现以烘热面赤汗出、烦躁易怒、耳鸣心悸、失眠健忘、手足心热等，伴有月经紊乱等为主要表现的疾病，因肾气渐衰，天癸将竭，冲任二脉虚损，气血失调，阴阳失调所致。

本案女性患者，年龄尚未接近七七之际，而月经紊乱，数月未至，见烘热汗出，心烦失眠，口苦咽干，脉弦，应考虑为绝经前后诸证。因未见身热喜凉、手足心热且舌质舌苔无热象，故非阴虚火旺之征，为肝郁化火，施以丹栀逍遥散加百合，症情缓解，继以逍遥散加百合、柴龙解郁丹，烘热汗出、不寐等消除，后见脱发诸症，以六味地黄汤加减补肾固元以善其后。

百合甘、寒，归心、肺经，具有养阴润肺、清心安神之功效，用于阴虚燥咳，劳嗽咯血，虚烦惊悸，失眠多梦，精神恍惚。其因擅治惊悸、神志恍惚的百合病而著称。《金匮要略》中记载的百合剂有4首，分别是百合地黄汤、百合知母汤、滑石代赭汤、百合鸡子黄汤。笔者常以百合地黄汤治疗绝经前后诸证阴虚内热之烘热汗出、心烦失眠，每收佳效，或在辨证施治时加用百合30g以缓解烘热汗出等症。

烘热汗出，心烦，采用黄连阿胶汤、天王补心丸、丹栀逍遥散俱可治之，前方清火之力强，用于以阴虚火旺为主者；中方滋阴清热，用于阴虚火旺轻证；后方疏肝解郁清火，用于肝脾不调，肝郁化火轻证，当区别运用。柴龙解郁丹是笔者研发的院内制剂，具有解郁平亢安神作用，服用后睡眠多可得到改善。

第四十九节　癥　　瘕

案．癥瘕 - 异位妊娠术后不孕 - 桂枝茯苓丸

张某，女，26岁，教师，连云港市人。

初诊（2010年2月11日）：患者以“少腹隐痛、按之有块1年”就诊。患者少腹隐痛，刺痛时作，按之有包块，月经调，2年未孕，纳可，寐安。有异位妊娠手术史2次。腹部彩超提示：右侧卵巢增大，内无回声团，盆腔积液。少腹压痛，有索条状块物。诊其舌淡红苔白，脉细。此乃气滞血瘀之证，法当理气止痛，活血化瘀，散结消癥，方拟桂枝茯苓丸合少腹逐瘀汤加散结攻逐之品。

处方：桃仁12g，生白芍18g，茯苓15g，桂枝9g，小茴香6g，蒲黄15g，五灵脂12g，延胡索18g，煅牡蛎30g，浙贝母12g，穿山甲6g，皂角刺9g。水煎服，每日1剂，煎2次，每次煎30min，共煎400ml，分2次服，7剂。

二诊（2月23日）：服药后偶有双侧少腹隐痛，纳可，寐安，经量大，白带色白而多，喜凉饮。测其少腹压痛轻，索条状块物柔软。诊其舌淡红苔薄白，

脉弦。此乃瘀滞消减，湿热阻结下焦，法当活血消癥，清热散结，方拟桂枝茯苓丸加祛湿清热之品。

处方：桃仁 12g，桂枝 9g，牡丹皮 12g，茯苓 18g，穿山甲 6g，皂角刺 9g，煅牡蛎 30g，法半夏 18g，生薏苡仁 30g，蒲公英 30g，红藤 30g。水煎服，每日 1 剂，煎 2 次，每次煎 30min，共煎 400ml，分 2 次服，7 剂。

三诊（3 月 6 日）：患者服药后左侧少腹已不痛，右侧腹痛加重，白带量少。测其左少腹压痛无，索条状物块已无，右侧压痛甚，索条状物块明显。诊其舌淡红苔白，脉沉细。此乃瘀滞湿热渐消，法当活血消癥，清热散结，仍守上方去牡蛎、半夏，加小茴香、延胡索、苍术。

处方：桃仁 12g，桂枝 9g，牡丹皮 12g，茯苓 18g，穿山甲 6g，皂角刺 9g，生薏苡仁 30g，蒲公英 30g，红藤 30g，小茴香 6g，延胡索 18g，苍术 12g。水煎服，每日 1 剂，煎 2 次，每次煎 30min，共煎 400ml，分 2 次服，7 剂。

四诊（3 月 27 日）：停经 40 日，出现下血，查 2 次血 β-HCG，分别为 86.56U/ml、100.42U/ml（正常值 0~2.97U/ml），彩超检查提示未见孕囊、盆腔无积液，现已不腹痛，白带色白量少，纳可，寐安，晨起头昏、倦怠乏力。测其少腹索条状物块已无。诊其舌淡红苔白，脉滑。此乃癥结渐去，虽受孕而胚受癥扰故下血，法当活血消癥，散结清热，仍守上方去红藤、小茴香、延胡索、苍术，加生白芍、煅牡蛎，并嘱其避孕。

处方：桃仁 12g，桂枝 9g，牡丹皮 12g，茯苓 18g，穿山甲 6g，皂角刺 9g，生薏苡仁 30g，蒲公英 30g，生白芍 15g，煅牡蛎 30g。每日 1 剂，煎 2 次，每次煎 30min，共煎 400ml，分 2 次服，7 剂。

五诊（4 月 8 日）：药后患者腹痛未作，无白带，按之已无块，彩超检查卵泡已排，易怒。诊其舌淡红苔薄白，脉细。此乃癥结已去，法当活血、散结、消癥，仍守上方去薏苡仁，生白芍、茯苓剂量调整以巩固疗效。

处方：桃仁 12g，桂枝 9g，生白芍 18g，牡丹皮 12g，茯苓 15g，穿山甲 6g，皂角刺 9g，煅牡蛎 30g，蒲公英 30g。每日 1 剂，煎 2 次，每次煎 30min，共煎 400ml，分 2 次服，10 剂。

按：癥瘕是指妇人胞中结块，伴有痛、胀、出血等，其中，癥多指肿物固定不移，痛有定处；瘕多指推之可移，痛无定处，多与气血失调有关。本案患者系 2 次异位妊娠术后，输卵管有粘连、卵巢囊肿，气血瘀滞，阻结不通形成癥瘕，以腹痛、不孕、带下为主，为气滞血瘀，湿热阻结，当行气活血，散结消癥，清热利湿。初期气滞血瘀为甚，以桂枝茯苓丸、少腹逐瘀汤、消瘰丸加减，症情渐稳后主要以桂枝茯苓丸加穿山甲、皂角刺攻伐消克之品为要，又见带下量多，遂加清利湿热之品，最终癥瘕去，腹痛除，胎孕复而收功。

穿山甲、皂角刺为消痰散结之专药，散结效果显著，因穿山甲货源稀缺、价格昂贵，临床运用受限，多以皂角刺取代。消瘰丸去玄参加夏枯草可以根据辨证情况加减运用，也有较好疗效。

桂枝茯苓丸出自《金匮要略》，为妇人三篇中的代表方剂之一，由桂枝、茯苓、牡丹皮、桃仁、白芍组成，为专治妇人癥瘕的良方，具有调和气血，化瘀消癥之功效。桂枝茯苓丸证的核心病机为气血不和，血瘀癥结；核心主症为少腹疼痛和（或）痛经，月经不调、夹有血块，手足心热，小腹喜暖或足冷，舌暗红苔薄白，脉弦或沉涩。

第三章　自拟方证治

第一节　柴龙解郁汤

【组成】柴胡12g，黄芩12g，法半夏12g，人参10g，炙甘草6g，生龙骨30g，生牡蛎30g，珍珠母30g，生姜15g，大枣15g。

【用法】每日1剂，水煎400ml，分早晚服。

【功效】疏肝解郁、镇静平亢。

【主治】焦虑症、失眠症、狂躁型精神分裂症、不宁腿综合征等证属肝亢神扰，症见心神不宁、夜寐不安、烦躁易怒等。

【方解】焦虑症的病因为不良情绪刺激，导致肝气郁结，进而扰动心神、肾志。肝为刚脏，最易亢而化风。肝藏血主筋，若忧思过度，或气郁不畅，肝气郁结久而化热，神明受扰；或气郁导致津液布散失乖，凝而为痰；或郁而化火，炼液成痰，痰气交阻，神失其养；或思虑过度，暗耗阴血，心肝阴血亏虚，肝失调达或亢逆，则魂无以藏，神无所附而见失眠心烦，心神不宁，心悸怔忡。若肝的疏泄功能失常，阴血不能滋养筋脉、筋肉，则易乏力倦怠，或拘挛紧张、震颤等；风阳上扰清窍则导致易激惹、汗出、头晕、麻木等；若肝气横逆克脾则出现纳呆、腹泻；损肾伤精则脑髓失养，见注意力分散不集中、健忘；若肝郁化火则易出现易激动、急躁易怒；若克伐脾土，聚湿生痰、痰浊蒙窍则头晕、麻木、反应迟钝。

虽心主神志、恐为肾志，而肝主疏泄、主情志，气机不畅则情志失乖，故肝郁气滞对情志致病尤为重要。初期肝郁气滞为主要病机，后可致气郁化火、生痰等而变生诸症，或致心、肾阴虚，可使病情缠绵。焦虑症主要与心、肝、肾三脏关系密切，肝气郁结贯穿始终，肝郁气滞是本病的病理关键，疏肝解郁是其正治。肝气郁结最易化火生痰，不仅克伐脾土致呕恶、纳呆，还易亢而化风，故应在疏肝理气时，兼以清泄肝火、化痰降浊，潜镇降逆为要，故用柴胡剂最为妥帖。

笔者自拟柴龙解郁汤，即由小柴胡汤加生龙骨、生牡蛎、珍珠母而成。小柴胡汤和解少阳、透转枢机，具有疏肝解郁、条畅气机之功。刘渡舟认为，“柴胡证病在三焦，然波及阴阳、表里、上下、内外”。肝之疏泄失常而致情志抑郁，肝郁化火，出现心烦易怒，内扰心神则见心神不宁、失眠易醒等症。由此可见疏肝解郁对恢复整体气机通畅有至关重要的作用，与焦虑症的基本病机和治疗原则相吻合，但疏肝理气也不可疏泄太过，防止伤气耗阴。焦虑情绪多为肝郁化热所致，理应清泄肝热，但又应防寒凉太过。见肝之病，知肝传脾。且本病多夹肝脾（胃）不和之症，故宜顾护脾胃，只有在和中求之，最为妥帖。

柴龙解郁汤是在小柴胡汤基础上加味而来，方中柴胡微苦微寒，入肝经，疏肝解郁为君药；黄芩味苦质轻，清肝经、上焦之热。柴胡配黄芩共同清泻肝经郁热，条达肝之气机。半夏化痰开结，辛开苦降，助柴胡疏解气机，为安神要药。生龙骨、生牡蛎、珍珠母潜降镇逆，重镇安神，亦为臣药。人参、炙甘草补益心脾为佐药，并防重坠之品伤脾胃。生姜、大枣并与炙甘草健脾和胃，为使药。诸药共奏疏肝解郁、镇静安神之功，以解肝郁气滞之焦虑、失眠诸症。

【验案】

袁某，女，40岁，干部，连云港市人。

初诊（2022年4月12日）：患者以“紧张恐惧2年”就诊。患者无明显诱因反复出现紧张不安、恐惧，伴胸闷气短，时作时休，遇热尤甚，纳可，夜寐不安，不耐寒热，口干喜饮，便调，舌红苔白，脉弦。既往有焦虑症（惊恐发作）、高血压、心肌缺血病史。

诊断：惊恐病，肝郁肝亢证。

治法：解郁平亢。

方选：柴龙解郁汤。

处方：柴胡12g，黄芩12g，法半夏12g，人参10g，炙甘草6g，生龙骨30g，生牡蛎30g，珍珠母30g，生姜12g，大枣12g。每日1剂，水煎400ml，分早晚服，7剂。

二诊（4月19日）：患者药后近期惊恐未作，寐不安，易紧张，语音低微，口干喜热饮，腹胀，嗳气，便调，经前头胀痛，小腹胀，舌红苔薄黄，脉弦。此乃肝亢得平，肝郁未能全解，而见肝旺土郁之象，法当解郁平亢疏土，仍守上方加木香。

处方：柴胡 12g，黄芩 12g，法半夏 12g，人参 10g，炙甘草 6g，生龙骨 30g，生牡蛎 30g，珍珠母 30g，木香 10g，生姜 12g，大枣 12g。每日 1 剂，水煎 400ml，分早晚服，7 剂。

三诊（4 月 26 日）：患者药后惊恐未作，易紧张、口干喜热饮、腹胀、嗳气、乏力懒动均明显改善、夜寐转安，因陌生人敲门导致紧张恐惧一次，紧张时头痛，但胸闷气短未见，尿频，舌淡红苔薄白而黏，脉弦。此乃肝亢得平，肝郁得解，法当解郁平亢，仍守上方，去木香加刺五加、石菖蒲。

处方：柴胡 12g，黄芩 12g，法半夏 12g，人参 10g，炙甘草 6g，生龙骨 30g，生牡蛎 30g，珍珠母 30g，刺五加 30g，石菖蒲 12g，生姜 12g，大枣 12g。每日 1 剂，水煎 400ml，分早晚服，7 剂。

四诊（5 月 3 日）：患者药后诸症稳定，未见明显恐惧不安，夜寐安，时有尿频，仍乏力懒动，舌红苔薄黄，脉细弦。此乃肝郁肝亢得减，心肝阴虚已见，仍守解郁平亢，兼益养心肝之气阴，方拟柴龙解郁汤合生脉散加百合。

处方：柴胡 12g，黄芩 12g，法半夏 12g，人参 10g，炙甘草 6g，生龙骨 30g，生牡蛎 30g，珍珠母 30g，麦冬 15g，五味子 6g，百合 30g，生姜 12g，大枣 12g。每日 1 剂，水煎 400ml，分早晚服，7 剂。

五诊（5 月 10 日）：患者药后未见惊恐发作，紧张恐惧感不明显，乏力懒动改善，尿频偶见，口干明显减轻，纳可，寐安，舌暗淡苔薄白，脉细已不弦。此乃心肝阴虚得解，肝郁肝亢得平，仍守前法，方拟柴龙解郁汤加淮小麦，以巩固疗效。

处方：柴胡 12g，黄芩 12g，法半夏 12g，人参 10g，炙甘草 6g，生龙骨 30g，生牡蛎 30g，珍珠母 30g，淮小麦 30g，生姜 12g，大枣 12g。每日 1 剂，水煎 400ml，分早晚服，14 剂。

按：焦虑症包括广泛性焦虑和惊恐发作。本案患者属于惊恐发作，以发作性恐惧不安、伴胸闷气短为主要表现，属于中医惊恐病，乃肝郁痰结，肝气亢逆，心神受扰，心神不安，当解郁化痰，平亢安神，予柴龙解郁汤 7 剂惊恐未作，而诸症未见明显改善，继守该方，稍事加减而诸症渐平，或加木香行气健脾，或加刺五加、石菖蒲安神养心，或加生脉散、百合益气养阴安神。

柴龙解郁汤证属于肝郁而肝亢，肝主疏泄，肝郁则气机不畅，气血失乖，神、魂、魄则无所依附而见恐惧、心神不宁、夜寐不安，气机不畅则胸闷如窒息、气短息不畅、如濒死状，所谓肝亢非肝郁不达，亦非肝郁化火，非热非寒，而以气机亢逆上冲，情志不敛、兴奋难平显现，故一要疏其气郁，开通少阳枢机，二要平其亢，抑其亢旺不敛之状态，方选小柴胡汤透转枢机，生龙骨、生牡蛎、珍珠母平其亢逆，不选黄连、牛黄之清心，不取石膏、知母之泻热，不取生地黄、玄参、丹参之滋阴清热，只调其气机，以平为期。亢见喜凉、多汗，但非实热或虚火，郁见六神无主、不喜做事、纳差、便泻，但非脾虚或湿阻。

柴龙解郁汤证的核心病机为肝郁肝亢，肝郁痰结，肝气亢逆，心神受扰；核心主症为心神不宁（坐卧不安），心烦、失眠（以入睡困难为主），舌红或暗红苔白或黄，脉弦或弦滑。

第二节 葛根定眩汤

【组成】葛根 30g，桂枝 12g，生白芍 12g，羌活 12g，钩藤 15g（后下），僵蚕 9g，川芎 6g，炙甘草 6g，生姜 12g，大枣 12g。

【用法】每日 1 剂，水煎 400ml，分早晚服。

【功效】温经通络、解肌舒筋。

【主治】颈性眩晕、颈椎病等症见颈项拘挛不舒、强痛，头晕目眩，转头则作，时作时休，颈项强痛，自汗恶风等。

【方解】颈性眩晕属于中医眩晕范畴。颈性眩晕的发病关乎正虚（气虚、肾虚）与邪实（寒湿、风动），是本虚标实之证。头晕症状多在头颈部活动或体位改变时诱发或加重，常反复发作，发作时间持续数秒至数分钟或者更长时间，或见颈项酸痛，屈伸受限，故与项痹有关。颈性眩晕乃劳倦伤及颈项筋肉，筋脉失却气之温煦，生寒生湿，或招致寒湿外袭，寒湿凝滞筋脉，或扰动内风，络脉痹阻、气血运行不畅，难以上呈清窍而致。其病因虽多，内、外因夹杂，但寒湿凝涩，筋脉不舒，气血运行不畅是颈性眩晕的病理关键。颈项是气机升降之枢纽，太阳经枢不利，则气血最易凝滞不畅而发眩晕，故治法当解肌舒筋、通利太阳经脉，使太阳经气得以条畅而诸症悉解。

葛根定眩汤是在桂枝加葛根汤方基础上加减而来，《伤寒论》云："太阳病，项背强几几，反汗出恶风者，桂枝加葛根汤主之"。方中葛根升阳解肌，可缓解因风寒湿痹阻、经气不利、筋脉失养而致的项强背痛；桂枝辛温通阳、温经散寒、发表解肌；川芎辛散温通、通络活血；白芍合甘草，酸甘养阴、缓筋止痛；炙甘草补脾和胃、益气复脉；羌活辛温通络、祛风散寒祛湿；僵蚕祛风活络、化痰散结；钩藤平肝息风、通络止痉；生姜、大枣和胃；甘草调和诸药。全方共奏温经通络、解肌舒筋之功。

【验案】

案 1. 眩晕

周某，女，57 岁，退休公务员，连云港人。

初诊（2010 年 3 月 13 日）：患者以"头晕目眩 10 年，再发 1 个月"就诊。患者头晕目眩，恶心欲呕，不耳鸣，起卧时诱发或加重，头项强几几，纳可，寐安，近 1 个月又作，查头颅 MRI 未见异常，经颅多普勒超声提示双侧椎动脉血液流速增快，诊为后循环缺血，经口服盐酸氟桂利嗪胶囊、尼麦角林，静脉滴注血栓通等，眩晕改善不明显而前来就诊。查其颈项屈伸活动受限，在头项活动时易诱发，经颈椎 X 线侧位检查提示生理弧度消失并反弓，骨质增生。诊其舌淡红苔黄白花剥，脉沉。

诊断：颈性眩晕，太阳经枢不利证。

治法：解肌舒筋。

方选：葛根定眩汤去钩藤加片姜黄。

处方：葛根 30g，桂枝 15g，生白芍 15g，炙甘草 6g，羌活 15g，川芎 9g，僵蚕 12g，片姜黄 9g，生姜 12g，大枣 12g。水煎服，每日 1 剂，煎 400ml，分 2 次口服，7 剂。

二诊（3 月 20 日）：患者服药 3 剂后头晕目眩完全缓解，无恶心，纳可，寐安，颈项强硬改善。查其颈项屈伸活动自如，屈伸幅度受限。诊其舌淡红苔薄白无花剥，脉沉。此乃太阳经枢已利，而颈项劳损，法当继以解肌舒筋之法，方拟葛根定眩汤加减，上方继进，嘱其低枕、避免低头位，坚持做颈椎保健操。

处方：葛根 30g，桂枝 15g，生白芍 15g，炙甘草 6g，羌活 15g，川芎 9g，僵蚕 12g，片姜黄 9g，生姜 12g，大枣 12g。水煎服，每日 1 剂，煎 400ml，分 2 次口服，7 剂。

1 周后患者陪他人就诊，诉再未头晕，颈项无强硬。

按：眩晕是指头晕目眩，轻者闭目即止，重者如坐舟车，旋转不定，或伴恶心呕吐等的病证。多由肝阳上亢，痰浊中阻，气血不荣，肾精不足等引致，而太阳经枢不利则清气不能上充于清窍，亦会作眩。此为太阳表虚，易引致风邪外干，而见太阳经枢不利，则项背强几几，或头重或头晕作眩。本案患者头项强几几，头晕目眩，当属太阳经枢不利，故予葛根定眩汤通畅气血、通络舒筋，因项强活动不利，屈曲受限，故加片姜黄活血舒筋。因本患者病程长久，颈椎反弓，故葛根、桂枝、白芍、羌活均施以重剂，虽仅服 2 周而收效满意。

葛根定眩汤证的核心病机为太阳经枢不利，筋脉不和，气血运行不利；核心主症为颈项强硬，头晕或头项疼痛，改变头位则诱发头晕，畏寒喜暖，有汗恶风，舌淡红苔薄白，脉沉或弱。

案 2. 头痛

赵某，女，53 岁，退休工人，连云港人。

初诊（2011 年 7 月 19 日）：患者以“头项强痛 1 年”就诊。患者头枕部、后项强痛，沉重如压，痛苦难耐，恶心，纳可，寐安。有高血压、高脂血症病史。检阅辅助检查报告，颈椎 MRI 示生理弯曲呈反弓改变。诊其舌暗红苔白，脉沉。

诊断：头痛，太阳经枢不利证。

治法：舒筋通络。

方选：葛根定眩汤。

处方：葛根 30g，桂枝 12g，生白芍 15g，炙甘草 6g，羌活 15g，川芎 9g，僵蚕 12g，钩藤 15g（后下），生姜 12g，大枣 12g。每日 1 剂，煎 2 次，取 400ml，分早晚 2 次温服，14 剂。

二诊（8 月 9 日）：患者服用前方后头项强痛十去其八，停药后未反复。查其表情自然、已无痛不欲生状，未见恶心，纳可，寐安。诊其舌淡红苔白，脉沉弱。此乃太阳经枢得舒，筋脉得利，继以舒筋通络，方拟葛根定眩汤。

处方：葛根18g，桂枝12g，生白芍15g，炙甘草6g，羌活12g，川芎6g，僵蚕12g，钩藤15g(后下)，生姜12g，大枣12g。每日1剂，煎2次，取400ml，分早晚2次温服，7剂。

三诊(8月16日)：患者服用前方后，头项强痛未再作，纳可，寐安。诊其舌淡红苔白，脉沉弱。此乃太阳经枢得利，法当舒筋通络以巩固，方拟葛根定眩汤。

处方：葛根18g，桂枝12g，生白芍15g，炙甘草6g，羌活12g，川芎6g，僵蚕12g，钩藤15g(后下)，生姜12g，大枣12g。每日1剂，煎2次，取400ml，分早晚2次温服，7剂。

按：头痛首分外感、内伤，亦可根据其部位之不同区分归属何经而寻经治之。本案头痛无外感六淫之邪，为内伤头痛，病位在枕、项，为太阳经脉所过之处，当属太阳经枢不利，因痛甚，当属寒凝经脉，宜舒筋通络，与葛根定眩汤，进十余剂而头痛明显改善，后仍守前方减其量，继进而诸症得解。

葛根定眩汤属于解外之剂，何以可治内伤之头痛，这是最常被问及的问题。首先要明确风药不仅解外，也可以通络舒筋，就像附子既可以散寒也可以温阳一样。颈项负重而活动幅度大，筋骨脉络易被伤及，造成气血阻滞，通络舒筋、活血才可解其症结，葛根定眩汤正是以此法而出之方剂。头痛在枕项则当按太阳经证治疗，不出经文之理。

第三节 镇颤舒汤

【组成】生白芍30g，钩藤30g(后下)，珍珠母30g，当归9g，僵蚕12g，葛根15g，厚朴15g，生黄芪15g，炙甘草6g，川芎6g。

【用法】每日1剂，水煎400ml，分早晚服。

【功效】柔肝缓痉、息风止颤。

【主治】帕金森病、帕金森综合征、特发性震颤等症见肢体震颤、周身挛急不舒、动作徐缓等。

【方解】帕金森病、帕金森综合征、特发性震颤属中医颤证范畴，是由于风气内动，筋脉失养所致。清代张璐谓之“颤振”，并指出本病主要是风、火、痰为患，清代高鼓峰提出“大抵气血俱虚，不能荣养筋骨，故为之振摇而不能主持也”之说。本病属本虚标实，肝肾不足为本，气血两虚为表现形式，久损入络，血瘀络阻为标，筋急风动为病理关键，治法应培本扶正。从肝入手，但不可填塞峻补，亦不可行气活血、通利息风过峻，宜平补平泻，补而不腻，疏而不过，柔肝缓痉，缓缓图之为佳。

方中芍药甘草汤柔肝缓痉为君，配以钩藤、珍珠母以加重平肝息风之力，配僵蚕止痉息风，共为臣药。生黄芪益气，当归补血，川芎、葛根配当归活血行瘀并通络，厚朴和中理气，防重坠阴柔之品伤脾，又能解多巴丝肼片败胃之毒性，诸药共奏柔肝缓痉、化瘀通络之功。

【验案】

李某，男，79岁，退休工人，连云港市人。

初诊（2024年5月22日）：患者以“右手臂震颤伴右腿行走拖地5年”就诊。患者5年前出现右手臂震颤、逐渐加重，右下肢拖行、右脚拖地，诊断为帕金森病，服多巴丝肼片4年，每次1片，每日3次；普拉克索片0.25mg，每日3次，症状控制不理想。刻下症见右侧上肢震颤，身体前倾，行走不便，右腿拖行，神情疲惫，倦怠乏力，纳佳，寐安，便调，查其慌张步态，舌暗红苔薄黄，脉弦。

诊断：颤病，阴虚风动、肝肾不足证。

治法：柔肝缓痉，补益肝肾。

方选：镇颤舒汤去黄芪、厚朴、川芎，加生地黄、山茱萸、天麻。

处方：生白芍30g，钩藤30g（后下），珍珠母30g，僵蚕10g，葛根15g，当归9g，炙甘草6g，山茱萸18g，生地黄30g，天麻10g。每日1剂，水煎400ml，分早晚服，7剂。

嘱其多巴丝肼片减至3/4片，每日3次。

二诊（6月7日）：患者服药后右手臂震颤减轻，精神转佳，倦怠乏力改善，双下肢变轻松，右下肢拖行改善不明显，停药1周腿软又加重。诊其舌暗红苔薄白，脉弦。此乃阴虚风动有减，肝肾精亏得补，法当柔肝缓痉，补益肝肾，仍守上方。

处方：生白芍30g，钩藤30g（后下），珍珠母30g，僵蚕10g，葛根15g，当归9g，炙甘草6g，山茱萸18g，生地黄30g，天麻10g。每日1剂，水煎400ml，分早晚服,14 剂。

三诊(6 月 21 日):患者服药后精神佳,已不倦怠乏力,右手臂震颤、下肢发沉、右腿拖行缓解,多汗喜饮,舌红苔薄白,脉沉弦。此乃阴虚风动有减,肝肾精亏得补,法当柔肝缓痉,补益肝肾,仍守上方生地黄减至 15g,加厚朴。

处方:生白芍 30g,钩藤 30g(后下),珍珠母 30g,僵蚕 10g,葛根 15g,当归 9g,厚朴 12g,炙甘草 6g,山茱萸 18g,生地黄 15g,天麻 10g。每日 1 剂,水煎 400ml,分早晚服,14 剂。

四诊(7 月 5 日):患者服药后精力佳,右手臂震颤轻、于紧张激动时为甚,下肢发重感轻、行走尚自如,汗出减少,饮水少,舌红苔薄白,脉沉弦。此乃阴虚风动得减,肝肾精亏得补,法当柔肝缓痉,补益肝肾,仍守上方去天麻,山茱萸减至 12g。

处方:生白芍 30g,钩藤 30g(后下),珍珠母 30g,僵蚕 10g,葛根 15g,当归 9g,厚朴 12g,炙甘草 6g,山茱萸 12g,生地黄 15g。每日 1 剂,水煎 400ml,分早晚服,14 剂。

嘱其多巴丝肼片减至 1/2 片,每日 3 次。

按:帕金森病,又称"震颤麻痹",是一种神经系统退行性疾病,运动症状包含静止性震颤、肌强直、运动迟缓以及姿势平衡障碍,非运动症状主要包括便秘、嗅觉障碍、睡眠障碍、自主神经功能障碍及精神、认知障碍等。本案患者发病 5 年,进展缓慢,震颤、运动障碍仅限于一侧肢体,尚未波及另一侧,见震颤、动作迟缓、肢体发僵,表情尚自如,仍能劳作,身体前倾明显,行走呈慌张步态,非运动症状仅见多汗,未见便秘、失眠等。帕金森病属于中医颤病范畴,本案患者见倦怠乏力,腿重拖行,肢体震颤,舌暗红苔薄黄,脉弦,当属阴虚风动,肝肾亏虚,拟柔肝息风,滋阴补肾,以镇颤舒汤去温补之黄芪、行气活血之川芎、顺气通便之厚朴,增加并重用滋阴补肾之生地黄、山茱萸,加息风之天麻,并调整前医运用多巴丝肼片剂量偏大的用药状态,7 剂后多巴丝肼片虽减量但诸症均明显改善,继守前法,前方稍事加减,诸症逐步缓解,精神状态明显转佳。

镇颤舒汤证的核心病机为阴虚风动,气血亏虚,筋脉失养;核心主症为震颤,动作迟滞,身体僵硬,身重倦怠,喜凉多汗,舌暗红苔薄白或薄黄,脉弦或沉弦。

（葛畅畅　整理）

第四节　菊花钩藤汤

【组成】菊花 10g，钩藤 30g（后下），生地黄 15g，赤芍 15g，怀牛膝 12g，葛根 15g，桑寄生 15g。

【用法】每日 1 剂，水煎 400ml，分早晚服。

【功效】平肝潜阳。

【主治】眩晕、头痛等证属阴虚阳亢者。

【方解】阴亏于下，阴不制阳，阳亢于上则易致眩晕。眩晕与肝关系密切。肝主升、主动，升发太过会导致肝气亢逆，扰动清窍，进而引起眩晕；升发不足则可导致肝气瘀滞，气机不畅，清窍失养，继而导致眩晕。另一面，肝藏血，其生理特性依赖于所藏阴血的滋养濡润，肝以阴血为体，以阳气为用，但肝会时常出现阳气有余而阴血不足的情况，进而在临床中多表现为阴虚阳亢症状，而这样的病理变化也能够影响气机进而引起眩晕。

方中菊花、钩藤具有平肝清热息风的作用，是为君药。菊花辛、甘、苦，散风清热、平肝明目；钩藤息风定眩，助菊花平肝息风，加强清热平肝之力；生地黄清热凉血，补肝肾、凉肝血而制肝阳；怀牛膝、桑寄生补益肝肾，怀牛膝又可导热下行，共为臣药。赤芍凉血活血，泻肝之血热；葛根解肌舒筋、生津退热。现代药理研究表明，葛根提取物黄酮能够有效增加大脑及冠状血管的血流量，降低血管阻力。葛根汤中葛根配麻黄可治刚痉，桂枝加葛根汤中葛根配桂枝可治疗柔痉，以解太阳经脉之不利。诸药合用共奏平肝潜阳之功。

【验案】

刘某，女，51 岁，干部，连云港市人。

初诊（2021 年 10 月 12 日）：患者以“头晕 1 年”就诊。患者头晕头昏，不目眩，头皮发麻，后枕部不适，口中生津，自汗、动则甚，纳可，寐安，便调。诊得舌鲜红苔薄少，脉细。既往有脑干梗死病史、无后遗症。血压 120/80mmHg。

诊断:眩晕,阴虚阳亢、风阳上扰证。

治法:平肝潜阳。

方选:菊花钩藤汤去桑寄生,加麦冬。

处方:菊花 10g,钩藤 30g(后下),生地黄 15g,赤芍 15g,怀牛膝 12g,葛根 30g,麦冬 15g。每日 1 剂,水煎 400ml,分早晚服,7 剂。

二诊(10 月 26 日):患者服药后头晕基本消除,后枕部不适大减,头皮已不发麻,仍口中生津,口中不适,舌红苔薄白,脉细弦。此乃阴得滋,风阳得平,效不更方,仍守上方。

处方:菊花 10g,钩藤 30g(后下),生地黄 15g,赤芍 15g,怀牛膝 12g,葛根 30g,麦冬 15g。每日 1 剂,水煎 400ml,分早晚服,7 剂。

三诊(11 月 2 日):患者服药后头晕未作,后枕不适已不明显,口中生津,口中不适,舌红苔薄白,脉细。此乃阴虚阳亢已去。患者素体脾胃不和,水湿运化不利,中焦有水饮,嘱其以陈皮、生姜代茶饮以解口中生津之虞。

按:眩晕病是以头晕、眼花为主要表现的疾病。肝阳上亢是常见的眩晕证型,表现为头晕或(和)目眩,头胀、面赤,遇热尤甚,易怒心烦、因情绪波动而头晕头痛加重,舌红苔黄,脉弦数,常见于高血压患者。本案患者血压不高,但有脑干梗死病史。治疗肝阳上亢的常用方剂为天麻钩藤饮、镇肝熄风汤。天麻钩藤饮具有平肝息风、清热活血、补益肝肾之功效,泻肝平肝之力较强,且有息风之目的;镇肝熄风汤镇肝息风,滋阴潜阳,大队潜镇之品以平肝潜阳,潜镇力最强,而补益肝肾不足。笔者常于临床中遇到肝火旺、肝阳亢之势不强,仅是阳有亢而非火炎,阴有虚但又不甚,太阳经脉不利之证者,自拟一首平肝之轻剂——菊花钩藤汤,方中菊花、钩藤轻清肝热,生地黄、赤芍凉血清热,葛根疏利经脉,牛膝、桑寄生补益肝肾。

本案患者见头晕项强,头皮麻木,舌红苔少,脉细,当属阴虚阳亢之轻证,予菊花钩藤汤平肝潜阳而诸症得解。其口中生津与舌鲜红有所不符,药后口中生津亦未见改善,疑为中焦不健,水湿不化而建议陈皮、生姜代茶饮。

菊花钩藤汤证的核心病机为肝阴不足,肝阳偏亢,上扰清窍;核心主症为头晕,或头痛,头面部喜凉,腰膝酸软或有头重脚轻,口渴,舌红或暗红苔薄少或薄白薄黄,脉沉细或弦。

第四章　临证感悟

第一节　辨证论治是中医治病的必由之路

辨证论治是中医学的基本原则，是中医学理论体系的核心内容，也是中医诊疗疾病的重要方法，一直沿用至今。近现代随着与西医学的伴随发展，辨病（西医的病）论治随之出现，甚至辨“症”论治也愈演愈烈，中医的临床疗效差强人意，因此，不少学者出于对中医的爱护，认为之所以中医的临床疗效不甚理想，是因为辨证论治没有辨好，而辨证论治没有辨好是因为辨证有缺陷，故提出应该辨“机”论治，通过辨清疾病的发病机制才能更好地论治。

提出辨“机”论治的原因，其一是认为，辨证局限，不能反映疾病的本质，辨证偏差率难以控制。认为，疾病发展有其内在规律，这个贯穿疾病主线的就是病机，如温热病的病机演变是“卫之后方言气，营之后方言血”，湿温病的病机演变则是“始于上焦……上焦病不治，则传中焦，中焦病不治，即传下焦……始上焦，终下焦”，不抓住这些核心，就不容易辨识疾病本质，只辨证就是“头痛医头、脚痛医脚”；其二，提出要辨“机”论治，其实是对未准确辨证的不满之词，欲另改其道。如提出“审证求机”“临证辨证应首重病机”，此类强调辨病机重要性的观点，只不过是提倡以病机为核心的辨证论治而已，“其对于病机的定义更类似于证候”，其“辨证的目的在于寻求病因和病机，而其中最主要的目的在于求第一因和主要病机”，这实质上是对正确辨证、准确辨证的严格要求，并未脱离辨证范畴。

温热病的卫气营血传变、湿温病的三焦传变、伤寒病的六经传变，均是疾病发生发展的病机规律，但怎么去辨识这个病机？从《伤寒论》到《温热论》诸典籍，其辨识方法还是从病、脉、症上着手，而未见绕过脉、症直接能实现辨病机的方法。至于杂病，其病机复杂，症状繁杂，证候叠加，更未见有中医典籍提到有直接辨病机的可操作的方法学示人，因此，出发点是好的，但辨病机还只停留在“想”上。我们知道，中医的医学模式是“象”思维，中医基础理论最重要的部分就是藏象学说，藏象学说就是指脏“藏”于内，“象”显于外，“象”就是看到的表象，受医学方法学的影响，中医看不到脏(体内的脏腑)，只能通过“象”司外揣内。中医的病因病机学也不十分完善，病因是通过辨证求因，审因论治，从“果”求“因”、以象及脏来推断，通过临床的症候群反推出是什么因，病机解释也不完备。每一种疾病，每一个证型的病情演变缺乏系统、丝丝入扣的分析推演，靠寥寥数语就把所有疾病的病机都概括完全显然令后学云里雾里。“诸风掉眩，皆属于肝”，是不是所有“掉眩”都与肝有关？是怎么有关的？可以说中医唯一的抓手是临床症状和舌脉，中医不能通过腔镜延伸看到内脏的病变及属性，也无法从体液里找出病原体，不辨症状、舌脉，还能辨什么？

如果必须通过辨证才能辨病机，那就得认识症(状)、证(候)、(病)机的关系了。症(状)是疾病的外在表现；证(候)是疾病发生发展所产生的症状被医生辨而认定的外在表现的集合，也就是说症(状)是客观的表象，证(候)是主观的辨识；病机是疾病发生发展的内在规律，有基本病机、证候病机等，复杂的证候病机包含核心病机和次要病机。基本病机是贯穿疾病主线的疾病规律，是某一种疾病发生、发展、变化过程中具有共性的一般规律病机；证候病机指某个疾病在某一阶段的总体功能反应状态的高度概括，其中涵盖病因、病位、病势、邪正关系等一系列病理机制。证候病机就是通常所讲的“辨证”中的“证”背后蕴含的病理机制。可见，病机是埋伏在里，不可测见，而能测知并被辨识的只有症状及被医生辨识后的证候。因此，辨病机需要通过辨证来完成，辨证就是辨病机，提法不同，其实质内容一致，也就是辨病机必须要通过辨证来实现，辨病机的抓手是证候，没有证候，病机自己不会浮现在医生面前。

综上所述，病机不能被直接感知，辨病机是要通过辨证来完成的，辨证就是辨病机，无需特别提出辨机论治。那为什么辨机论治的提法甚嚣尘上，是因为辨证失误率、差错率高的缘故，觉得辨证太流于形式，真成了“有是症用是药”，使症状与方药的关系简单僵化。如有人遇到倦怠乏力的症状就辨为气虚，不区分气虚是因还是果，认为要辨深刻点，就自然想到应当去辨病机。

也有学者认为是因为“用辨症取代了辨证，分不清疾病的现象和疾病的本质，造成了病机的逻辑混乱”，辨证不精、辨证不准不是辨证本身的错，只是因为医生辨证功夫不够。掌握一门方法学本来就需要努力，何况医学体系更为复杂，学好学精十分不易，出现偏差生出纠正的想法也是合情合理的，但对病机的渴望，以迫切的心态去把握疾病的背后机制而准确施治无可厚非，而大多此类研究归根到底是对辨证精准的渴望，并没有脱离辨证的范畴，如此这般强调辨病机不如好好去掌握辨证的中医基本功。与其临渊羡鱼，不如退而结网。辨证的方法有许多，如脏腑辨证、气血津液辨证、六经辨证；还有方证对应辨证、五运六气辨证等，什么样的辨证最便于掌握且准确度高，那这个辨证方法就会被大众传承和发扬，否则将会被遗弃。

我们也必须强调，辨证本来就包括辨病机，或者说辨证就是寻找潜藏在证候下面的发病机制。如同样是外感发热，要通过辨证识别是风寒还是风热，是表实还是表虚，这其实就是在辨病机；同样是绝经前后诸证，烘热汗出，汗出恶风与汗出喜凉不同，那在辨证过程中就得辨识其发病机制之寒热不同。因此，“证候不仅包含了证候病机还包含确认了与病机具有真实性联系的症状，即证候是以证候标识证明证候病机的综合体，离开证候标识，证候病机成了主观空想；没有证候病机，证候标识的证据意义没有着落”。因此，证（候）中包含病机，二者是互相依存关系。

现代学者提出辨机论治，更多的是从西医那里得到启发，将西医的病对应中医的病，研究出这个病的中医基本病机，只要有西医诊断就可以得出中医病机，这样就可以绕过中医辨证这个必经的过程，而可以直接辨病机了。如，糖尿病相当于中医消渴病，消渴病是消耗性疾病，津亏燥热是其核心病机，早期燥热为甚，中期内热津伤，后期阴损及阳、阴阳两虚。当某患者诊断为糖尿病，根据其疾病阶段直接辨为某病机而予以施治，这就是所谓的辨“机”论治了。不论这样的辨法是否正确，只希望这种辨法比“辨证”的方法准确性更高些才是。

上述可见，辨证论治自然是中医临证治病的必由之路，提高辨证水平才是走出辨“证”不准的好方法。

第二节 院校教材所教授的中医思维能培养出好中医毋庸置疑

一、院校教育也是中医成才的途径

院校教科书是1949年以来国家官方组织编撰的教学范本，特别是20世纪80年代的5版中医教材，脱胎于中医经典著作，而融入了现代的医学思维理念，堪称是教科书之典范。通过逐步修订与完善，形成了基本大纲和基本框架不变的院校教材，是前辈们在中医经典及历代中医典籍中抽取精华，按照现代人容易理解、容易掌握的思维线条编撰而成，是汲取历代中医典籍的共性部分或具有各医家代表性的学术内容。可以讲，院校教材是去粗取精之集大成之作，既保留了中医的思维，又条理、系统，容易入手、便于掌握。

中医典籍汗牛充栋，加之是文言文，其中的词句所蕴含的典故、方言，因朝代不同造成的度量衡差别等，学起来绝非易事，所以，从学习历代中医典籍入手学中医将是件十分困难的事情，而且容易发生偏差，或许会导致学剑者偏好于剑，学刀者偏好于刀的现象。院校教材是将各部典籍的共性、通识部分融合在一起，不仅条理而且全面。培养后学需要合适的教材，而院校教材的普适性显然优于历代的中医典籍。中国台湾地区中医执业考试的范本是《医宗金鉴》。《医宗金鉴》是类书，可谓是中医知识的集大成者，涉及内、外、妇、儿、眼、针灸、正骨等，但内容重复多，又缺乏本草部分，看起来是很合适的教科书，但存在的不足显而易见。而院校教材中的《中医基础理论》《中医诊断学》《中药学》《方剂学》《中医内科学》等，编撰系统、条理、全面，已经成为现代人学习中医的基石。院校教材内容浅显易懂，归纳系统，依照医学的规律由浅入深，层次递进，比历代中医典籍都更易于学习，其内容涵盖了中医学的精髓部分，比如《中医基础理论》奠定了中医整体的理论框架，在培养中医思维方面，这本教材是极为成功的；《中医诊断学》系统全面地介绍了望、闻、问、切各个诊法需要掌握的内容；《中药学》收集了400多味药，适用性强，具有代表性；《方剂学》对所收载的方剂可谓是精挑细选，选取了历代医家的代表方剂，涵盖面广且均衡。可以讲，熟练掌握了《方剂学》中的方剂就可以做一名很好的临床医生。

但院校教育一直被诟病，认为院校教育出不了中医人才，究其原因，可归纳为以下两个方面，其一，认为教材篡改了古中医的精髓，未守其正；其二，课堂教育教授不了中医的临床能力，是纸上谈兵。笔者是20世纪80年代初考入中医高等学校的院校中医医生，是以《中医基础理论》（当时《中医基础理论》和《中医诊断学》是合二为一的）、《中药学》《方剂学》《中医内科学》等为范本学习成长的中医，一直谨守院校教材所教授的理论去临床、教学、写作。40多年的实践证明，通过学习这些院校教材，能够很好地掌握中医学的精髓，比直接读“四大经典”更容易掌握中医学，临床疗效也十分显著，可以很好地复制和带教后学。当然，肯定院校教材的正确性和对培养后学的可行性，不是说学了院校教材就可以不读中医经典，不读中医典籍。若想充实和提高中医学术水平及临证能力，自当深入研读历代中医典籍，但在学好院校教材的基础上去读经典、读典籍，则可事半功倍，因为二者是相得益彰的关系，是基石和高楼的关系、登堂与入室的关系，不是有你没我的关系。对于学好了院校教材又想提高的中医学者，则可以进一步研读中医“四大经典”，以及历代中医典籍，去深钻、深研，进一步提高。

笔者的感悟是，在临证时谨守八纲辨证，以院校教材归纳的中医理论分析辨识证情、遣方用药，即可成为一名合格的中医临床医生。笔者不追求奇思淫巧，旁门左道，也不标新立异，本本分分依照院校教材所教授的中医理论和思维逻辑去临证诊病，没有通过所谓的秘籍、秘方，或偏执一隅固守某个方剂、某个治法、某个医家、某个学说去诊病，而是“循规蹈矩”，守正持真，不追随什么流、什么派，始终坚持所做（临床）、所说与所写相一致，教授后学时讲的是心脾两虚证运用归脾汤治疗，在学生面前临证时也是这样做的。

二、衷中参西可以学好中医

笔者是纯正的中医，但不排斥西医。尺有所短，寸有所长，西医有西医的不足，中医也有中医的短处，扬长补短就十分必要。过去的中医经常因为误诊而被诟病，中医的发展因此受到严重考验。近十年，中医又出现良好的发展势头，一方面，是有国家政策的支持，另一方面，不得不承认是站在西医明确诊断的肩膀上才有了中医用武之地。临证中，西医的检查设备十分发达，使疾病无所遁形，在诊断明确的情况下，中医可以放手做治疗，并通过西医方法随时复查，一旦有不测可随时救治或实施手术，减轻了中医医生和患者的压力和负担。再者，中医参与急危重症的治疗，都是在西医治疗的基础上完成的，或者是在综合医院的重症监护病房参与会诊，或者是在中医院的重症监护病房实施中西医结合治疗。生命的维持是由西医来完成，中医是在这个基础平台上的锦上添花或者更上一层楼，因此，做好中医不能排斥西医，还得用好西医这个拐杖。

第三节 医苑漫谈

漫谈中药的药性观

中药的寒热药性就像数轴，分正数、0 和负数，温热药性的强度由弱到强从 0 开始向正的无穷大排列，寒凉药性的强度由弱到强从 0 开始向负的无穷大排列，靠近 0 的中药药性偏性小而温和、趋于中性，远离 0 的中药药性偏大而峻猛。中医中药治病就是以偏纠偏，偏性越强纠偏的力量也越强，如大寒的龙胆草、黄连，大热的乌头、附子。偏性强则如虎狼，顷刻救人于危重之际，而茯苓、竹叶寒热性不强，接近平性，纠偏力不强，治病力就弱。因此，以偏性峻猛之品去养生从中医理论上难以讲通。如长期吃大黄可以祛病延年的说法不符合中医的基本原理。养生不是治病，对养生者来说本来机体的阴阳失调就不严重，以偏性强之中药去纠偏则会“矫枉过正”，适得其反。养生方药的药性应该接近 0，偏性不能强、药性宜平和才对。寒热性不强的方药才是比较好的养生良方。

漫谈诊病与遣方用药

中医诊病就像找靶子，遣方用药就像打靶子，能不能打到靶子，方向最重要。假如靶子在南边，如果瞄准北边，那是不可能打到靶子的。中医辨证就是找靶子，所以，辨证“方向”最重要，辨识清楚寒、热、虚、实，表、里，阴、阳，就是辨清八纲，则治疗方向明确。

遣方用药就是打靶子，瞄准也是个精细活，选哪首方剂或加减哪味药就是瞄准的过程。如果把一个证候设定为靶心，那根据与此靶心的契合度不同而会将系列方剂排列在靶子的不同环数上面，如健脾补气的方剂有许多，从四君子汤、五味异功散、六君子汤、香砂六君子汤、七味白术散，到参苓白术散等一系列方剂，这些健脾益气的每一首方剂的功效不同，就是对应的环数不同，想击中当下医治的这位患者所患脾虚亏虚证候的靶心就必须选择与之相适应的方剂。只有精通方剂、药性才能准确击中十环。

但如果找到了靶子方向，即辨证方向正确。如患者脾虚不健，即使在上述健脾系列方剂中选择不够准确，随便选择的健脾方剂均会获得疗效，只是存在取得疗效的显著与否的差别，这就是找靶子与选武器的关系。

所以，中医诊病，辨证十分重要，有医生抱怨“某方不好使”，其实，大概率是辨证不准，方向发生偏离导致的。比如，一个患者失眠、口苦、易生口疮，情绪不快，不喜凉饮，舌偏红苔微黄，脉弦，是辨为痰浊内阻选温胆汤，还是辨为湿郁化热选越鞠丸？我们经常对身热喜凉，伴乏力的患者辨不清是阴火下流，还是壮火食气，方向辨不对，给出的方剂就会大相径庭。只是抱怨东垣清暑益气汤不好使，或者黄连解毒汤不好使就是基本功不够扎实。

而辨证方法的确很多，不妨借用一句名言来对待复杂的辨证方法。那就是“复杂问题简单化，简单问题复杂化”。所谓复杂问题简单化，就是临床症状越多，越复杂，越不必去细究，只抓主线，就是我们常讲的抓核心主症、核心病机，把复杂的病情简单化。复杂的病就是有好几个证候病机，其中有一个主导病机，我们称为核心病机，还有好多个次要病机，次要病机或是在核心病机上派生出来的，或是另一个独立的病机。面对复杂病机（当然患者陈述的和医生四诊所获得的是症状与舌脉，其背后才是病机）时要用八纲辨证去辨，或者干脆讲就是用阴阳两纲去辨，分清寒热、虚实，特别要分清是阴证还是阳证，则治疗失误就会大大减少。回到前面“身热喜凉，伴乏力”的例子上，如果辨的是阳证，是“壮火食气”，那就不会施以益气养阴之方剂，相反，如果辨的是阴证，是气虚证的气虚发热，那就不会选择黄连解毒汤。在辨识清楚是阴证还是阳证后，选择东垣清暑益气汤还是升阳益胃汤就不像是选择清暑益气汤还是黄连解毒汤那么令人提心吊胆了。

漫谈医生遣方用药不能有好恶

中医界有派别，如经方派、火神派、五运六气派等。火神派推崇用附子、干姜，从涵盖的病种、使用的频率、运用剂量之大都令人咋舌。其实，医生不应该对方剂、药味产生偏好，用不用附子、用不用经方，不应该由医生决定，而应该取决于患者的病情。经方只是治疗疾病的一种手段，有其优点，自然也存在不足。一个医生偏好过用某方、某药、某法，说明其对中医学掌握得还不够全面、不够深入，掌握的治法、方剂还不多，才产生了狭隘的治病用药观。在武林常听到某人精通剑术，某人精通铁砂掌，而此类武林杰士大多都赢不了无某种武器称号的高手。真正的武林高手精通各种兵器，甚至一条丝带、一副扑克牌都是克敌制胜的武器。武林高手不会偏执于某件武器，与敌对阵时随手抄来的家伙都是武器；同样，中医大家、圣手也应兼收并蓄，经方用得好，时方用得也好，不拘泥于附子、石膏，王氏清暑益气汤、东垣清暑益气汤，可谓真正是“有是证用是药”！中医圣手眼中没有什么好恶，只有临床疾病所需。

因此，中医医生应该培养自己的大局意识，以个人兴趣起家也可以理解，学习总是从无知开始，但不能落入俗套不想自拔。古代常见一方“名医”一辈子行医只用一张方剂，比如以一张逍遥散打天下，对逍遥散加减运用灵活的确可圈可点，岂不知，加减后的逍遥散其实就是另外的几首方剂。笔者愚见，掌握熟、运用好更多历代方书中之方剂，无疑是精确施治的好法子，根据临证特点该去化裁则要衣随身形，如有合身成衣自当轻松拿来，还省了费神。

漫谈核心病机与核心主症

证候由系列症状、体征组成，而每一个证候均是由特异性症状、体征和非特异性症状、体征组成，如何区别此证非彼证实际上是通过特异性症状体征去完成的。这些特异性症状体征就是核心主症。核心主症可以为一个，也可以为多个。核心主症是证候的标志物，是证候的代表，找准每个证候的标志物就找到了该证候。核心主症需要去提炼，去粗取精，去伪存真才能获得，通过辨识核心主症可以准确完成辨证过程。

病机是疾病发生发展的机制，随着疾病不同阶段的发展变化，病情表现也不同，疾病的证候不同是因为其背后的病机发生了变化，但不管如何变化，总有一个最关键的病机主导着疾病的发生、发展与演化的过程。这个关键病机就是“核心病机”。核心病机是疾病本质的高度体现，也是病证发展的根本机制。

“有诸内必形诸外”，病机通过证候体现，同理，核心病机也是通过核心主症体现的，犹如透过现象看本质；而核心主症为核心病机在临床上的特有表现，具有代表性和特异性，因此，通常通过抓核心主症就可以抓住核心病机，抓主症就是抓病机。但若出现多个核心主症群，主次难以区分，则要透过多个核心主症群去抓核心病机。核心病机强调疾病发生发展的病性（如寒热、虚实、表里）、趋势（初发、上升、衰退）、正邪胜负等，可能不在乎多一个少一个症状、体征，因此，当核心主症出现多组分歧时，则要以抓核心病机去完成辨证。如反复发热这一病症，如果是无规律地发热1次或2次，则要去抓核心主症是发热、恶寒、有汗，不渴还是发热、不恶寒，有汗，咽痛而渴等；但如果是每月经前发热，持续数日自行消退，则关注的不仅仅是可见的症状，而要去寻找这种规律发热的背后病机，跳出见“热”治“热”的辨“症”思维，而改为透过现象找本质，直接去抓核心病机。

如何提炼核心主症是关键所在。核心主症提炼得好就能很好地代表核心病机。提炼核心主症是一位中医应该持续锤炼的基本功。幸运的是，已经有许多核心主症被经典、医家提炼好了。比如，理中汤证的“喜唾”就是提炼好的核心主症。

笔者曾治疗2例喜唾的病患，一例女性患者是每见到粪便就口中唾液不断唾出，1年来更迭多医无果，笔者尝试多种方法但均无功而返，在穷极无奈时想起理中汤证的喜唾一症，数剂而愈。另一例女性患者是每次同房后口中唾液不断而唾，半年来治疗无果，求治于笔者时已有此方面经验，直接给予理中汤，亦数剂而愈。理中汤证的核心主症“喜唾”，就一个症（理中汤有多组核心主症，喜唾是其一组，胸中寒也是理中汤的核心主症，以及最被熟知的胃疼、畏寒、不渴这组核心主症）。但通常核心主症应有三个及以上才有较好的概括性和特异性，如夜间烦，不得卧，身热，就是黄连阿胶汤的核心主症，再加舌红苔薄黄，脉或数或滑或弦。不同的医生对核心主症的提炼不一定相同，对证与方的领悟出发点不同，提炼的核心主症也会有不同，只要运用得手，疗效肯定就是对的。同样是一首乌梅丸，其运用的把握点各有不同，有些甚至看起来相差悬殊，这也没什么不好，名方本来就充满融合性。经方有良好的方证对应，但经方的方证还不完全是核心主症，经方的方证有局限性，核心主症概括面更广。

抓核心病机有重要的临床意义。临证中往往病症繁杂,能理出一个或数个子病机已经实属不易,而这种针对一个或数个子病机的对应施治虽可取效,却也会如盲人摸象,顾此失彼,治疗周期长。若能辨得核心病机,则可执简驭繁,扼住其本,简化辨证,找准"目标",容易取效。如,郁病患者见肝郁之情绪低落,少兴趣,无欲轻生,又见肝郁横逆犯胃之食欲不振,胃胀便溏,或嗳气、吞酸,又见肝郁肝热扰动心火之心烦、失眠,又见肝郁肝亢之头痛、头晕、眼花,又见气郁不达之倦怠懒动,身重思卧。子病机有肝气犯胃、肝火扰心,肝阳上亢,气郁不达,围绕每一个子病机均可改善对应症状,但治疗周期延长,如把握核心病机肝郁,以肝郁论治,给予解郁畅达之剂则可纲举目张,达到解一病机而诸病机悉解的目的。

漫谈中药的量效关系

中药剂量是临床获取疗效的关键因素之一,中药用量与疗效的关系一直是中医界十分关注的焦点。在医疗安全的前提下,以最小的剂量获取最佳的疗效,是中医界亘古不变追求的目标,也是其研究的一个难点。合理、恰当地运用中药的剂量取得更好的疗效,是每位临床医生毕生追求的目标,是以大剂量去取胜还是谨守常规用药规律去取胜是个绕不开的话题。

中药的量效关系研究的范围比较复杂,既有中药的煎服法、配伍对量效关系的影响,也有中药效毒关系对量效关系的影响,还有部分中药双向调节作用对量效的影响,以及不同剂量节段作用不同对量效关系的影响等。比如,柴胡小剂量(3~6g)升清,中剂量(9~12g)疏肝理气,大剂量(15~30g)发散退热;大黄小剂量(3g)健胃,中剂量(6g)清湿热,大剂量(9g)则泻下。我们抛开这些方面,单就一般中药方剂在辨证准确的前提下小剂量、中剂量、大剂量与疗效的关系而言,中药的量效关系会是什么样的情形?

有研究报道,大黄对危重症患者胃肠道功能影响,在0.05g/(kg·d)、0.10g/(kg·d)与0.15g/(kg·d)3个剂量组里,随着生大黄鼻饲剂量的增加,患者胃肠功能改善作用、喂养耐受率等指标会逐渐提高,但是随着生大黄剂量的增大,患者腹泻发生率亦随之升高,综合评估,生大黄鼻饲剂量为0.10g/(kg·d)时,疗效好、安全性高,可达最佳量效关系,即量效不呈线性相关。

有学者对几十种汤方、中成药量效进行 Meta 分析研究，不少量效关系呈“量效多波折”关系，“即在一定剂量范围内，方药剂量与效用之间有一定的量效关系，但不是单纯的线性或抛物线性关系，而是一种多波折曲线的关系，呈现随量效先增后减关系”。如麻杏石甘汤在解热、止咳作用方面随量效先增后减；葛根芩连汤整方在治疗糖尿病肾病时呈随量效先增后减。川贝枇杷滴丸、愈骨胶囊，高剂量组在症状改善上均优于低剂量组，但差异无统计学意义；清开灵治疗急性上呼吸道感染、芫花萜膜终止 12~16 周妊娠，其高、中、低剂量各组间疗效差异均无统计学意义；雷公藤治疗类风湿关节炎的研究中，高低剂量未表现出明显的量效关系，但高剂量组出现明显不良反应。

还有学者报道，不同黄芪剂量的补阳还五汤均可明显促进大鼠慢性难愈性创面修复愈合，黄芪 120g 组创面愈合率高于黄芪 15g 组，但与黄芪 30g、60g 组比较差异无统计学意义。

这些研究表明“方药的确是存在量效关系的，但这种量效关系的表现形式却是多样化的，有量增效增者，有量增效减者，亦有表现量效多波折者”。这些研究未出现量效正相关线性关系，可能与病种选择的偏差，敏感性、特异性实验指标的选择等方面有关，但也不能排除量效的非线性关系确实存在，疗效并非一定通过增加剂量就能获得。

当前，中医界有些反常现象，中药的使用剂量越来越大。有学者总结原因有，“疑难危重疾病所需，因人、因时、因地制宜，中药材质量下降，煎煮质量下降”等。笔者认为，一，不排除是因为医生中医功底不深，无知者无畏，存在药物滥用现象。二，以汉代度量衡算法为由，极力提高仲景方的用药剂量。汉代方剂剂量为什么那么大不得而知，但汉代中药只煎一次（分三服）。中药煎法研究表明，中药一次煎煮有效成分溶出率为 30%，二煎溶出率为 40%~50%。另一位学者报道的中药一煎、二煎有效成分溶出率则分别为 61.8%、23%。笔者采信第二位学者的报道（因为第一煎时中药药效成分含量高，只要中药泡透，其溶出率应高于第二煎），这样看煎 2 次药效成分溶出率在 83% 左右。汉代方剂剂量大，但只煎煮 1 次，因而中药有效成分溶出率低，与现在的方剂剂量小而煎煮 2 次的煎服法相比，药效差距就缩小了许多，因此，不能单看经方的量，要看进入人体的中药有效成分的量是多少。三,受一些名医效应的影响,有些名医行医当时的医疗条件还不发达,中药有许多以主角的方式救治急危重症并取得了成功,附子剂量施以 30g 到 100g,干姜施以 10g 到 30g,对于生命垂危的患者,大剂启沉疴、救命于一旦,属于有胆有识,可敬可学,但将此用法推广至各种慢性病的治疗中则需要慎重思考。

我们抛开超《药典》用药的法律危险不提,单就学术探讨,是否大剂用药就那么必要?有报道称,"临床用含大剂量黄芪的汤剂治疗 2 例中风患者,均出现肢体剧烈震颤、疼痛,其中 1 例患者黄芪量达 100g,减至 50g 则肢痛震颤消失",本文也提到过黄芪在促进大鼠慢性难愈性创面修复方面,30g、60g、120g 作用无明显差别。从《伤寒论》运用附子的方法也不难看出,仲景运用附子深有讲究。附子汤以炮附子 2 枚温散寒湿祛邪,真武汤以炮附子 1 枚温肾助阳扶正,运用附子剂量之法度是在辨证分清虚实下的合理出入,并非无论是虚寒还是寒湿均施以 2 枚炮附子。

当代山西名医李翰卿先生则是充分读懂用活仲景书的先人,据报道,有一医案颇能说明重药轻投的意义:"某 35 岁女患者,风湿性心脏病手术后出现全心衰,某医以中药治疗,处方各药均 10g 左右,并继续配合地高辛等西药,服药后诸症加重。李老诊视,急宜真武汤加减治之,处方各药均 1g 左右,次晨患者症状减轻;后来学生感觉量小,乃在原方上加 l0 倍量予之,次日诸症加剧,李老询诸症之后再以原方原量予之,则病情逐渐改善。"因此,无论是有毒的附子还是无毒的黄芪,均不可以量论英雄。

朱良春先生运用大剂量益母草,消肿疗效显著,在利水消肿方面剂量用到 70~120g。朱先生的积极探索和临床的宝贵经验实属难得,而后学是否能学到其精髓则需要思考。笔者认为,如果是难治性肝硬化腹水,肾功能衰竭重症无力挽回,此法该当运用,但仅是一般水肿,常规方剂和剂量完全可以取效。若因是名家经验,出于兴奋而照搬就不太合适了。

笔者认为,一般性中药方剂的量效线性关系并不显著,当疗效不佳时不应首先考虑是量不足(危急重症除外),而应该去思考是否辨证有误,只当小剂有效而效果不显著时可以增加剂量。

其实,影响中医中药发挥疗效的因素十分复杂,不比西医之护士执行医嘱那么准确,抓药剂量的准确性,煎药的用具、浸泡水量、煎煮火候与时间、煎出量、煎煮次数等以及服药方法均会影响量效关系。处方看起来是开了大剂量，而实际发挥药效的有效成分是否能合理溶出、患者是否完全服进去都需要考量。就拿煎药所得药液量来讲，常规处方量一次煎 200ml 就可以了，而增加数倍的处方量（如常规附子开具 6g，大剂量时可能用至 60g），如果溶媒（水）没有增加，煎煮所得容量也没有增加，有效成分的溶出量的增加就十分有限，这样貌似是开了重剂，而其实仍然是常规量在发挥作用。这样做既违反《药典》而给医、患带来医疗隐患，也十分浪费药材，增加患者负担，是个不得不考虑的问题。